좋아하는 그림을 벽에 걸듯,
좋아하는 드라마를 머리맡에 놓아둘 수 있다면

마음을 어루만졌던 드라마는 오래도록 남아 어느 허하고 고된 날
문득 위로로 다가오곤 합니다. 그러다 자연히 내 삶에 의미를
남긴 드라마가 방 안 소중한 곳에 놓여 있는 모습을 상상했습니다.
인생드라마 작품집은 그렇게 기획되었습니다.

시의성에 얽매이지 않고 가치에 더 집중한 작품과 감정의 물결을
다시 일으킬 밀도 있는 이야기들을 한 권의 책에 담고자 합니다.
그리고 이에 걸맞은 아름다운 물성을 더해 작품을 소장하고
간직하는 기쁨을 선사하고자 합니다. 인생드라마 작품집이 뭉근히
독자에게 가닿는 책이 되길 기대합니다.

나의 아저씨 2

인생드라마
작품집
시리즈

부엔요

나의 아저씨

용어 정리

S#	Scene. 신. 같은 시간, 장소에서 상황이나 행동, 대사, 사건이 나타나는 한 장면을 의미합니다.
E.	Effect. 화면 밖의 소리를 나타냅니다.
F.	Filter. 필터를 통과한 소리로, 대개는 통화 중에 상대방의 소리를 나타낼 때 씁니다.
OL.	Over Lap. 현재 장면과 다음 장면이 겹쳐지는 효과, 앞 사람의 대사가 끝나기 전에 시작한다는 의미입니다.
INS.	Insert. 신 안에서 다른 신을 넣을 때 사용합니다.
Cut To.	신 내에서 화면이 전환될 때 사용합니다.
몽타주	편집된 장면들을 짧게 끊어 붙여서 의미를 전달하는 화면을 말합니다.

차례

인물 관계도

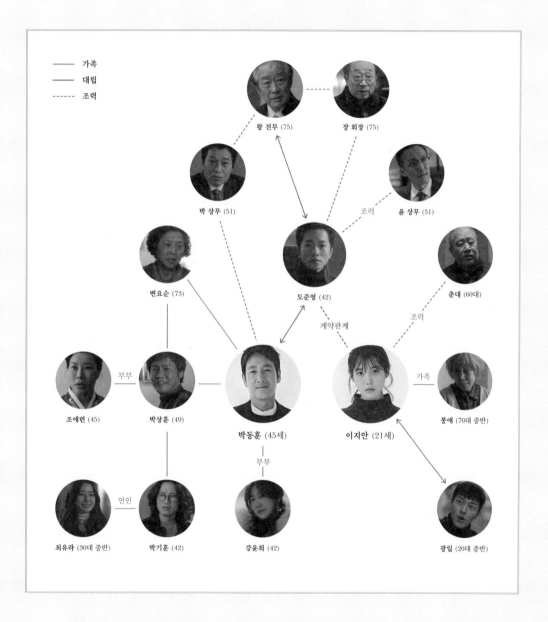

가족
대립
조력

왕 전무 (75)   장 회장 (75)

박 상무 (51)   조력   윤 상무 (51)

변요순 (73)   도준영 (42)   춘대 (60대)

계약관계   조력

조애련 (45) 부부 박상훈 (49)   박동훈 (45세)   이지안 (21세) 가족 봉애 (70대 중반)

부부

최유라 (30대 중반) 연인 박기훈 (42)   강윤희 (42)   광일 (20대 중반)

Episode

9

S#1 — 몽타주 (밤)

따뜻하고 정적인 서울 시내 야경에서, 어느 순간 역동적으로 다리를 건너는 열차로. 열차가 다리를 다 건너 사라지면,

S#2 — 지하철 안 (밤)

흔들리는 열차 안, 동훈과 지안이 각기 생각에 빠져 떨어져 서 있고. 지안의 얼굴 위로

지안   (E) 밥 먹고 술 먹고 그러면 좋아하는 건가? 많이들 그러지 않나.
뭐 바라는 거 있을 때.

준영   (E) 박동훈은 안 그래. 밥 먹고 술 먹으면 좋아하는 거야.

[INS] 3화: "말 돌아. 여직원하고 밥 먹고 그러면." "불편해. 몰래 숨어서 밥 먹고 그러는 거."

그렇게 자신을 밀어냈던 남자.

[INS] 5화: "착하다⋯." 그 후로 자신과 아무렇지 않게 술을 마시고 밥을 먹었던 동훈. 건배를 하며 "행복하자." 그리고 마주 보며 웃었던, 그리고 같이 거리를 걸었던 컷들.

준영   (E, 결론처럼) 좋아하는 거야.

지안의 얼굴 위로

준영   (E) 거기까지만 가봐. 나머진 내가 알아서 해.

빠앙– 소리를 내며 빠르게 달리는 지하철.

Episode 9

S#3 ── 지하철 플랫폼 (밤)

문이 열리자 동훈은 내리는데, 문이 닫히는 와중에 돌아보면, 지안이 안에 있고. 지안은 동훈을 보고 '어?' 하는 얼굴. 내릴 역을 놓친 게 분명해 보이는 얼굴. 떠나는 지하철을 보며 서 있는 동훈.

S#4 ── 역 입구 (밤)

동훈은 출구에서 올라와 돌아보다가 핸드폰을 꺼내본다. '전화를 해볼까….'

S#5 ── 지하철 플랫폼 (밤)

지하철 문이 열리면 내달리는 지안. 건너편 플랫폼 쪽으로 뛰고… 다시 반대편 열차를 올라타는 지안.

S#6 ── 역 입구 (밤)

핸드폰을 보며 전화를 할까 말까 하다가, 그냥 신호등 쪽으로 가서 서는 동훈. 신호등을 건너고.

S#7 ── 동네 마트 (밤)

통화하며 카트에 파인애플을 담는 동훈 위로

요순　　(F) 파인애플하고… 그거.

S#8 ─── 요순 집 주방 + 동네 마트 (밤)

개수대 앞에서 통화 중인 요순.

요순   그거. (생각하다가) 난 왜 그 말이 이렇게 안 나오냐.

동훈   메론이요?

요순   어, 메론. 파인애플하고 메론 하나씩만.

멜론을 담는 동훈.

⟨ Cut to ⟩

동훈이 어딘가 전화하는데 신호음만 가며 상대는 받지 않고. 전화를 끊으면 액정에 '집사람'. 문자를 보낸다.

[마트 왔는데. 뭐 살 거 있나 하고.]

문자를 보내고 핸드폰을 주머니에 넣으며 계산대로 가는데, 핸드폰이 바로 울려서 보면 '기훈이'.

동훈   (계산대로 가며) 어.

S#9 ─── 역 근처 (밤)

동훈이 파인애플과 멜론이 든 봉지를 들고 신호등 앞에 서 있는데, 건너편 역사에서 훅 달려 나오는 지안이 보인다. 이어폰을 끼고 두리번거리다가 소리에 집중하는 듯 가만히 있는 지안. 그때 이어폰으로 들리는 요란한 오토바이 소리. 오토바이를 찾아 그쪽을 휙 본다. 거기에 서서 자신을 보고 있는 동훈.

지안   !

서로 보는 두 사람. 동훈은 괜히 시선을 피하고. 신호가 바뀌면 건너기 시작. 신호음이 띠리리 띠리리….

Episode 9

동훈이 지안 쪽으로 다 건너와서 무심히 앞장서 가며,

동훈   뭐 하다 못 내리고. 정신을 얻다 두고.

S#10 ─ 동네 일각 (밤)

두 사람이 정희네 쪽으로 가는 중.

동훈   알바는?
지안   전화 오면 가요. 예약 손님 많을 때만.
동훈   뭐 하는데?
지안   뷔페에서 접시 닦아요.
동훈   기계로 안 해?
지안   대충 닦아서 기계에 넣어요.

말없이 걷다가

지안   왜 이리 가요?
동훈   심부름.

또 말없이 걷다가

지안   꼭 상무 돼요. 될 거예요.
동훈   …도준영이 가만있겠냐? 내가 상무 되면 지가 잘리는 건데.
          이제 똥줄 타서 별짓 다 할 거다.
지안   걱정 마요. 될 거예요.
동훈   (힐끗) 뭐 믿구….
지안   상무 돼서 복수해요. 잘라버려요, 그 인간.
동훈   …

지안	보고 싶네. 도준영 그 인간 처참하게 무너지는 꼴.
동훈	넌 걔가 왜 싫은데? 걔랑 말이나 한번 해봤냐?
지안	…아저씨가 싫어하니까.
동훈	!
지안	…
동훈	(부러) 아저씨가 뭐냐. 부장님이라 그래.

동훈은 뭔가 끊어내야 된다는 생각에 빠르게 걷는데.

S#11 ── 정희네 앞 (밤)

동훈은 지안에게 눈길도 안 주고 정희네로 들어가며

| 동훈 | 가라. |
| 지안 | 내일 봬요. |

지안도 역시 미적거리지 않고 뚜벅뚜벅 가고.

S#12 ── 정희네 (밤)

정희가 냉장고 열어 뒤적여보며

정희	과일 있었던 거 같은데… 없나? (과일 봉지를 냉장고에 넣고) 얼마야?
동훈	됐어.
정희	됐기는. (돈 통으로 가며) 가져가 돈!
동훈	(나가며) 됐어. 늦었어, 가봐야 돼.
정희	어디 가는데? 오늘 셋 다 약속 있네. 셋이 맛있는 거 먹으러 가는구나?
동훈	맛있는 거는….
정희	참치 먹으러 가니?

S#13 ── 참치집 룸 (밤)

테이블엔 고급 참치. 기훈은 참치가 보이게 삼 형제 사진을 찍고. 상훈과 기훈은 간단한 포
즈를 취해준다. 카메라를 보고 웃으면 찰칵. 무심한 듯 자연스럽게 정지해 있으면 찰칵. 참
치를 입에 넣는 자세로 정지해 있으면 찰칵.

⟨ Cut to ⟩

삼 형제가 술잔을 부딪히고, 잔을 비우고, 참치를 먹고.

기훈   죽인다. 감동적이다 진짜. 내가 작은형한테 이런 고급 참치집에서
       참치 사는 날이 언제 올까… 오긴 올까… 했는데. / (건배 제의) 꿈은 이루어진다!

상훈   (건배) 아자!

동훈   (낄낄) 눈물 난다.

기훈   (참치에 젓가락을 가져가다가) 이거 보여? 손 떨리는 거. 와, 얼마만이냐.
       지쳐서 손 떨려보는 게.

상훈   슬슬 하라니까. 일 못 해서 죽은 귀신 붙은 것마냥.

기훈   그럼! 일 못 해서 죽은 귀신 붙었지! 달고 다닐 거야, 이 귀신.
       (어깨에 대고) 나가지 마. 같이 다니자.

동훈   (상훈에게) 할 만해?

기훈   (가로채서) 좋아. 진짜 좋아. 매일 남들 다 출근하고 점심 먹을 때쯤
       일어나면 하루 종일 뭔가 우울하고 그랬는데, 남들하고 같이 시간 맞춰서
       일어나서 죽어라 일하고… 기진맥진해서 쓰러져 잘 때 그 짜릿한 기분!
       (엄지 치켜들고) / 몸으로 태어나서 요즘 처음으로 몸을 쓰고 몸을 느낀다.

상/동   (그 말이 야하게 들려 키득거리고)

S#14 — 지안 집 (밤)

지안이 자신의 핸드폰으로 온 문자를 봉애에게 보여준다.

[INS] 문자 내용: 이봉애(여) 님은 장기요양등급이 인정되어 **요양원에 배정되었으니, *월 **일까지 입원하시기 바랍니다.

지안	(수화) 여기 좋은 데래.
봉애	(믿기지 않는, 수화) 그런데 무료야?
지안	(수화) 응.
봉애	(신기하고 놀라운 눈으로 지안을 보면)
지안	(수화) 저번에 할머니 업어줬었던 그 아저씨가 가르쳐줬어.
봉애	(그제야 좀 믿기고. 감사한 듯 두 손을 모으고 눈을 감는다)
지안	…
봉애	(수화) 고마워서 어쩌냐… 고마워서 어째….

봉애가 지안의 이마를 끌어다가 자신의 이마에 대고, 기도하듯 가만. 그동안 고생한 손녀에 대한 미안함과 고마움.

S#15 — 참치집 룸 (밤)

소주가 서너 병 까져 있고. 얼추 취한 삼 형제.

상훈	내가, 망하고 나서 제일 걱정됐던 게, 뭔 줄 아냐? '이러다 울 엄니 돌아가시면 어떡하나… 울 엄니 장례식 쓸쓸해서 어뜩하나….'
기훈	또. 엄마 장례식 얘기 좀 그만해라. 멀쩡히 살아 있는 노인네 가지고 맨날.
상훈	넌 걱정 안 되냐? 엄마, 오늘 돌아가셔도 이상할 게 없는 나이야!
기훈	그래서? 가시면 가시는 거지, 뭐 어쩌라고? 걱정한다고 안 가셔?
상훈	지금 가시면, 응? 누가 와? 내가 번듯해야 문상객들도 오고, 잔치처럼 성대하게 보내드리는 거지. 별 볼 일 없는 놈 부모 장례식에 누가 와?

아부지 땐 그래도 우리 셋이 한창때였으니까 그나마 그만큼 온 거지.

너나 나나 이제 조기축구회밖에 더 있어?

기훈 아 그럼 올 사람 없으니까 죽지 말고 좀만 기다려달라고 하면,

'알았다, 오늘 안 죽고 기다리겠다.' 그래?

상훈 그러니까! 그럴 수 없는 거 아니까 내가 걱정인 거 아냐? 내가 어떻게든

빨리 크게 일어나서 언제 돌아가셔도 쓸쓸하지 않게! (말끝에 울컥하자)

기훈 아 나 진짜. (돌아버리겠고)

동훈 …

기훈 이러고 싶냐? 내가 오늘 작은형한테 참치 사는 역사적인 날이다. 어?

동훈 (기훈에게) 그만해.

분위기 어색해져 각기 잔을 기울이고.

상훈 (잠잠히) 옛날에 우리 상무님 어머니 장례식 때, 화환이 너무 많이 들어오니까,

놓을 공간이 없어서, 나중엔 화환 리본만 떼서 압정으로 쭉 꽂아놨는데….

(촉촉해지는 눈) '어떤 노인넨지 복도 많다….'

동/기 …

상훈 그 집이 오 형제였어. 오 형젠 됐어야 돼. 삼 형젠 너무 적어.

기훈 (혼잣말처럼) 여기에 어떤 새끼 둘을 또 끼워? 셋도 징글징글한데.

상훈 (상관없이 잠잠히) 내가 기댈 데가, 동훈이 너밖에 없다.

동훈 …

상훈 회사 오래오래 다녀. 드럽고 치사해도 꾹 참고.

동훈 …

상훈 미안하다. 형이 돼서 이딴 부탁이나 하고.

동훈 …나, 상무 후보 올랐어.

상/기 !

#룸 앞: 상훈이 문을 확 열며

상훈 여기 샴페인 있어요? 아니면 제일 좋은 술, 뭐 있어요?

기훈	(통화) 엄마! 형 상무 됐대.
동훈	된 게 아니고! 그냥 후보라고!
기훈	(통화) 어, 된 거야.
동훈	(미치겠고)

S#16 ─ 정희네 (밤)

삼 형제가 2차로 정희네에 온 상황. 제철, 진범, 권식도 있고. 모두 동훈 주변에 둘러서서
"오~" 하고 축하하는 분위기인데, 동훈은 난감해 미칠 지경이고.

제철	마흔다섯에 임원이면… 동훈이 너 너무 빠르다. 여기 자리 없어. 천천히 나와.
동훈	그냥 후보라니까.
진범	상무 되면 차가 몇 씨씨로 나오냐?
제철	삼천 씨씨는 기본일걸.
진범	기사도 나오냐?
상훈	기사뿐이냐? 비서도 있지.
진범	오~
정희	(파인애플과 멜론이 있는 과일 안주 접시를 동훈 앞에 놓고) 서비스! 축하해.
동훈	(울리는 핸드폰을 받고) 예, 엄마. 정희네요. (사이. 난감) 된 게 아니고요.

S#17 ─ 요순 집 거실 (밤)

통화 중인 요순.

요순	그런 말 마라. 됐다 쳐라.

동훈은 조용히 미치겠고.

동훈	예, 예. 네, 알았어요. 네. (그렇게 전화를 끊고, 열 받아)
	내가 이래서 얘기 안 하려고 한 거야. 이러다가 안 되면 어쩔라고!
상훈	! (그 말에 정색하며 동훈을 돌아보고) 퉤퉤퉤 해.
동훈	…
상훈	퉤퉤퉤! (해!)
동훈	(어쩔 수 없이) 퉤퉤퉤….
상훈	(다시 신나서) 아냐. 시크릿? 내가 망하고 그 책 끼고 살았잖아.
	믿는 대로 될지어다! (주문 걸듯) '나를 위한 주차 공간이 있다,
	나를 위한 주차 공간이 있다….'
진범	그럼 있다?
상훈	… (없었고)
기훈	맨날 그거 믿구 앉아서 '손님이 몰려온다, 손님이 몰려온다….'
	그러다가 망했으면서.
상훈	퉤퉤퉤. (해!)
기훈	퉤퉤퉤.
상훈	얘(동훈)랑 나랑 같애? 앞으로 얘 앞에서 망한다느니 그런 말 하지 마라.
	(OL로 허공에 손 저으며) 에비비비!
동훈	좋은 거 아냐.
상훈	(보는)
동훈	후보 검증한다 어쩐다 그러면서 이제 별짓 다 할 거다. 청문회라고 보면 돼.
	탈탈 털리는 거야.
상훈	니가 뭐? 니 과거를 뒤져봐라. 너처럼 백지장같이 깨끗한 애가 어딨다고.
	한 줄이 안 나와.
동훈	청문회에선 털릴 만한 걸로 털려? 문제다 그러면 다 문젠 거지.
상훈	걱정 마. 너보다 깨끗한 놈 이 세상에 한 놈도 없어.
	(둘러보며) 여기 우리 중에서도 얘보다 깨끗한 놈 있어? 있어?

정희   그만해요. 동훈이 애 상무 안 되면 집 나가겠네. (상훈의 눈빛에 바로) 퉤퉤퉤!

S#19 ── 동훈 집 거실 + 요순 집 거실 (밤)

#이제 막 들어온 옷차림으로 가만히 전화기를 들고 있는 윤희.
#요순이 TV를 켜놓은 채 앉아서

요순   니가 애썼다….

윤희   …

요순   에미 너만 고생하는 거 같애서 내가 마음이 안 좋았는데…. 너도 이제
        몸 생각해서 쉬엄쉬엄하고… 몸살 났대매? 괜찮냐?

윤희   …네. 괜찮아요.

요순   고맙다… 내가 니들 세 식구 보는 낙에 산다….

전화를 들고 있는 윤희 모습에 동훈, 윤희, 지석 가족사진이 보이고.

⟨ Cut to ⟩

윤희가 통화 내역을 보는데, 동훈의 부재중 전화가 있고.

S#20 ── 정희네 앞 (밤)

제철, 진범, 권식이 담배를 피고 있고, 상훈은 동훈과 기훈을 끌어당겨서 정면을 보며

상훈   보이냐? 저 화환들….

상훈이 그윽하게 정면을 보는데

#상상: 순간 눈앞에 장례식장의 긴 복도가 펼쳐지고, 양쪽으로 화환이 가득 늘어서 있다.
검은 양복을 입은 남자들이 바글대며 왔다 갔다…. 삼 형제 쪽에 대고 정중하게 인사하는

문상객도 있고. 어느새 삼 형제도 검은 양복을 입고 감동에 겨워하며 보고 있다.

상훈   감동적이지 않냐? / 고맙다, 동훈아….

기훈   이쪽 반은 우리 형제 청소방 분점에서 보낸 것들….

제철이 슥 삼 형제 옆으로 들어와,

제철   저—기 제철분식 화환도 있다.

상훈   상호가 제철분식이 뭐냐?

제철   체인점 줄 섰어.

그때 유라가 검은 옷을 입고 이들을 향해 걸어오는데…

제철   대박. 연예인까지 왔어….

검은 옷을 입은 유라가 현재의 모습으로 바뀌며

#현실

유라   (모두에게) 안녕하세요.

제철   늦었네?

유라   네. (초롱초롱한 눈망울로 기훈에게 두 손을 앙증맞게 흔드는데)

기훈   (조금은 퉁명) 왔냐?

유라   (동훈에게로 얼굴을 들이밀며) 못 보던 분이시네요?

동훈   (이상한 듯, 그냥 정희네로)

기훈   (모두에게) 들어가. (정희네로)

S#21 — 정희네 (밤)

모두들 들어와 자리에 앉고, 유라가 자리에 앉으며 다른 테이블에 앉은 동훈을 보고는 (유라

가 오면서 원래 앉던 테이블에 자리가 모자라, 제철과 동훈은 다른 테이블에 있는 상황)

유라	둘째시구나. 어느 집이든 가운데가 제일 못됐다던데.
정희	저 집은 가운데가 제일 괜찮아. 고갱이. 알짜. 대기업 다녀. 상무 후보에 올랐대.
유라	(동훈 보며) 어머 그래요? 어쩐지. 두 분(상훈, 기훈)하고 다르게 얼굴에 글이 있다 했더니… 축하드려요.
동훈	(안 쳐다보고, TV 쪽만)
상훈	축하한대잖냐. 좀 쳐다봐라.
동훈	(괜히 제철에게) 분식집으로 결정한 거예요?
제철	족발집은 너무 중노동이더라.
상훈	저 자식은 인간적으로 너무 부끄러워해.
기훈	(그윽하게 보는) 난 작은형 그 부끄러움이 좋더라.
동훈	… (부러 덤덤한)
정희	나두. 꼭 마크 다시 같애.

S#22 — 지안 집 (밤)

봉애 옆에 모로 누워 있는 지안. 스피커에서 나오는 현장 소리를 듣고 있다.

상훈	(E) 마크 다시? 그게 뭔데?
동훈	(E, 의자 밀리는 소리) 일어나. 그만 가.
정희	(E) 에이 부끄럼쟁이.
동훈	(E) 나 내일 현장 나가봐야 돼.
유라	(E) 저 금방 왔는데….
기훈	(E) 먼저 가. 우린 좀만 있다 갈게.
동훈	(E) 얼마야?
기훈	(E) 내지 마. 오늘 우리 삼 형제 꺼 다 내가 내.
모두	(E) 오~
동훈	(E) 간다. (형들에게) 갈게요.
모두	(E) 가. 가라.

문을 여는 소리가 들리고 몇 발자국 걸어가는데, 다시 문 열리는 소리.

정희   (E) 목도리!

다시 걸어가는 소리. 잠시 후, 좀 멀리서 들리는

정희   (E) 잘 가, 마크 다시!

이제 뚜벅뚜벅 걸어가는 동훈의 발자국 소리만 들린다. 혼자 남겨진 동훈의 발자국 소리만.
잠잠히 그 소리를 듣고 있던 지안이 갑자기 훅 일어나고.

S#23 — 동네 일각 (밤)

지안이 점퍼를 걸치고 막 달린다. 정희네 앞을 쏜살같이 달리고. 이어폰을 끼고 큰길까지
달려 나와서 보는데도 동훈이 보이지 않고. 더 달리다 보니 그제야 저 멀리 보이는 동훈…
출렁이는 지안…. 지안이 거리를 두고 동훈을 따라간다. 동훈은 걷다가 어딘가 전화하고.
신호음이 가고.

윤희   (F, 무뚝뚝) 어.
동훈   (E) 어디야?
윤희   (F) 집.
동훈   (E) 아까 전화했었는데.
윤희   (F) 왜 전화했는데?
동훈   (E) …그냥. 뭐 사 갈까 하고.

한동안 양쪽 다 말이 없고. 지안은 쓸쓸하게 통화하며 가는 동훈의 뒷모습을 보며 듣고.

동훈   (E) 뭐 사 가?
윤희   (F, 귀찮고) …됐어. 그냥 와. (끊고)

#동훈 집 서재: 전화를 끊고 가만히 있는 윤희.
#길: 그저 묵묵히 걷는 동훈.
#아파트 입구: 동훈이 입구로 들어가는 모습까지 지켜보고 있는 지안. 설레고 좋은 감정보다는 다가갈 수 없는 막막함.

S#24 — 동네 일각 (밤)

기훈과 유라가 나란히 걷고.

유라   그때 오디션 봤던 감독님이 다시 한번 보재서, 내일 보기로 했어요.
　　　　다 얘기했어요. 이래저래 해서 울렁증 같은 게 생겼다고. 이번에
　　　　극복해보자는데, 한번 해보려고요. 할 수 있을 거 같아요. 날 망친 사람이
　　　　다시 펴준다니까, 왠지 할 수 있을 거 같아요.
기훈   …
유라   감독님이 정말 잘나갔으면, 나 고쳐놓으란 말도 못 하고 그냥 망가져서 쭉 살았을
　　　　텐데. (사랑스럽게 기훈을 보는) 감독님이 망해서 만만해 보이나 봐요. / 좋아요.
기훈   …

그때 한쪽에 비상등 켜고 서 있는 밴을 보고는

유라   어, 왔다. 갈게요. (가고)
기훈   가라.

유라가 종종종 밴으로 가고, 기훈은 그런 유라를 보다가

기훈   내일 잘해라.

유라가 살짝 멈칫하더니 몇 걸음 가다가 수줍게 되돌아온다.

유라   좀 전에 그거요. '내일 잘 해라….'

기훈   ?

유라   저 (검지 들고) 일 센티 펴진 거 같아요.

뒷걸음질로 생글거리며 가는 유라. 그러다가 밴으로 뛰어가고. 유라가 밴에 오르면 차가 떠나고. 기훈은 뒤돌아 가다가 힐끗 돌아보게 되고.

S#25 ── 영광대부 사무실 (밤)

광일이 소파에 널브러져 있고, 종수는 담배를 들고 뒤돌아서서 고민, 고민.

종수   박동훈… 박동훈…. 어디서 많이 듣던 이름인데….

광일의 얼굴 위로 불현듯 스치는

[INS] 8화: 지안과 같이 다니던 동훈의 모습.

종수의 얼굴 위로도 순간 무언가 스친다.

[INS] 3화: 지안 품에서 빼앗은 상품권 봉투에 써 있던 이름, 박동훈.

종수   (갑자기 광일 쪽으로 홱 돌아서며) 상품권!
광일   ?

S#26 ── 회사 외경 (다음 날, 낮)

S#27 ── 설계팀 사무실 일각 (낮)

윤 상무가 한쪽 구석에서 상무 후보 2번을 비밀스럽게 다독이며

윤 상무　일단 우리가 이기고 봐야 다음이란 것도 있는 거니까. (어깨 두들기며) 그래….

S#28 —— 왕 전무 방 (낮)

고위직만 볼 수 있는 회사 인트라넷에 뜬 상무 후보 현황. 2번 후보에 '사퇴'라고 빨간 글씨로 떠 있고. 이제 1번 후보와 3번 동훈만 남은 상황. 왕 전무는 그럴 줄 알았다 싶은 듯 콧방귀.

S#29 —— 윤 상무 방 (낮)

윤 상무가 짜증 내며 통화 중.

윤 상무　진짜 하나도 없어? 너 진짜 이렇게 일할래? / 박동훈 뒤진 거 맞아?
　　　　　'운' 말고 '훈'! / 없으면 만들어서라도 갖구 와, 씨! (전화를 팍 끊고. 미치겠다)

S#30 —— 회사 복도 (낮)

준영이 엘리베이터 쪽으로 앞서가고, 윤 상무는 졸졸졸 따라가며

준영　박동훈 부장 신원조회하면 뭐 나올 줄 알았어요? (멈춰서 보며) 순진하신 거예요,
　　　아니면 그냥 일을 하는 척하시는 거예요?
윤 상무　!
준영　상무님도 신원조회로 잡히는 거 없잖아요. 근데 깨끗하세요?
　　　(보다가 다시 가며, 혼잣말처럼) 일을 어떻게 해야 되는지도 모르고….
윤 상무　(따라가며) 제가 다른 방면으로 샅샅이 뒤지겠습니다. 걱정 마십쇼. / 식사하셔야죠.
준영　약속 있어요. (엘리베이터 안으로)

윤 상무는 따라 타지 못하고 안에 대고 꾸벅 인사. 문이 닫히면 쓸쓸히 가만있는 윤 상무.

윤 상무가 부은 얼굴로 떨거지처럼 줄 서서 배식 받다가, 테이블에 앉아 밥 먹고 있는 김 대리, 형규, 채령, 여직원1 쪽을 힐끗 보고. 잠시 후, 다시 의미 있게 그들을 보는 윤 상무의 시선.

⟨ Cut to ⟩

윤 상무가 그들의 테이블에 앉아 같이 밥을 먹고 있고.

윤 상무　박 부장은?

김 대리　과장님이랑 시청에 들어가셨어요. 금방 들어오실 거예요. 오후에 현장
　　　　　　나가봐야 돼서.

윤 상무　(슬쩍) 박 부장 요즘 어때? 들떠 있지?

김 대리　그럴 분 아닌 거 아시잖아요. 똑같으세요.

윤 상무　(같잖고) 누가 상무 될 것 같애? 난 누가 돼도 상관없어. 둘 다 내 밥인데 뭐.
　　　　　　사람들 뭐래? 누가 될 것 같대? 말해봐. 이런 건 솔직히 부하 직원들이
　　　　　　뽑게 하는 게 맞아. 윗대가리들이야 다 지한테 잘하는 놈 좋다 그러지 뭐.
　　　　　　자네들이 뽑는다면, 박동훈 부장은 몇 점이야?

채령　　부장님이야 뭐 나이스하시죠. 누구한테 원망 들을 분 아니잖아요.
　　　　　　워낙 양반이시라.

윤 상무　(꼴같잖고) 그렇다고 백 점은 아닐 거 아냐?

채령　　구십 점?

윤 상무　십 점은 왜 뺐어?

김/형　(이거 말리는 거다 싶어, 긴장한 눈빛이 오가는데)

채령　　좀. 뭐랄까. 너무 정이 많으세요. 파견직 감싸고 도시는 것도 그렇고.
　　　　　　정직원하고 파견직이 부딪치면 당연히 정직원 편에 서야 되는 거 아녜요?
　　　　　　너무 '을' 편에 서시니까. 상무 되시면 그런 건 좀 걱정되긴 해요.

윤 상무　누굴 편들었는데?

채령　　있어요.

윤 상무　누군데?

채령　　이번에 들어온 3팀 지원 담당이요.

윤 상무   (곰곰. 생각났다) 걔 영수증 처리하는 애? 걔 박 부장이 자르자고 했던 거 같은데.

채령   처음엔 그랬죠. 그땐… (왜 그랬는지 말을 못 하고. 혼잣말처럼 결론) 그 뒤로 넘어가신
거 같아요. 남자들이 다 그렇죠 뭐.

윤 상무   넘어가긴 뭐가 넘어가? 둘이 뭐 있어?

채령   있다기보다… (김 대리와 형규에게) 그렇지 않아요? 솔직히 부장님 걔 많이
편들었잖아요. 대리님도 자르자고 했는데, 부장님이 계속 감싸시고.

김 대리   (OL) 감싼 게 아니고, 한동네 사니까….

채령   (흑) 한동네 살아요?

윤 상무   (흑) 한동네 살아?

김 대리   (크게 티는 내지 않으나 미치겠다)

S#32 ─ 지하 일 층 로비 (낮)

윤 상무가 엘리베이터에서 내려 급히 파견사무실 쪽으로.

S#33 ─ 지하 일 층 파견 관리사무실 (낮)

윤 상무가 지안의 이력서를 보고 있고, 파견 관리소장이 옆에서 설명하고.

소장   우리도 돌려보낼 생각하고 복수로 잡은 건데, 박 부장이 걜 딱 집더라고요.
좀 이상하긴 했어요.

윤 상무   딱 집었어 애를? 이렇게 형편없는 애를? 왜?

소장이 모르겠다는 제스처를 취하는데, 커피를 들고 사무실 앞을 지나가는 채령과 여직원.
채령은 무심한 표정이지만 대화를 들은 듯하고.

윤 상무   아니… 애들이 다 이 모냥이었어?

소장   아뇨. 파견직이라도 대기업인데 스펙들 짱짱했죠. 걘 그냥, 진짜 그냥
끼워 넣은 건데….

채령(커피 들고 있고), 김 대리, 형규가 서 있고.

채령   진짜 사람 이상하게 만드네. 내가 없는 말한 건 아니잖아요.
김 대리   그래도 지금 시기가 그렇잖아요.

그때 동훈과 송 과장이 작업복 차림(외근 후 탈의실에서 갈아입고 올라온)으로 오고

동훈   준비 안 하냐?
김 대리   넵!

김 대리와 형규는 탈의실 쪽(동훈이 오던 방향)으로 뛰고, 채령은 싸한 얼굴로 화장실 쪽으로.
동훈은 뭔가 분위기가 이상한 듯 돌아보며 가고.

S#35 — 윤 상무 방 (낮)

윤 상무, 통화 중이고.

윤 상무   난데, 니네 회사에서 보낸 파견직 중에 (이력서 보며) 이지안이란 애. 애 왜 중학교
가 검정고시야? 무슨 사고 쳤지? 몰라? ("걔 무슨 문제 있어요? 자를까요?") 아니아니!
(밖을 의식해서 작게) 얘 문제 있으면 더 좋아. 얘 빨리 신원조회해봐. ("이름이?")
이, 지, 안! 끊어봐. 찍어서 보낼게. (끊고 핸드폰으로 이력서를 찍는)

S#36 — 사무실 (낮)

동훈을 비롯한 팀원들 모두 작업화에 작업복 차림. 도면을 보며 진단할 지점을 확인하는
데, 동훈의 질문에 김 대리와 형규만 시험 보듯 긴장해 답하고, 송 과장은 동훈 옆에서 지
켜만 보고 있다.

동훈	균열 체크 어디어디서 해?
김 대리	여기, 여기…. (눈으로 찾는데)
형규	여기….
동훈	내장재 다 뜯어볼래? 도면 봐라. 어디가 하중 제일 커?
김 대리	벽체로 가다가 기둥으로 바뀌는 데…. (네 지점 체크)
동훈	그리고?
김/형	… (긴장해서 정신없이 눈으로 찾고)
동훈	건물 붕괴될 때 제일 마지막까지 버텨야 되는 곳이 어디야?
김 대리	…계단실?
동훈	거기에 균열 있으면?
김 대리	…심각한 거죠.
동훈	(도면 짚어가며, 제일 하수인 형규에게) 계단실하고 엘리베이터실은, 통으로 삼면 사면 벽체로 만들어서 나란히 붙여놔. 건물 뼈대 역할하라고. 균열 체크할 땐 기본적으로 강해야 될 곳이 강한가도 확인해야지.

전화벨이 울리자 채령이 받고.

채령	네, 삼안이앤씨입니다. 잠시만요. 부장님, 전화요.
동훈	(자리로 가 전화받고) 네. 전화 바꿨습니다. 여보세요?
종수	(F) 저기… 박동훈 씨 맞나요?
동훈	네, 그런데요.
종수	(F) 저기… 혹시… 한 달 전쯤에 상품권 잃어버리지 않으셨어요?
동훈	!

S#37 — 영광대부 사무실 + 사무실 (낮)

종수가 통화 중이고, 광일은 옆에 있고.

종수	누런 봉투에 들었었는데. 한… 몇천만 원어치는 되는 거 같았는데.
동훈	누구세요?

종수   ···이지안이라는 여자애도 그 회사 다니죠?

동훈   !

종수   그죠?

동훈   누구시냐고요?

종수   (F) 아니 저는 대부업하는 사람인데요. 아··· 이걸 알려줘야 되나 말아야 되나···.
　　　　고민 진짜 많이 했어요.

S#38 ── 현장, 건물 내부 (낮)

송 과장, 김 대리, 형규가 균열 체크를 위해 내장재 뜯어내는 작업을 하고 있고, 동훈은 현
장을 보고 있지만 정신이 딴 데 가 있는 듯한 얼굴···.

종수   (E) 한 달 전쯤에 걔가 상품권을 들고 왔었거든요. 우리한테 빌린 돈이
　　　　꽤 있었는데, 한 방에 갚겠다고 상품권을 갖고 왔는데, 딱 봐도 훔친 게
　　　　분명하니까. 봉투엔 박동훈이라고 써 있었고. 우린 그런 거 받으면 큰일 나니까,
　　　　일단 받아두고 신고해야겠다 했는데, 걔가 눈치 까고 또 그걸 들고튀었네.

먼지를 일으키며 내장재가 떨어지는데, 그 자리에 균열이 보인다. 직원들이 동훈을 돌아본
다. 심각한 상황인 듯. 그제야 동훈이 가까이 다가가서 보고.

S#39 ── 사무실 (낮)

지안이 컴퓨터 앞에서 일하고. 그러다가 우편물을 분류해서 해당 직원 책상에 놓고. 수신인
에 '박동훈'이라고 써진 우편물을 동훈의 책상에 놓다가, 그 아래에 놓인 동훈의 슬리퍼에
눈이 간다. 밑창이 닳은 슬리퍼. 그런 모습 위로

종수   (E) 근데 걔가 거길 다닌다길래, 걔가 어떻게 그렇게 큰 회살 들어갔나,
　　　　진짠가 싶어서 회사 홈피 들어가봤다가, 박동훈이라는 이름 보고,
　　　　어디서 많이 들었다 들었다 했는데··· 딱 그게 생각난 거예요. 상품권.

S#40 — 지하철 안 (밤)

흔들리는 열차에 탄 동훈 얼굴 위로

종수   (E) 근데 그거 찾았어요? 우리가 신고할 거라는 눈치 깠으니까, 완전히 감지는
         못했을 건데. / 걔… 조심해야 돼요…. 손버릇도 나쁘고… 문제 많아요, 걔.

한쪽에 지안이 떨어져 서 있다. 새로 산 슬리퍼가 든 쇼핑백을 들고. 지안이 동훈을 보는데,
동훈은 제 생각에 빠져 이를 의식하지 못하는 듯.

S#41 — 역사 앞 (밤)

동훈이 역사에서 먼저 빠져나오고, 뒤이어 지안이 따라 나온다.

동훈   가라. (하며 제 갈 길로 가는데)

지안이 슬리퍼가 든 쇼핑백을 만지작거리다가

지안   밥 좀 사주죠.
동훈   !

돌아보는 동훈. 그냥 가만히 지안을 본다. '어떻게 해야 될까.' 고개를 숙인다. 고민 후,

동훈   다음에 먹자.
지안   !

동훈이 그냥 가고, 지안은 뭔가 황망해지는 얼굴. 전달하지 못한 쇼핑백이 손에 들려 있고.

믹스커피를 타다가 가만히 서 있는 지안. 순간 핸드폰으로 녹음 파일을 뒤진다. '혹시 놓친 게 있나.' 녹음 파일을 들어보다가…

채령　　(E) 부장님 전화요.

동훈　　(E) 네, 전화 바꿨습니다. 여보세요? 네. 그런데요. (잠시 후) 누구세요?

　　　　　(잠시 후) 누구시냐고요?

[INS] 일반 전화로 통화할 당시, 동훈의 책상 위에 놓여 있던 핸드폰 컷. 동훈의 하반신도 같이 걸려 보이는 컷. 핸드폰 도청이라 일반 전화 통화내용은 알 수 없다. 동훈이 아무 말도 하지 않고 가만히 있다가

동훈　　(E, 한참 후) 그만 끊겠습니다. (딸깍)

송 과장　(E, 뭔가 이상하고) 무슨 전환데 그러세요?

지안은 그제야 뭔가가 생각나는 듯.

[INS] 지안이 우편물을 받아서 사무실에 들어왔을 때, 수화기를 내려놓고는 거기서 손을 떼지 못하고 생각에 잠겨 있던 동훈이 들어오던 자신을 보던 컷. 이내 직원들 쪽으로 돌아서며

동훈　　(E) 장비 다 챙겼어?

형규　　(E) 네.

동훈　　(E) 가.

지안　　…

S#43 ─ 동훈 집 (밤)

#다용도실: 재활용 쓰레기(맥주병과 캔이 상당한)를 정리하는 동훈의 얼굴 위로.

[INS] 2화: "걔, 형 좋아한다. 지가 가지려고 훔친 것도 아니고, 형 살리려고 훔쳐서 버린 거 잖아." "사모하는구나 부장님을?" "미친." "걔 형 좋아해. 백 프로야."

[INS] 지하철에서 지안에게 "고맙다…"라고 했던 자신.

#현관: 동훈이 양손 가득 쓰레기를 들고 현관으로 나오면, 윤희가 지쳐 들어오고.

동훈	저녁은?
윤희	먹었어.
동훈	치약 사러 갈 건데. 뭐, 필요한 거.
윤희	(혼잣말하듯 짜증 내며) 맨날 필요한 거, 필요한 거! 진짜 필요한 게 뭔지도 모르면서. (방으로)
동훈	!

동훈은 봉투에서 떨어진 캔 하나를 주워 넣고 나가려는데

윤희	(도로 나와서) 나한텐 언제 얘기할 거야?
동훈	! (백지장 같은 얼굴, 설마 도준영 얘긴가?)
윤희	(보고 있는)
동훈	…뭐?
윤희	상무 후보에 올랐다며?
동훈	아…. (안심)
윤희	아? / 기다렸어. 언제 얘기하나. 난 왜 당신 얘길 꼭 어머니한테 들어?
동훈	미안해. 될지 안 될지도 모르는데 말하기 뭐해서.
윤희	말하기 뭐한 거, 어머니한텐 다 말하지! 아주버님도 알고 도련님도 알고, 어떻게 나만 몰라?
동훈	미안해.
윤희	(바로 돌아서 가며) 그눔의 미안해, 미안해.
동훈	…

S#44 — 현관 앞 복도 (밤)

쓰레기를 들고 나와 엘리베이터 쪽으로 가는 동훈. 그러다 쓰레기봉투에서 캔과 플라스틱이 와장창 떨어지고. 동훈이 서서 그 광경을 가만히 본다. 곧 터질 듯. 그러나 이내 다시 주워 담는 동훈.

S#45 — 도로 일각 (밤)

음주 단속에 걸린 종수가 경찰들과 실랑이를 벌이는 중이고, 취한 광일은 울리는 핸드폰을 보고 한쪽으로 가며

광일   웬일이냐? 니가 전활 다 하고?

S#46 — 지안 집 앞 + 도로 일각 (밤)

핸드폰으로 통화 중인 지안.

지안   회사에 전화했었지?

광일   미친년. / 왜? 그놈이 차갑게 구냐? 변했어, 그놈이?

지안   뭐라 그랬어? …뭐라 그랬어-?

광일   도둑년이라고 그랬다, 왜-?

지안   !

광일   니 처질 알아 년아. 주제도 모르고 어디서 알콩달콩 사랑놀음을 하고
자빠졌어 씨이. 뼈 빠지게 돈 벌어다 갚아도 모자를 판에. 뚜껑 열리게 하지
말고, 좋은 말할 때 아가리 닥치고 돈이나 벌어라 응? 둘 다 확 죽여버리기 전에!

광일은 거칠게 전화를 끊어버리고, 경찰들이 광일을 쳐다보고. 지안은 전화를 끊고 가만.
광일이 가만있다가 갑자기 왁 소리를 내지른다.

S#47 ── 겸덕의 절 외경 (낮)

S#48 ── 겸덕의 절 법당 (낮)

부처님 전을 향해 정성스럽게 절하는 요순. 그리고 그 뒤에 서서 역시 정성스럽게 절하는 겸덕. 요순 못지않게 동훈의 안위를 비는 지극한 마음이 느껴지고.

S#49 ── 형제 청소방 근처 도로 (낮)

달리는 다마스 차량에서 신호등이 보인다. 초록색 좌회전 신호가 주황색으로 바뀐다. 상훈이 운전석에, 기훈이 보조석에 있다.

기훈　　(E) 서라. 서라.

그러나 속도 내는 상훈, 빨라지는 다마스.

기훈　　(E) 스라고―!

상훈이 빠르게 좌회전으로 코너를 도는데, 형제 청소방 앞에 있던 제철이 다마스를 보고 "어어어어―!" 결국 형제 청소방 앞에서 자빠진 다마스.

제철　　(놀랍지도 않고) 에헤이⋯.

제철이 다마스로 다가가 힘들게 운전석 문을 여는데, 안에서는 상훈과 기훈이 치고받고 싸우는 듯 욕지거리가 새어 나온다.

제철　　(안을 들여다보며 뜯어말리는) 야야야야!

Episode 9

S#50 — 형제 청소방 (낮)

기훈은 마대 자루에 가득 든 더러운 걸레를 개수대에 쏟아내며 성질을 부린다.

기훈	맨날 옆에 앉아서 핸드폰 보고 있는 거 열 뻗쳐서 운전하랬더니,
	(확) 안 할라구 일부러 그랬지!
상훈	(한 손에 핸드폰을 쥔 채, 나머지 한 손으로 중국집 전단지를 들어 보고 있고)
기훈	출근길에 지하철에서 아침 드라마 보는 남자들 쌨다더니, 저 인간이야 저 인간.
	잠깐 한눈팔면 계단에 쪼그려 앉아서 드라마 보고 있고. 어우 씨,
	어떻게 회사를 이십 년 넘게 다녔는지 신기하다 진짜.
상훈	니가 영업의 세계를 알아 임마?
기훈	빨리 시키라고오! 빨리 먹고 나가야 될 거 아냐. 오늘 몇 동을 돌아야 되는데?
제철	난 짬뽕.
상훈	(계속 보고만 있는)
기훈	메뉴 외우냐-?
상훈	(결국 못 참고 기훈에게로 가며) 이 새끼가 툭하면 냐냐. 내가 니 동생이야 임마!
제철	(말리는) 에헤.

그렇게 싸우는데

S#51 — 형제 청소방 앞 (낮)

연예인이 타는 커다란 밴이 와서 서고, 거기에서 급히 내리는 유라.

| 유라 | (차 안에 대고) 금방 나올 거야. |

유라가 청소방으로 뛰어 들어가고.

그 어느 때보다도 섹시하고 우아한 유라의 모습에 세 남자는 넋을 놓고. 유라는 심장 떨리는 절박한 상황에서도 간간이 미소를 보이며

유라　나 지금 오디션 보러 가는데, 어제까진 진짜 해보자, 괜찮다,

　　　　할 수 있다 그랬는데, 또… (웃지만 울컥) 도망가고 싶어요. (손이 떨리고)

기훈　!

유라　(절박함에 짜증) 나 좀 어떻게 해줘봐요 좀! 펴준대매요?

상/제　(기훈의 눈치를 살피는데)

유라　(한쪽 의자에 앉고) 그냥 안 갈래. 안 할래요. 못 하겠어. 죽을 거 같애….

유라가 떨리는 한숨을 쉬며 곧 눈물을 쏟아낼 듯한데, 가만있던 기훈이 덤덤히 말한다.

기훈　…이뻐. …엄청 이뻐. …드럽게 이뻐.

황당한 적막. 기훈 본인도 민망하긴 마찬가지. 기훈이 조금씩 진심을 담아 말한다.

기훈　(담담히) 니가 잘됐으면 좋겠어. 잘될 거 같애. / 가끔… 노팅힐도 생각해.

　　　　니가 줄리아 로버츠 같은 톱스타가 돼서, 내 생각에 가끔씩 여길 찾아와주면

　　　　어떨까? …아무도 없을 때 정희 누나네서 한잔하고 갔다는 소리를 들으면

　　　　어떨까? / (가만히 있다가) 내가 붙잡으면 어떨까… (아무리 생각해봐도) 그냥…

　　　　잘 날려 보내야지. / 영화관에서 큰 화면으로 널 보면… 되게 쓸쓸할 거 같은데,

　　　　그래도 좋을 거 같애. 여기서 이러고 살아도, 내 인생이 영화 같을 거 같애.

뭔가 빨려들 듯이 가만히 기훈을 보는 유라. 기훈은 유라의 얼굴을 쳐다보지도 못하고. 상훈과 제철은 애매하게 있고. 그때 빵빵! 밖에서 울리는 클랙슨 소리.

유라　(일어나) 나 이따 또 전화할 수도 있어요.

유라가 급히 나가면, 세 남자는 이 계면쩍은 분위기를 어찌할꼬. 상훈이 다시 중국집 전단지를 가만히 보고. 제철도 같이 전단지를 보고. 기훈은 다시 걸레를 빨고.

S#53 — 정희네 (낮)

정희가 테이블 위 빈 병과 그릇 들을 치우는데, 요순이 부랴부랴 장 본 봉지를 들고 들어오고.

정희   오셨어요?

요순   미안하다. 늦었다. (정희의 손에서 병을 뺏어 들고) 냅둬. 이제 일어났냐?

정희   (지친 듯 앉고) 어제 좀 마셔서요.

요순   밥 아직 안 먹었지? 나도 배고프다. 얼른 치우고 먹자.

정희   점심 약속 아니셨어요?

요순   (움직이기만)

정희   어디 갔다 오시는데요?

요순   …어디는. (정희 옆으로 지나가는데)

정희   (혼잣말처럼) 향냄새가 나네.

정희가 별생각 없이 말한 것에, 요순이 피하는 걸 보자 어떤 느낌이 오고.

정희   !

요순이 주방 안에 들어가 일하는데, 정희가 와서

정희   절에 갔다 오셨나 보네?

요순   … (우물쭈물)

정희   동훈이 잘되라고 불공드리고 오셨어요?

요순   … (그냥 일만 하는)

정희   (목소리 커지는) 어머니 너무하신 거 아녜요? 어떻게 그놈이 있는 델 가요?

요순   (미안하지만) 이왕이면 아는 놈 있는 데 가서 비는 게 낫지.

S#54 ─ 정희네 쪽방 (낮)

정희는 방 안에 앉아 있고, 요순은 방 밖에 서서

요순   미안하다. 내가 내 새끼만 생각하고….
정희   …내 얘기해요?
요순   …해. (거짓말이다)
정희   그짓말.
요순   해. 너 잘 사냐, 어쩌냐 물어봐.
정희   …
요순   (근데) 물어보면 뭐 할 거야?
정희   …
요순   나와. 밥 먹어.
정희   …

S#55 ─ 대표이사실 (낮)

지안의 이력서를 들고 있는 준영은 긴장한 표정인데, 아무것도 모르는 윤 상무는 옆에서
떠벌떠벌.

윤 상무   파견직 놓고 하도 말들이 많아서 각 부서장이 와서 직접 이력서 보고
          뽑아가는 걸로 했는데, 걔 이력서 보고 딱 집은 게 박 부장이래요.
          스펙 좋은 애들도 많았는데. 근데 (이력서 짚어주며) 얘 중학교가 검정고시예요.
          이건 백 퍼 사고 쳐서 잘렸다는 거거든요. 어떻게 이런 앨 그냥 막 뽑아놔요?
          얘 알아보라고 신원조회 부탁해놨으니까 곧 결과 나올 겁니다.
준영   신원조회 같은 거 하지 말랬죠? 불법인 거 몰라서 자꾸 그런 짓해요?
          그러다가 걸리면 어쩔라구요?

윤 상무	제가 직접 하는 건 아니고 그 파견업체 사장이 경찰 출신이라…
준영	(OL) 어떻게 알았냐고 하면 뭐라고 하게요? 누구 시켜서 알아봤다고 할 거예요,
	아니면 어디서 들었다고 할 거예요? 역공당할 카드는 쓰는 거 아니라고요!
	(이력서 주며) 당장 스톱시켜요. 됐다 그러세요.
윤 상무	(또 실패한 건가. 풀이 죽고) 네.
준영	(컴퓨터 앞으로 가며, 슬쩍) 직원들이 그래요? 둘이 이상하다고?
윤 상무	(이력서 보며, 꾸물꾸물) 너무 형편없는 애를 뽑아놨으니까….
	첨엔 자르려고 했다가… 나중엔 편들었다고도 하고….
준영	두 사람… 그냥 가만히 두면… 뭔가 나올 것 같은데… 두고 보죠.
	둘이 무슨 사인가. 괜히 들쑤셔서 펄쩍 뛰게 만들지 말고.
윤 상무	(뭔 얘긴가 싶다가 뒤늦게 의도를 파악하고) 에이 박동훈이 그럴 인간은 또…
	(하다가 준영의 굳은 표정에 말이 끊기고)
준영	(짐짓 부드럽게) 그냥… 두고 보자고요. 그런 인간인지 아닌지.
윤 상무	…

S#56 — 회사 옥상 (낮)

동훈은 제 생각에 빠져 있고 곁에는 송 과장, 김 대리, 형규.

김 대리	식당에서 윤 상무 우리 테이블에 와 앉을 때부터 느낌 쎄했어요.
	정 대리는 그냥 부장님이 너무 관대해서 파견직한테도 관대하다 그런 투였는데,
	막 이상하게 엮을라고… 막 몰아가는데… 그럴 법한 애랑 엮으면 말을 안 해요.
	진짜 아무것도 아닌 애랑.

#사무실: 자리에 앉아 듣고 있는 지안. 동훈은 김 대리의 말에 백 프로 자유롭지는 않고.

동훈	(짐짓) 넌 뭐라 그랬는데? 너 내 뒷담화 잘 까잖아.
김 대리	제가 뭐라 그래요? 저 진짜 한마디도 안 했어요.
동훈	웃기고 있네.
김 대리	진짜예요. 자꾸 개랑 부장님이랑 이상한 쪽으로 엮는 거 같아서,

그런 거 아니다, 한동네 살아서 그냥 좀 친한 것뿐이다….

동훈 잘했다. 잘했어. 아는 사이였던 거지 둘이. 우리 회사에 이력서 넣어라,

그럼 내가 뽑아주겠다, 그래서 뽑아준 거지. 잘했다…

김 대리 그렇게는 아니죠!

동훈 엮자고 들면, 뭐는 못 엮어?

김 대리 …

송 과장 짐작은 하고 있었지만 이렇게까지 나올 줄은 몰랐네요. 정말 말도 안 되는

애랑… 말도 안 되게….

김 대리 그니까 내가 자르자고 했을 때 잘랐으면 이런 일 없잖아요.

그런 앨 왜 뽑으셨어요? 스펙 좋은 애들 엄청 많았다매요? 걔 이력서엔

아무것도 없었고. 근데 뭐에 끌렸는데요?

동훈 … (잠잠)

지안 … (그래도 '달리기'를 기대하는데)

김 대리 뭐에 끌렸는데요?

동훈 내가 아냐?

지안 !

김 대리 (주눅 들어) 골라두 꼭….

동훈 미안하다! 꽝손이라.

S#57 ── 사무실 (낮)

조용히 이어폰을 빼는 지안. 더 이상 들을 필요가 없다. 가만히 있다가 일어나 퇴근 준비. 채령은 그런 지안을 흘겨보며 눈으로 쫓지만, 관심 없는 지안은 채령에게 눈길조차 주지 않고.

채령 너 뭐 하는 거니? 퇴근 시간 아직 십 분 남았어.

지안 (그냥 나가고)

채령 허.

S#58 — 뷔페 주방 (밤)

거친 물일을 하는 지안. 이어폰도 꽂지 않고 일에만 열중하는 듯. 남자 직원이 접시가 든 통을 밀며 들어와 접시를 내려놓다가

직원   오늘은 웬일로 (귀 가리키며) 노래 안 듣냐?

대답 없이 일만 하는 지안.

⟨ Cut to ⟩

음식을 먹다가 이어폰을 빼서 핸드폰에 꽂는다. 다시 동훈의 소리를 들으려나 싶은데 이어폰을 귀에 꽂고 핸드폰을 터치하면, 엄청 크게 음악을 듣는 듯 쇳소리 같은 음악 소리가 밖으로 새어 나오고. 건조한 얼굴로 음식을 꾸역꾸역 먹는 지안.

S#59 — 정희네 앞 (밤)

제철은 담배를 피면서 불안한 눈으로 동훈을 보고.

동훈   (손 내밀고) 한 대 줘봐.
제철   …

제철이 어쩔 수 없이 담배를 건네는데.

⟨ Cut to ⟩

제철이 담배 피는 동훈의 얼굴을 힐끗거리다가

제철   상훈이랑 기훈이 있는 데선 피지 마라. 신경 쓴다.
동훈   …

동훈이 덤덤히 담배를 피는데, 저 멀리서 지안이 오는 게 보인다.

Episode 9

동훈   !

무뚝뚝하게 걸어오는 지안. 동훈은 어떻게 해야 되나 싶어 고개가 떨어지고. 점점 가까워지는 지안. 동훈이 다시 지안을 본다. '어떻게 해야 될까.' 그러다가 지안이 눈앞에 지나갈 때쯤

동훈   이제 가냐?

그러나 지안은 눈길도 안 주고 그냥 지나가고.

동훈   !

동훈은 마음이 안 좋아 멀어지는 지안의 뒤꽁무니를 보는데.

제철   …아는 애냐?
동훈   (괜히 딴 데를 보고)

S#60 — 동네 일각 (밤)

무미건조한 얼굴로 담담히 가는 지안. 그렇게 걷다가 순간 숨이 크게 터진다. 터지기 직전의 설움을 꾹 참는 듯.

S#61 — 정희네 (밤)

(슬로우) 상훈, 기훈, 제철, 진범, 권식 외 손님들이 술을 마시고. 그 틈에서 술잔을 기울이는 동훈. 취한 동훈은 괜히 이쪽저쪽을 그윽하게 보고, 빙긋이 웃고… 그러는 모습에

동훈   (E) 인생… 왜 이렇게 치사할까….

역시 만취해서 슬프게 미소 짓는 정희의 모습 위로

정희   (E) 사랑하지 않으니까 치사하지….

동훈은 그 말이 마음에 들어온 듯 가만히 잠잠해지는 얼굴.

정희   (E) 치사한 새끼들 천지야….

비겁한 자신이 서글픈 동훈….

S#62 ―― 정희네 외경 (밤)

조용한 밤 풍경에, 왁자하고 유쾌한 웃음소리가 희미하게 새어 나온다.

S#63 ―― 몽타주

#사무실: 동훈과 지안이 각기 책상에 앉아 묵묵히 일하고.
#윤희 모처: 방을 뺀 듯 가구 대부분이 이미 없고, 잡동사니가 담겼을 법한 누런 박스들이 쌓여 있는데, 그곳에서 박스를 열심히 뒤지던 윤희가 서류 한 장을 찾아낸다. 지안의 사진이 박힌 이력서. 가만히 보는 윤희.

S#64 ―― 회사 로비 (낮)

퇴근하려던 동훈이 지나가는 청소부들을 보자 어떤 생각이 떠오른 듯 가만. 다시 발길을 돌려 지하 계단 쪽으로.

S#65 ―― 지하 파견관리 사무실 (낮)

동훈이 들어오자 관리소장은 윤 상무도 왔다 간 터라 눈치가 보이고.

소장   무슨 일로….

동훈은 상관없이 벽에 붙어 있는 청소부들 사진을 훑어보고. 거기서 춘대의 얼굴과 이름을 발견하고.

동훈   서춘대 이분 어디 계세요?
소장   그분 퇴근하셨는데? 무슨 일 때문에 그러시는데요?

S#66 —— 고물상 (낮)

한편에 컨테이너 박스가 있는 고물상. 춘대가 고물을 정리하다가 돌아보면 입구에 서 있는 동훈.

춘대   !
동훈   !

S#67 —— 고물상 컨테이너 안 (낮)

혼자서 살림집으로 쓰고 있는 듯 단출한 살림살이. 거울 액자 틈에 사진들이 꽂혀 있는데, 그중 한 사진에 시선이 닿는 동훈.

[INS] 지안의 초등학교 졸업식 사진. 꽃다발을 들고 있는 지안과 함께 나란히 서 있는 춘대.

'대체 둘은 어떤 사이길래. 둘이 무슨 작당을 한 건가.' 춘대가 커피를 타서 동훈에게 내밀다가, 동훈이 사진 보는 것을 느끼고.

S#68 —— 윤희 모처 현관 앞 (낮)

현관문 앞에 선 지안. 안에서 문이 열리면 윤희가 서 있고. 윤희는 차가운 얼굴로 돌아서 들어가고, 지안도 아무렇지 않게 안으로.

S#69 ── 윤희 모처 (낮)

짐 박스도 꽤 나갔고, 얼추 빈집이 되어가는 공간. 윤희는 앉아 있고, 지안은 창밖을 보며 서 있다.

윤희   박 상무 어떻게 잘랐어?

지안   쉬워요. 술 먹이고. 약 타고.

윤희   ! / 동훈 씬… 어떻게 자르려고 했어?

지안   …스캔들.

윤희   !

지안   … (보는)

윤희   누구랑?

지안   나랑.

윤희   (미치겠다. 떨린다. 시선을 피하고) 근네 왜 준영이 배신했니?

지안   인간이 너무 쓰레기라. 도준영은 쓰레기고. 박동훈은 안됐고…. (혼잣말처럼) 등신.

윤희   이젠 어떡할 건데?

지안   (가만히 창밖을 보는) 생각 중.

윤희   준영이가 말한 돈, 내가 줄게. 그냥 조용히 회사 그만둬. 준영이가 너 찾지
       못하게 해줄 수 있어.

지안   그럼 도준영은 또 다른 사람 구하겠지. 박동훈 잘라낼 사람.

윤희   잘려도 돼.

지안   !

윤희   내 문제 아니었어도 상무 후보로 올라간 이상, 어차피 서로 치고받고 싸우고,
       누구 하나 잘렸을 거야. 누가 이기든 말든, 알아서 하라고 하고, 넌 그만둬.

지안   !

윤희   구조기술사, 회사 잘려도 먹고사는 데 아무 문제 없어.

지안   다시 같이 살 생각인가 보네.

윤희   (OL, 단호한) 같이 살든 말든! 그딴 거 신경 쓰지 말고. 넌 그냥 조용히

사라져. / 불쾌해. 내 치부 다 알고 있는 사람이 존재한다는 것도 불쾌하고! 그런 니가 동훈 씨랑 한 회사에 있다는 것도 불쾌해.

지안 !

윤희 그딴 거 녹음해서 나한테 들려준 애가 못할 짓이 뭐야? / 너 하는 짓이 무식하고 무서워…. (말끝이 떨리고)

지안 … (가만히 보는)

윤희 … (외면하고 있고)

지안 겁나는구나. 내가 박동훈한테 다 말할까 봐.

윤희 …!

지안 아줌마, 용쓰지 마요. ……박동훈 다 알아.

윤희 !

지안 다 안다고. 아줌마 도준영이랑 바람 핀 거.

윤희 !

S#70 — 고물상 앞 (낮)

얘기를 끝마친 듯 동훈이 춘대에게 고개 숙여 인사하고. 등지고 걸어가는 동훈. 멀어지는 동훈을 보는 춘대.

S#71 — 윤희 모처 복도 (낮)

지안이 문 열고 나오는데, 그 안에 홀로 남겨진 윤희는 칼을 맞은 듯 백지장인 얼굴. 황망한 얼굴에 눈물이 뚝 떨어지는데, 비명이 나올 것 같아 입을 틀어막는 윤희.

S#72 — 거리 일각 (낮)

선선한 얼굴로 걸어가는 지안 위로,

춘대 (E) 지안이 어려서 걔 엄마가 여기저기서 돈을 무지 끌어다 쓰고 도망쳤었어요. / 듣지도 못하는 노인네랑 어린 거 둘이 맨날 빚쟁이들한테 들들 볶이고. 에미는 죽었는지 살았는지 연락도 없고.

S#73 — 또 다른 거리 일각 (낮)

눈물을 참으며 걸어가는 동훈 위로,

춘대   (E) 그래도 딸내미 졸업식엔 오겠지, 할머니도 다쳐서 못 움직이는데, 올 사람 없는 거 아니까 오겠지, 그 생각으로 빚쟁이들이 다 졸업식에 몰려갔었는데…

#학교 운동장: 초등학교 졸업식. 혼자 서 있는 지안의 뒷모습.

춘대   (E) 안 왔어요… 아무도….

#운동장 근처: 멀리서 빚쟁이들 틈에 서 있는 춘대. 그런 지안의 뒷모습을 보고.

여자   독한 여편네…. 가요!

그렇게 빚쟁이들이 가고, 춘대는 자리에서 지안의 뒷모습만 보고.

춘대   (E) 발길이 떨어지질 않더라고요….

#학교 운동장: 지안의 품에 꽃을 안기는 춘대. 멀멀하게 서로를 보는 두 사람.

⟨Cut to⟩

S#74 — 컨테이너 안 (낮) – 회상

거울 액자에 꽂혀 있는 사진으로 넘어온다. 그렇게 해서 찍은 사진인 듯. 동훈과 춘대가 앉아 있고, 춘대가 차분히 얘기한다.

춘대　　지 엄마 죽고, 지안이가 그 빚을 다 떠안았어요. 상속포기라는 걸 몰랐으니까.
　　　　누가 가르쳐주는 사람도 없었고. 갚아두 갚아두 끝이 없는 돈이었어요.
　　　　그중에 광일이 아버지 돈이 제일 많았고. 사채 하는 놈이었는데 정말
　　　　징글징글하게 못살게 굴었어요. (말하기도 마음 아픈) 맨날… 노인네… 패고.
　　　　(#4화: 광일의 아버지에게 맞는 봉애) 그러니 별수 있나. 그놈이 시키는 건
　　　　다 하는 수밖에. 지안이가 나쁜 짓한다는 거 알고 노인네 쓰러지고…
　　　　다신 나쁜 짓 안 하겠다고, 그 작은 게 뼈가 부셔져라 일만….

가만히 듣는 동훈의 마음은 조용히 무너지고….

춘대　　그 사채업자 죽고, 지금은 광일이라는 그 아들놈이 지아비랑 똑같이…
　　　　그래요. / 그래서 부장님 그 오천만 원에 손댄 거고. 그놈이 훔친 거라는 걸
　　　　알아채서, 돌려놨어야 했어요.

동훈　　…

춘대　　부장님 돈을 훔치려고 했던 건 사실이지만, 사실이 뭐였는지 중요한가요.
　　　　내가 지안이를 건사하게 된 거나, 사실에 비추면 다 말이 안 되죠.
　　　　마음이 어디 논리대로 가나요….

동훈　　…

말이 없는 두 사람. 동훈이 일어나 춘대 앞에 선다.

동훈　　… (고개 숙여) 존경합니다. 어르신. (그대로 가만)

S#75 ── 고물상 (낮) – 회상

동훈이 고물상을 나가다가 돌아서서 춘대에게,

동훈　　그놈, 어딨어요?

S#76 ── 고물상 컨테이너 안 + 거리 일각 (낮)

춘대가 의자에 앉아 핸드폰을 귀에 대고 있다. 잠시 후…

춘대 박동훈 부장 왔다 갔다….
지안 !

S#77 ── 거리 일각 (낮)

동훈이 걷는데

[INS] 1화: 선글라스를 벗으며 맞은 눈을 보여줬던 지안.

후룩 숨이 떨린다. '그 새끼가 그런 거다.'

[INS] 4화: 사무실에서 지쳐 보이다가 갑자기 자빠졌던 지안.

동훈은 발걸음이 멈춰진다. '얼마나 힘들었을까.'

[INS] 6화: "아저씨 욕해서요"라고 했던,

[INS] 7화 엔딩: 둘만의 술집에 자신을 찾아왔던,

[INS] 8화: "파이팅"이라고 했던 지안!

시작은 이상했지만 아무리 생각해봐도 지안이 자신을 응원했던 것만큼은 사실이다. 동훈이 (영광대부 사무실 건물) 계단을 올라가는데, 지안 생각에 마음이 아파 자꾸 발걸음이 멈춰진다.

광일과 종수가 문을 열고 나와서 보면, 동훈이 앞에 서 있고.

종수   (흠칫) 뭐야?

광일   !

동훈   (담담) 누가 광일이야?

종수   댁은 누구세요?

동훈   나, 박동훈.

종수   !

동훈   누가 광일이야?

S#79 ─ 근처 일각 (밤)

동훈과 광일만 있는 상황.

동훈   이지안 빚 얼마야?

광일   왜? 대신 갚아주시게?

동훈   음.

광일   !

동훈   얼마야?

광일   (비아냥) 어디 와서 멋진 척이세요? 인생 말랑말랑하게 살아오신 거 같은데,

          그냥 가세요, 씨발! 이제 알 거 아냐, 그년이 어떤 년인지!

동훈   (담담히) 얼마야?

광일   허.

동훈   …나는 걔 얘기 들으니까 눈물이 나는데, 너는 눈물 안 나냐.

광일   …눈물 난다, 씨발. 말로 안 끝나겠네 오늘.

동훈   미리 말해두는데… 나 삼 형제야.

광일   왜? 부르시게? 불러.

동훈   삼 형제는 돌 돼서 숟가락 들기 시작할 때부터 장난 아니게 싸워대.

맷집 장난 아냐. 그러다가 스무 살 되면 싸움을 안 해. 왜 안 하는 줄 알아?
아… 내 펀치가 장난 아니구나. 이러다 누구 하나 죽겠구나.

가소로워 웃겨 죽겠는 광일. 그러다가 냅다 동훈에게 주먹을 날리고.

#굳은 얼굴로 듣고 있는 지안. 이어폰 너머로 들리는 두 남자의 싸움 소리.
동훈은 광일에게 밀리지만 악다구니로 들러붙어 싸우며

동훈　왜 애를 때려 새꺄. 불쌍한 애를 왜! 왜? 왜?

광일이 강하게 동훈의 얼굴에 주먹을 날리고, 나가떨어진 동훈에게 포효하듯이

광일　그년이 우리 아부지 죽였으니까!
동훈　!
광일　그년이 죽였어, 우리 아부지. 그년이 죽였다고!
동훈　!

동훈이 그대로 가만… 지안도 그대로 가만…. 지안은 모든 것이 무너지는 타이밍… 끝났다 싶은 타이밍…. 지안이 조용히 포기하는 듯 돌아서는데… 동훈은 맞은 얼굴로 처연하게 앉아 있다가… 조용히 말한다.

동훈　나 같아도 죽여.
지안　!
동훈　내 식구 패는 새끼들은… 다 죽여-!

하며 다시 무섭게 달려드는 동훈. 오늘 죽기로 작정한 사람처럼 막무가내로 달려드는 동훈. 광일의 허리를 껴안고 다다다 밀고 가다가 둘이 같이 발랑 넘어가고. 다시 발딱 일어나 처음 제대로 일격을 가하고. 광일은 그 일격에 휘청거리고.

떨며 걸어가는 지안의 뒷모습. 그러다가 건물 쪽으로 붙고. 건물 아래에 쪼그려 앉는다. 온몸이 쪼그라들게 떨린다. 걸을 수 없게 떨린다. 떨리는 걸 꾹 참아가며 흐느끼다가, 결국 마음껏 소리 내어 통곡하며 엔딩.

Episode

10

S#1 —— 9화 엔딩 요약 (밤)

떨다가 소리 내어 우는 지안의 얼굴 위로 동훈의 목소리. "나는 걔 얘기 들으니까 눈물이 나는데, 너는 눈물 안 나냐." 치고받고 싸우는 동훈과 광일 모습 위로, "왜 애를 때려 새꺄. 불쌍한 애를 왜!" "그년이 우리 아버지 죽였으니까!" "나 같아도 죽여. 내 식구 패는 새끼들은 다 죽여." 소리 지르듯 우는 지안.

S#2 —— 9화 엔딩신 이어서 (밤)

밤하늘엔 차가운 달. 스산한 골목에 남자 둘이 몸싸움하는 그림자만 보이고. 때리고 맞는 소리, 신발 끌리는 소리, 씩씩대는 숨소리…. 묶여 있는 개가 제자리를 뱅뱅 돌며 왈왈 짖어대고. 싸움 중에 튕겨져 나와 바닥에 나뒹구는 동훈의 핸드폰. 떨어진 핸드폰이 울리는데, 액정에는 '형'.

⟨ Cut to ⟩

동훈이 지쳐서 벽에 기대어 앉아 있고, 광일은 힘들게 무릎으로 일어나 등지고 가는데

동훈   아직 말 안 했다.
광일   (그냥 가고)
동훈   얼마냐고!

광일은 잠깐 멈췄다가 그냥 간다. 마음이 안 좋다. 동훈은 의외로 편안한 얼굴. 후련하게 맞은 느낌.

S#3 —— 정희네 앞 (밤)

꽝! 문짝이 깨지도록 세게 열리고, 기훈이 독 오른 얼굴로 뛰쳐나와 다다다 뛰고. 뒤이어 상훈, 진범, 권식 외 손님 서너 명이 쏟아져 나오며 달린다. 누구는 외투를 입으며 뛰고, 누구는 외투 없이 뛰고. 정희도 뛰쳐나오다가 슬리퍼가 벗겨지고, 쫓아 달리다가 멈춰 서서

정희   어떤 새끼가… 그 새끼 죽여버려!

맨 뒤에 쫓아 달리던 진범이 뛰는 중에 어디론가 전화하고.

S#4 ── 동네 일각 (밤)

조기축구회 복장에 가방 메고 두런두런 가는 남자 열댓 명(삼십 대도 꽤 있는). 그 무리들과 같이 가던 제철이 전화받고 있고.

제철   어. 조기축구회 야간 경기 끝나고 한잔하러. (순간 멈춰서 가만히 듣는)

⟨ Cut to ⟩

제철이 선두에서 뛰고 조기축구회 회원들도 다 같이 다다다 뛰고. 제철은 곧바로 선두에서 밀리고 삼십 대의 건장한 젊은이들이 무섭게 앞서 달리고.

S#5 ── 동네 일각 + 도로 일각 (밤)

#골목이 바뀌고 무리 뒤를 따라 달리며 통화하는 제철.

제철   진짜야?

#급히 운전하며 통화 중인 권식. (차량은 수건을 대량 싣고 다니는 세탁소 차 같은 스타일)

권식   어. 동훈이 맞아.
제철   어디야 씨이!
권식   (급히 코너를 꺾고)

S#6 — 동네 일각 (밤)

조용한 골목. 멈춰 있던 택시가 떠나면, 동훈이 벽을 짚고 서서 침을 뱉고. 이어 급하게 도착한 차에서 내리는 권식.

권식　(동훈에게 다가가며) 야.

동훈　(흠칫 놀라 보고)

권식　(!, 동훈의 터진 얼굴 보며) 뭐야 너.

동훈　(얼굴을 돌리고)

S#7 — 동네 일각 (밤)

이쪽 골목에선 정희네서 뛰어나온 무리들이 뛰고, 저쪽 골목에선 조기축구회 무리들이 뛰고. 동훈은 권식의 차량을 뒤로 한 채 터덜터덜 걷고, 권식은 그런 동훈을 보며 따라 걷는데 정희네 무리들이 먼저 도착하고, 동훈의 얼굴을 보고는 모두 철렁. 이내 조기축구회 무리들도 도착. "왜 그래요?" "누가 이랬어요?" "어떤 놈이야?" 걱정과 분노로 한마디씩 하는데,

기훈　씨발 어떤 새끼야? (두리번) 얼루 갔어? (동훈을 잡아먹을 듯) 얼루 갔어-?

기훈이 큰길 쪽으로 냅다 뛰고.

상훈　야!

회원 두 명이 가방을 내던지고 기훈을 따라 뛰며, "야!" "야!"

상훈　누가 그랬어?

동훈　…

상훈　누가 그랬냐고요-!

동훈　별일 아냐. 그냥… 어떤 놈이랑 좀 부딪혀서 싸운 거야.

상훈　니가 기훈이도 아니고 좀 부딪혔다고 싸울 놈이야? 그것도 얼굴이 이렇게 되게?

동훈 …

제철 (동훈을 보다가 허공을 향해) 어떤 호로자식이 후계동에서 주먹질이야—?

그때 짧게 웽웽 울리는 순찰차 소리. 보면 순찰차가 다가오고 있고. 동훈이 살짝 긴장해 순
찰차를 보는데.

진범 야, 얘 회사에서 중요한 타이밍이야… 경찰서 가면 안 돼….

그 말에 다들 긴장해서 순찰차를 보며, 꾸물꾸물 대열을 만들어 동훈을 가운데로 숨기고.
경찰 두 명이 순찰차에서 내려 다가온다.

경찰 (질렸다 싶고) 평일에도 차요?

제철 저 성미동 조기축구회가 공설 운동장 잡았다고, 야간 경기 한번 뛰자길래….

경찰 조기축구횐 방학 안 해요? 나 제발 거기 방학 좀 했으면 좋겠네.

모두 …

경찰 공만 차요 좀. 그만 싸우고. 어떻게 공 차는 날마다 신고가 들어와.

제철 우리 안 싸웠는데. (하다가) 그냥 슬쩍… 다 끝났어요. 안 싸워요 이제.

경찰 일요일에 맨날 신고 들어와요. 운동장에서 술 마시고 운전해서 간다고,
      얼른 가서 음주 검문해서 잡아가라고. 누가 신고하는지 알아요?
      댁에 아줌씨들이 해요.

모두 …

무리 속에 가만히 있는 동훈.

S#8 ── 거리 일각 (밤)

기훈이 씩씩대며 유리창 너머로 편의점 안을 들여다보고. 눈에 불을 켜고 싸움했을 법한
놈들을 찾는 중. 두 놈은 말리는데, 기훈은 뿌리치고…. 말리는 회원의 점퍼 등짝에 보이는
'후계조기축구회' 문구.

경찰 (E, 확성기 소리) 후계조기축구회.

소리 나는 쪽을 돌아보면, S#7에 등장한 순찰차가 서 있고.

경찰 (확성기 소리) 집에 들어가요 좀.

회원 두 명이 경찰에게 "예예예" 꾸벅이며 기훈을 잡아끌고 가고. 기훈은 끌려가는 와중에도 눈으로 훑고. 독이 잔뜩 올라 있는 얼굴.

S#9 — 정희네 (밤)

조기축구회원들이 다 들어와, 좁은 공간에 이삼십 명이 바글바글. 동훈은 얼굴에 얼음찜질팩을 하고, 옆에서 상훈이 이를 보고 있고. 정희는 떨리는 와중에도 분주히 동훈의 외투를 털어 깨끗이 하고. 기훈은 좀 떨어진 곳에서 동훈을 노려보고 있는데, 권식이 상황을 설명한다.

권식 우리 집 노인네가 전화 와서, 기원 갔다 오다가 봉천 역 사거리에서 누가 치고받고 싸우는 걸 봤는데, 아무리 봐도 동훈이 같다고. (갸웃) 동훈이가 누구랑 싸울 애는 아닌데, 그 동네 가서 싸울 리도 없고. 그래도 혹시나 해서 전화해봤는데 전화는 안 받지, 니(상훈) 전화도 안 받는대지. 느낌이 쌔…해서 가봤더니, 아니나 달라? 택시 잡아타는 꼴새가 딱 싸웠더라고. (동훈에게) 전환 왜 안 받아 임마. 택시 쫓아오면서 계속했는데?

동훈 …

상훈 어떤 새끼랑 싸운 거야?

동훈 …

상훈 어떤 새끼랑 싸운 거냐고?

기훈 (달려들 듯) 말 안 하냐 씨이!

주변 (기훈을 말리고)

동훈 편의점에서 나오다가 어떤 놈이랑 부딪혔는데… 그놈이… 씨발이래잖아… 어린놈이….

모두	...
상훈	...진짜 그거야?
동훈	그럼 내가 누구랑 싸워?
상훈	...그 동넨 왜 갔어?
동훈	왜 가긴... 일 때문에 갔지....
기훈	(열 받아서는) 나이가 몇 갠데 어린놈한테 처맞구. 그냥 살던 대로 살아!
	누가 뭐라고 해도 맨날 못 들은 척, 못 본 척 끽소리 않고 지나가더니!
	왜 안 하던 짓을 하구 지랄야!
진범	이놈 잡아야 돼. 그런 놈은 그냥 냅두면 무서운 줄 모르고 또 그래.
	CCTV 다 뒤져서 잡아야 돼.
동훈	됐어요. 쌍방이야. 내가 더 팼어.
기훈	(잡아먹을 듯) 데꾸 와봐, 그 새끼! 더 팼나 안 팼나 보게 씨이!
제철	넌 그만해라 좀!
기훈	(부라리며 대드는) 저 새끼 우리 형이에요!
상훈	(뭔가 집어 들고, 무섭게 기훈에게) 이씨, 가만 안 있어?

기훈과 모두 조용....

#그때 정희네로 들어오는 두 손님의 시선에서 가게 문을 드륵 열면, 바로 코앞에 건장한 어깨가 보이고. 어깨가 돌아보며,

어깨	죄송합니다. 자리가 없어서요.

S#10 ─ 정희네 앞 (밤)

손님 두 명이 도로 나와서 가고, 어깨가 "죄송합니다" 하며 문을 닫으려는데, 한쪽에 서서 정희네를 보고 있는 지안! 이어폰을 끼고 있고. 어깨가 문을 닫으며 지안을 보고, 지안은 그 시선을 의식하고는 발걸음을 옮기고. 가는 지안을 보며 어깨가 '영업 종료' 쪽으로 팻말을 돌려놓는다.

동훈은 독주를 마시고 오만상이 찌푸려지는데, 그래도 뭔가 편한 얼굴. 슬며시 미소가 번지고.

상훈   웃냐?

동훈   간만에… 온몸의 세포들이 놀래서 번쩍 깬 거 같애. (그러다가 아픈지 찡그리고)

진범   겨울에 맞으면 진짜 아픈데….

제철   남자들 치고받고 싸워봤자 (주먹 쥐어 보이며) 유효탄 몇 개 안 돼.
          다 머리끄덩이 옷끄댕이 잡고 싸우는 거지. 봐봐.
          (동훈의 얼굴을 이리저리 돌려보고는 광대뼈에 멍 발견) 유효탄 하나네.

제철이 손바닥으로 동훈이 맞은 곳을 눌러보는데, 동훈은 "아아아…"

제철   깨질 것 같애?

동훈   그냥 얼얼해요.

제철   (동훈의 얼굴을 놓고) 됐어. 금 안 갔어. / (그래도) 당분간 어머니 눈에 띄지 마라.
          내일이면 멍 엄청 찐해진다.

삼 형제 …

정희   오늘 당장 집엔 어떻게 들어갈 건데? (생각만 해도 눈물 나는) 어우야 난…
          내 남편이 이렇게 맞고 들어온 거 보면… 난… 난 못 산다….

그 말에 다들 잠잠해지는.

권식   그냥 계단에서 굴렀다고 그래.

상훈   믿냐? 얼굴이 그게 아닌데?

남자1   빙판에 자빠졌다고 그래요. 이 동네 골목골목 다 빙판인데.

상훈   좀 그럴싸하게 좀 만들어봐라. 빙판에 얼굴부터 박냐?

모두들 곰곰이 생각하는 표정들. 그러다가…

권식	버스에서 내리다가… 근데 어떻게 자빠져야 얼굴이… (동작을 해보는)
상훈	오늘 스토리 제대로 다 짜기 전엔 아무도 못 나가!
기훈	저 븅신보고 짜라 그래!
상훈	이씨….

상훈이 기훈을 잡아 패려고 하자, 주변에서 "에에에" 하며 말리고.

| 진범 | 그만해라 좀. 남자들 다치는 데 뻔하지. 조기축구회밖에 더 있어? |

S#12 ─ 동훈 집 거실, 주방 (밤)

'띠리릭' 도어락 잠기는 소리가 들리고. 후계조기축구회 점퍼를 입고 현관에 들어서는 동훈의 등짝. 안에도 축구 유니폼. 축구 가방은 메고, 외투와 출근 가방은 들고 들어오는데 윤희가 동훈을 보고 놀라서 후룩 떨리고.

| 윤희 | (발을 동동거리며 절규하듯) 왜애─! |
| 동훈 | 아냐! (천천히 점퍼를 벗으며) …헤딩하다가 공중에서 기훈이 머리랑 부딪혔어. |

S#13 ─ 지안 집 (밤)

개수대 쪽에 서서 이어폰 끼고 있는 지안 위로

| 동훈 | (E) 근데 그 새끼가 욕을 하잖아. 미친 새끼…. 공 차다가 많이들 다쳐. 내가 그동안 잘 차서 안 다친 거지. |

S#14 ─ 동훈 집 거실, 주방 (밤)

윤희는 동훈의 말이 액면 그대로 믿기지 않고, 눈물만 줄줄줄.

10화

동훈 추운데 몸 안 풀고 들어가서 그래. / (윤희를 보고는 답답) 왜 울어-?

S#15 ── 동훈 집 서재 (밤)

윤희는 불안하고 마음이 아파 눈물이 쏟아진다. 핸드폰을 들고는 '어디에 전화를 해봐야 되나. 도련님? 준영이?' 어디에 전화를 해야 할지 몰라 핸드폰을 끌어안고 소리 죽여 눈물만.

S#16 ── 동훈 집 옷방 + 지안 집 (밤)

#동훈이 천천히 바지를 벗으려다가 휘청거리며 쿵!
#지안이 뜨거운 커피를 양손으로 잡고 입으로 가져가다가 쿵! 하는 소리에 멈칫.
#힘들고 지친 동훈은 주저앉아 고개 숙이고 가만히.
#지안도 동훈이처럼 가만히. 봉애는 무표정하게 TV 화면만 보고 있고.
#이내 앉은 채로 윗도리부터 천천히 벗는 동훈. 동작이 힘들다.

S#17 ── 형제 청소방 (다음 날, 낮)

기훈이 부은 얼굴로 요순의 악다구니를 듣고 있고, 상훈은 옆에서 말리고.

요순 이 쌍놈의 시키가. 술 처먹고 찼지 또! 그 껌껌한데, 공도 안 보이는데,
술까지 처먹고!
상훈 안 껌껌했어요. 대낮처럼 밝았어요. 조명 세서.
요순 (잡아먹을 듯 상훈에게) 근데 얼굴을 왜 박어? 넌 안 말리고 뭐 했어?
술 먹고 차는 걸 냅둬?
상훈 …
요순 (기훈을 흘기며) 조심조심해도 모자랄 판에. 한 번만 더 공 차러 나가기만 해봐.

요순은 돌아서다가 분이 안 풀리는지 젖은 걸레를 확 들고, 움찔해 피하는 와중에 부은 기훈의 얼굴.

동훈의 얼굴에 멍이 더 진해졌고, 자리에 앉아 컴퓨터 보며 일하는 동훈 주변에 서서 각기
사연 애기하는 컷컷.

1팀장   (상처 난 정강이 보여주며) 공은 애저녁에 지나갔어. 근데 그냥 까. 미친놈 아니냐.

2팀장   (앞니를 보이며) 나 이거 두 개, 임플란트잖아. 헤딩하다가 내가 이빨로 공중에서
         그놈 머리를 찍었는데, 난 앞니 두 개 나갔는데 (기이한) 걘 머리에 피도 안 나.

송 과장 (복숭아뼈 상처 보여주며) 나 이거, 어떤 놈이 학교 때 공 좀 찼다고, 슬라이딩해서
         태클 거는데… 조기축구회에서 슬라이딩 태클이 말이 돼요? 그래놓고 지가
         멋지다고 생각하는지 우쭐대는데… 와….

1팀장   이 뒤 허벅지에서 쩍! 소리 나는 거 들어봤어? 근육 파열?

동훈   (일어나며) 누가 들으면 태릉선수촌인 줄 알겠네.

동훈이 프린터에서 인쇄돼 나온 종이를 들고 채령에게 주고 오는데, 지안의 빈자리가 신경
쓰이는 듯한 동훈의 얼굴.

김 대리 거기 맞아봤어요?

모두   (다들 몸 비틀며) 으아….

S#19 — 신협 (낮)

잔액이 천만 원 찍혀 있는 통장. 입출금 거래 내역은 없고, 오로지 천만 원 입금 내역만 있
다. 그 통장을 보고 있는 지안. 결국 '찾으실 때' 용지에 천만 원을 쓴다.

⟨ Cut to ⟩

통장과 입출금 용지, 현금 삼십만 원을 창구에 내미는 지안.

지안   여기 있는 (통장) 천만 원 찾아서 이거(만 원짜리)하고 같이 송금이요.

가만히 서 있는 지안.

S#20 ── 영광대부 사무실 (낮)

광일이 간이침대에 녹다운된 채 누워 있는데, 종수는 문자 착신음에 핸드폰을 봤다가 광일의 눈치를 살피며

종수   야, 이지안 돈 들어왔다.

광일   … (가만히)

종수   다 들어왔어.

광일   ! (조용히 눈을 뜬다)

종수   그 인간, 진짜 호군가 보다?

광일   …

S#21 ── 사무실 (낮)

김 대리가 퇴근 준비하는 지안에게 살갑게

김 대리   껍데기 죽이게 하는 데 있는데. 껍데기에 소주 한잔 어때?

             껍데기 싫으면 지안 씬 딴 거 먹고. 응? (대답이 없으니) 안 들리나? 나 말하는데?

형규   (지안에게) 같이 가요.

지안   됐어요. (나가고)

김 대리   (지안의 뒤통수에 대고) 내가 살게.

지안   (그냥 나가고)

김 대리   … (자기 자리로 가며) 까였어.

동훈은 '쟤들이 갑자기 왜 저러나' 싶고.

S#22 ── 회사 엘리베이터 (밤)

퇴근 차림인 동훈과 송 과장, 김 대리, 형규.

김 대리   우리랑도 다 같이 친하면 말 덜하겠지 싶어서요. 누구랑도 말 안 섞는 애, 유독
           부장님하고만 끈끈한 거 같으니까, 자꾸 뭐라고 그러는 거잖아요. / 싸가지…
           한 방에 까네 또.

동훈   한 방에 오케이 하겠냐? / 그래도 계속 말 걸어주고 그래.

김 대리   그러려고요. 내일 또 들이대려고요. (결연한) 우리 부장님을 상무님으로
           만들고야 말겠다는 나의 굳은 의지! 아자아자!

셋   파이팅!

파이팅을 외치는 순간에 엘리베이터 문이 열리고. 일 층 로비에 있던 사람들이 다 이들을
쳐다보고. 머쓱하니 나가는 네 사람.

S#23 ── 동네 일각 (밤)

이어폰을 끼고 있는 지안. 전철 들어오는 소리, 흔들리는 지하철 소리, 다음 역 안내 방송 소
리 등등… 퇴근 중인 동훈의 동선을 알 수 있는 소리들. 그리고 진동벨 소리.

동훈   (E) 왜?

상훈   (F) 어디야?

동훈   (E) 집에 가는 중.

상훈   (F) 정희네 들러. 한잔하고 가.

동훈   (E) 오늘은 진짜 때려죽여도 못 먹어. 온몸이 찢어질 거 같애.

상훈   (F, 말이 없다가) 동훈아… 늙는 것도 서러운데… 우리 맞고 살진 말자….

동훈   (E) 내가 더 때렸다니까. 걔 실려 갔어.

상훈   (E) …그래. 걸어와줘서 고맙다.

동훈   (E) …내 앞에 아무도 안 섰으면 좋겠어. 이대로 쭉 앉아 가게.

상훈   (F) 끊어. 얼른 눈 감고 자.

덜컹거리는 지하철 소리만 조용히. 그러다가 잠시 후

동훈   (E) 여기… 앉으세요….

안쓰럽고 답답한 마음에 살짝 심호흡하는 지안. 그렇게 이어폰을 끼고 신발로 땅을 끄적였다가, 멀리 봤다가 그러면서 간간이 한쪽을 본다. '동훈이 언제 오나….' 그러다가 출렁이는 지안의 눈빛. 눈빛이 향하는 쪽을 보면, 퇴근하는 사람들 틈에서 걸어오는 동훈. 멍을 가려 보려고 머플러를 얼굴까지 많이 올리고, 부은 얼굴로 뚜벅뚜벅. 그러다가 거의 다 와서 지안을 보고는 흠칫 놀라고. 서로의 시선이 왔다 갔다…. 동훈이 머플러를 좀 내리고. 지안이 팔을 쭉 뻗어 (슬리퍼가 든) 쇼핑백을 동훈에게 내민다. 가방에 넣고 다녀서 다 구겨진 쇼핑백.

동훈   !
지안   할머니 요양원 들어가시게 됐어요.
동훈   (받고)
지안   (가려는데)
동훈   빚 얼마야?
지안   (보고)
동훈   그냥 알어. 빚 있는 거. 얼마야?
지안   다 갚았어요. 오늘.
동훈   진짜 다 갚았어?
지안   다 갚았어요.
동훈   …
지안   물어보던가요. 그놈한테.
동훈   !

지안이 뒤돌아 가고. 동훈은 그런 지안을 보다가 쇼핑백을 열어본다. 슬리퍼. 멀어지는 지안의 뒷모습을 보는 동훈.

Episode 10

S#24 ── 지안의 동네 일각 (다음 날, 낮)

봉애를 실은 카트가 내려왔던 긴 계단. 잠시 후, 그 계단 맨 위에서 봉애를 업고 내려오는 동훈. 봉애는 어린아이처럼 동훈의 등짝에 얼굴을 기댄 채 담요를 덮고 있다. 잠시 후엔 지 안이 짐을 들고 그 계단 끝에 선다. 갑작스런 동훈의 방문이 당황스러운 듯 잠깐 멈췄다가 따라 내려가고.

S#25 ── 지안의 동네 일각 (낮)

(계단 끝에) 모범택시가 서 있고. 지안이 택시의 뒷문을 열어주고. 동훈이 뒷좌석에 봉애를 태우고.

S#26 ── 달리는 택시 안 (낮)

한적한 시골길. 행복하고 아쉬운 눈길로 창밖 풍경을 보는 봉애. 봉애 옆에 앉은 지안은 앞 에 앉은 동훈을 보다가 창밖으로 시선을 돌리고. 동훈은 앞자리에 앉아 핸드폰을 봤다가 주머니에 넣고.

S#27 ── 요양원 외경 (낮)

S#28 ── 요양원 (낮)

안내하는 여자의 뒤를 따라, 봉애가 앉은 휠체어를 밀고 가는 지안. 그 뒤를 따르는 동훈.

⟨ *Cut to* ⟩

지안이 데스크 앞에서 서류를 작성하고.

안내　　여기 수화할 줄 아는 사람은 따로 없어요. 글은 쓰실 줄 아시죠?

S#29 ── 요양원 지하 마트 (낮)

동훈이 캐러멜, 양갱, 믹스커피, 쿠키 등 간식거리를 집어 담고.

S#30 ── 요양원 병실 (낮)

그 간식거리를 봉애 개인 사물함에 차곡차곡 쌓는 동훈. 톡톡 동훈을 치는 손에 돌아보면, 침대에 앉은 봉애가 미소를 지으며 동훈을 보고 있다. 노트와 펜을 들고. 그러고는 종이에 뭔가 써 내려간다.

[내가 이제 마음 편하게]

그 글을 가만히 보는 동훈. 마음이 출렁이는 얼굴. 이어서 써진 글은,

[눈감을 수 있을 것 같애요.]

봉애는 미소로 동훈을 보고, 이어 써 내려간다.

[안심이 돼요.]

봉애가 또 동훈을 봤다가 계속 쓴다.

[우리 지안이 옆에 선생님같이 좋은 분이 계셔서]

동훈   !

봉애가 양손으로 동훈의 한 손을 잡고는 그 손에 이마를 댄다. 복을 빌듯이. 존경을 표하듯이. 손을 붙들린 채로 민망하게 서 있는 동훈.

⟨ Cut to ⟩

문 앞에 서 있는 동훈. 봉애는 지안의 이마에 자신의 이마를 대고 눈을 감는다. 기도를 하는 듯. 동훈이 이를 보다가 나간다. 그게 예의인 것 같아서. 봉애가 눈을 떠 지안의 얼굴을 쓰다듬고. 지안은 덤덤하게 시선을 내리고 있고.

Episode 10

동훈이 앞장서 걷는데, 지안은 자꾸 요양원을 돌아본다. 걸어가는 동훈 얼굴 위로 끝내 지안의 훌쩍이는 소리가 들린다. 뒤돌아보기가 뭐한 듯 그냥 걷는 동훈. 덩달아 마음이 좋지 않고.

S#32 —— 시골길 (낮)

지안의 울음이 그친 듯…. 동훈이 앞서서 빠르게 걷고, 지안이 바짝 따라 걷는다. 그런 두 사람 위로

동훈   (E) 그놈이 또 못살게 굴면 바로 전화해. 그 동네 니 전화 한 방에 달려올 인간이 서른 명은 넘어. 백 명 오라고 하면 백 명도 와.

지안   …

동훈   (E) 아버지가 후계초등학교 삼십이 회, 형은 육십 회, 내가 육십사 회. 친구 아버지가 초등학교 선배고, 아버지들끼린 동창이고… 그 동네가 다 그래. 한 다리 건널 필요도 없이 그냥 다 아는 사이야. 우리 형수는 나랑 동창이고. / 전화하면 달려갈 사람 많아. 아무 때고 불러.

지안   …

동훈   (E) 맞고 살진 말자. 성질난다.

지안   …

동훈   (E) 이제 너도 편하게 살아.

지안   …

동훈   (E) 하고 싶은 거 하고. 먹고 싶은 거 먹고. / 회사 사람들하고도 같이 어울리고. 친해둬서 나쁠 거 없어.

지안   …

동훈   …

지안   (E) 사람 죽인 애라는 걸 알고도 친할 사람 있을까?

동훈   !

동훈이 멈춰 서고. 지안도 멈춰 서고.

지안	멋모르고 친했던 사람들도 내가 그런 애라는 거 알고 나면, 갈등하는 눈빛이 보이던데. '어떻게 멀어져야 되나….'

지안 멋모르고 친했던 사람들도 내가 그런 애라는 거 알고 나면, 갈등하는 눈빛이
보이던데. '어떻게 멀어져야 되나….'

동훈 …

지안 …

동훈 니가 대수롭지 않게 받아들이면, 남들도 대수롭지 않게 생각해.
니가 심각하게 받아들이면, 남들도 심각하게 생각하고. 모든 일이 그래.
항상 니가 먼저야. / 옛날 일, 아무것도 아냐.

지안 !

동훈 니가 아무것도 아니라고 생각하면 아무것도 아냐. …이름대로 살아.

지안 !

동훈 좋은 이름 두고 왜.

동훈이 다시 앞서서 가고. 지안은 따라간다.

지안 (E) 아저씨 이름은 무슨 뜻이에요?

동훈 (E) 별 뜻 없어.

지안 (E) 무슨 잔데요?

동훈 (E) 훈은 돌림자고. 동은… 동녘 동.

동쪽, 태양, 빛. 그런 느낌을 생각하는 듯한 지안. 말없이 걷는 두 사람.

지안 (E) 왜 이렇게 빨리 걸어요?

동훈 (그래도 속도를 줄이지 않고 빠르게)

지안 (E) 부끄러워서 그런가?

빠르게 걷던 동훈, 뛰기 시작한다. 보면, 저 멀리 버스가 오고 있다. 놓치지 않기 위해 버스
정류장까지 뛰는 것. 지안도 따라 뛴다.

S#33 — 돌아오는 버스 안 (낮)

동훈은 앞자리에, 지안은 뒷자리에 뚝 떨어져 앉아 있다. 창밖만 보는 두 사람.

S#34 — 호텔 커피숍 복도 (낮)

윤희가 눈물을 참으며 화난 사람처럼 뚜벅뚜벅 엘리베이터 쪽으로. 터질 듯한 걸 꾹 참아 가며 뚜벅뚜벅. 준영은 거리를 두고 따라가면서 미칠 지경이고. 오가는 사람들이 신경 쓰이고. 윤희가 엘리베이터 앞에 서는데, 잘 차려입은 노부부도 옆에 서 있고. 준영은 윤희와 거리를 두고 서 있는데, 윤희가 사람 많은 데서 터질까 봐 노심초사. 그런데 결국!

윤희　　(느닷없이) 니가 그런 거지 동훈 씨? 니가 때린 거지?

노부부가 놀라 쳐다보고. 준영은 미치겠다. 윤희가 홱 돌아서며 계단 쪽으로.

S#35 — 호텔 계단 (낮)

문을 팍 열고 들어와 계단을 허위허위 내려가는 윤희. 조용히, 그러나 급히 쫓아 들어오는 준영.

준영　　내가 선밸 왜 때려! 건드려서 좋을 게 뭐 있다고! 공 차다가 다친 거라며? 아냐?
윤희　　(그저 내려가기만)
준영　　(쫓아 내려가며) 그냥 모른 척해. 그게 선배가 원하는 거야. 선배가
　　　　　신신당부했던 게, 자기가 다 안다는 거, 너는 절대 모르게 하라는 거였어.
　　　　　그냥 조용히 헤어지기만 하라고. 자기가 안다는 거까지 니가 다 아는 날엔,
　　　　　너 절대 자기랑 안 살 거라고!
윤희　　(흐억 얼굴이 일그러지고)
준영　　헤어졌다고 했고. 헤어진 줄 아니까. 그냥 모른 척 조용히 살아.
윤희　　(멈춰 돌아서서) 그게 되니-? 뻔뻔하게 그게 돼-? (다시 내려가는)

Episode 10

준영	그게 선배가 원하는 거라고!
윤희	(멈춰서 돌아보며) 니가 원하는 거겠지!
준영	!
윤희	동훈 씨가 그랬을 때 얼씨구나 했지? 땡잡았다 싶었지? 상대가 바보 같은 박동훈이라 다행이다 싶었지? (다시 내려가며) 그렇게는 안 둘 거야… 너 망하게 할 거야….

윤희가 문을 팍 열고 나가고.

S#36 ― 주차장 계단 문 앞 (낮)

주차장으로 뚜벅뚜벅 걸어가는 윤희. 미치겠는 준영은 그저 쳐다보고 있을 수밖에.

S#37 ― 도심 일각 (낮)

한적한 도로에 정차돼 있는 윤희의 차. 울음소리가 웅웅 새어 나오고.

[INS] 5화 엔딩, 6화 도입: 공중전화 앞에서 만났던 동훈과 윤희. 동훈의 표정 위로

윤희	(E) 공중전화… 동훈 씨한테 걸린 거지?

[INS] 추가 촬영, 호텔 커피숍: 윤희의 그 질문에 '어떻게 알았지?' 하는 준영의 표정. 그 표정에 윤희는 후루룩 떨리며 눈물이 날 것 같고. "왜 나한테 말 안 했어?" 원망하는데, 준영은 바짝 긴장해 주변 사람들만 의식하고.

차 안을 보면, 윤희가 운전석에 무릎 꿇고 발랑 올라앉아 보조석 쪽으로 상체를 엎드려 꺼이꺼이. 그랬다가 엉거주춤 일어나고… 마음이 너무 아파 몸을 어떻게 돼야 할지 몰라 하는.

[INS] 8화: 요순의 생일날 집 앞에서 신경질 부리던 자신, 죽 사온 남편 앞에서 무기력했던

자신. 그리고 덤덤한 동훈의 얼굴들….

안쓰러운 동훈의 얼굴이 생각나자, 윤희는 절규하듯 운다.

윤희 왜 그랬어? 왜 그랬어?

그때 핸드폰이 울리는데, '동훈 씨'. 그걸 보자 더욱 마음이 아프고.

S#38 ── 동훈 집 (낮)

동훈은 핸드폰을 들고 있다가 다시 내리고. 널린 것들을 주워 치우고, 구석구석 청소기를 돌린다. 세탁기에서 빨래를 꺼내고, 베란다에 빨래(조기축구회 옷도) 널고.

⟨ *Cut to* ⟩

베란다에 널린 빨래 아래서, 동훈이 쪼그려 앉아 햇볕을 쬐고 있다. 눈이 감길 듯 나른한데, 왠지 쓸쓸해 보이는 얼굴이다.

S#39 ── 병원 외경 (다음 날, 낮)

S#40 ── 병원 병실 (낮)

회장이 병세가 안 좋아진 듯, 침대 모서리에 앉아 굽은 등을 한 채 조심스럽게 심호흡하고, 긴장하며 그런 회장을 지켜보는 왕 전무, 준영, 윤 상무, 정 상무.

회장 (기력이 딸려서 짜증이 좀 있는) 왜 태어나갖구 이 고생을… / 물려줄 자식이
있는 것도 아닌데… 뭐 할라구 일은 그렇게 했을까….

왕 전무 덕분에 먹고사는 입이 몇인데요.

회장 … (살날도 얼마 안 남은 것 같은데) 정리해야겠지?

준/왕 !

회장	정리해야 되는 일은 산더민데… 하기 싫다…. (문득) 이대로 그냥 가면
	누가 좋은 거야?
준영	!
회장	자네(왕 전무)가 좋은 건가?
왕 전무	!
회장	씨이… 죽을 놈이 뭔 걱정. (앞섶에 삐져나와 있는 선들을 보며, 짜증이 이는 얼굴)
준영	회장님이 세우신 삼안이에요. 삼안 앞날 제대로 설계하실 수 있는 분도
	회장님이시고요. 기운 차리시고, 쩌렁쩌렁한 정신으로, 저희 앞날을
	설계해주셔야죠. 곧 쾌차하실 겁니다. 걱정하지 마시고 마음 편안히 가지세요.
회장	…
왕/정	! (준영이 같잖고)

S#41 ── 고급 청요릿집 룸 (낮)

원탁 테이블. 왕 전무가 상석에 있고, 정 상무, 한 상무, 고 상무가 함께 앉아 있다.

정 상무	그냥 가시면 안 된다, 앞날을 설계해주시고 가셔야 된다….
	차, 죽기 전에 한 푼만 달라고 아주 읍소를 해요. 그지 새끼도 아니고.
한 상무	(웃는, 왕 전무 보며) 진짜 그렇게 말했어요?
정 상무	내가 다 낯 뜨거워서 혼났대니까요.

그때 직원의 안내를 받으며 동훈이 들어오고.

| 정 상무 | (일어나 맞으며) 어, 어서 와. (자리 안내하며) 일루. |

동훈은 왕 전무와 상무들에게 목례하며 자리로.

S#42 ─ 사무실 일각 (낮)

준영이 대표이사실로 가며 사무실을 보는데, 지안도 있고, 다른 직원들 다 있는데, 동훈만 안 보인다.

S#43 ─ 대표이사실 + 사무실 (낮)

#대표이사실: 2G폰으로 문자 찍고 있는 준영의 얼굴 위로

준영   (E) 박동훈 어디 갔어?

#사무실: 문자 찍는 지안.

지안   (E) 식사하러요.
준영   (E) 누구랑?
지안   (E) 왕 전무 패거리들이랑.
준영   (좀 생각하다가, E) 오늘 박동훈 어땠어? 분위기. 뭐 이상한 거 없었어?
지안   (E) 모르겠던데.
준영   (좀 생각하다가, E) 나와.

그 문자를 보고 있는 지안. 벌써 지나가고 있는 준영.

S#44 ─ 허름한 중식당 룸 (낮)

직원이 메뉴판을 챙겨 나가면, 준영과 지안만 남아 있다.

준영   틀어봐. 도청.
지안   !
준영   그거 실시간으로도 들을 수 있는 거잖아. 모여서들 작전 짜는 것 같은데, 틀어봐.

지안은 어쩔 수 없이 핸드폰을 꺼내서 도청을 틀어 테이블 위에 놓고.

정 상무 (E) 직무평가하고 실적은 박 부장이 월등히 앞서는 거 저쪽에서도 다 알고.

S#45 ── 고급 청요릿집 룸 + 허름한 중식당 룸 (낮)

무리들 틈에 앉아 있는 동훈. (청요릿집과 중식당 모두 원탁 테이블이라 마치 준영과 지안이 합석해서 듣고 있는 것 같은 느낌)

정 상무 문제는 심층대면 인터뷰, 이걸 잘해야 된다. 세 시간 동안 몰아붙이는데, 쫄지 마. 마구잡이로 물어보고, 마구잡이로 기분 나쁘게 할 건데, 흥분하지 말고. 뭐 별거 다 나와. 나 땐, 애 사립초등학교 보낸 거 갖고도 뭐라고 그랬어.

한 상무 나 땐, 내 친구가 현진설계 이산데, 그 친구 만난 거 가지고, 이직 고려 중인 거 아니냐, 우리 거래처 빼 나가려고 그런 거 아니냐…

고 상무 그거, 공 차다가 다친 거 가지고도 뭐라고 할 거다. 누구랑 싸운 거라고.

정 상무 (대뜸) 그 여자앤 뭐야? 파견직? 무슨 얘기 도는 거 같던데.

동훈 !

지/준 !

정 상무 봐봐. 이렇게 당황하면 끝인 거야. / 한 삼사일 우리끼리 호텔에 방 잡아놓고 대면 인터뷰 시뮬레이션할 거니까, 야근 일정 잡지 말고. 사람들한텐 피곤해서 집에 일찍 들어간다고 하고. 비밀 유지하고. 알았지?

준영은 정보 하나 잡았다 싶고. 왕 전무는 가만히 동훈의 표정을 보다가

왕 전무 되도 그만 안 되도 그만이란 생각이면, 안 하는 게 나아. 하기 싫은 사람 억지로 앞장세워 하면 우리도 힘에 부칠 거고, 그럼 백 프로 져. 입장 정리 똑바로 해서 말해. 그럼 우린 그에 맞는 작전을 짜면 되니까.

찬물 끼얹은 듯 조용한 좌중. 긴장해서 듣는 준영과 지안. 답을 기다리는 듯 동훈을 보는 왕 전무의 눈빛.

동훈	저 꼭 상무 돼야 돼요.
모두	!
동훈	어머니 들떠 계세요. 아들 출세하게 생겼다고. 형은 엄마 장례식 걱정 안 해도 된다고 좋아하고. (좀 잠잠해지는) 집사람… 혼자 고생 많았는데, 이제 좀 덜어주고 싶어요.
준/지	…
동훈	얼굴 붉혀가면서 경쟁하고 싸우는 거 싫어서 웬만하면 안 하고 싶었는데, 언제까지 피할 수만은 없는 거고. 한번 맞닥뜨려보려고요. 잘해보고 싶어요.
모두	(다행이다 싶은 얼굴인데)
왕 전무	(여전히 차가운) 그게 다야?
동훈	!
왕 전무	하나가 빠졌잖아. 자네가 상무가 돼야 되는 정말 중요한 이유.
동훈	?
왕 전무	도준영.
동훈	!
준/지	(그 말에 준영과 지안도 긴장한다)
왕 전무	(보는)
동훈	(무슨 뜻인지는 알지만) 제 인생 어느 언저리에도 그놈은 껴주고 싶지 않아요. 상대해야 될 놈인가 싶기도 하고. 그놈을 망하게 하겠다는 목표로 움직이는 거 자체가, 그놈한테 과분한 처사 같아서요. 그딴 자식 망하든 말든, 신경 쓰고 싶지 않습니다.
준영	(불쾌해지고)
지안	!
왕 전무	(좀 풀어지며) 맞네. 도준영 그 자식이 뭐라고.
준영	!
왕 전무	재벌가에 들어가서 냄새만 맡다가 쫓겨난 놈이 지가 무슨 진짜 재벌인 줄 알고, 어디서 개폼을. 꼴같잖아서….
정 상무	오죽 근본 없는 놈이었으면 일 년도 못 살고 쫓겨났겠어요?
왕 전무	삼진가 사위였다고 요즘에도 지가 슬쩍 흘리고 다닌다지? 쪽팔리지도 않나. 그게 무슨 자랑이라고.

준영은 일어나서 왔다 갔다… 꼭지가 돌았고…. 지안은 그런 준영의 행동에 긴장하고….

왕 전무　온갖 멸시 다 받고 쫓겨났으면서.

정 상무　그거마저 없으면 지가 어디 가서 명함을 내밀어보겠어요?

지안이 핸드폰을 끄고는 주머니에 넣고.

S#46 ── 허름한 중식당 룸 (낮)

준영이 좀 진정한 뒤 지안을 돌아보며

준영　박동훈이랑 어떻게 돼가?

지안　잘.

준영　몇 번 만났어?

지안　한…두… 번?

준영　(보다가) 한두 번? 너 돈 받아 갔어. 천만 원 받아 가놓고, 한두 번? 애매해? 그걸 기억 못 해? / 너 내가 말하기 전부터 둘이 밥 먹고 그랬지? 그래서 지금 애매하지? 카운팅을 어디서부터 해야 될지?

지안　밥만 먹었게. 키스도 했는데.

준영　!

지안　까먹었나? 두 달 전쯤. 키스하려고 밥 먹고 술 먹고 다 했는데.

준영　(열 받는 와중에 이년도 열 받게 한다 싶고)

지안　한 번 접근했다가 미친년 취급받고 잘릴 뻔했는데, 다시 접근하는 게 쉬운가?

준영　그럼 돈을 받지 말았어야지. 자신 없다고 했어야지.

지안　그럼 나 대신할 여직원은 있었고?

준영　!

지안　…

준영　(그냥 빙긋이 본다) 열흘 남았어. 열흘 안에 어떻게 할 건데?

지안　잘.

준영　(보다가, 차갑게 나가며) 내일모레까지 성과 만들어갖구 와!

S#47 —— 허름한 중식당 복도 (낮)

준영이 나가다가 음식을 들고 오는 직원과 부딪힐 뻔하지만 아랑곳 않고 차갑게 그냥 가버린다. 직원만 혼비백산.

S#48 —— 허름한 중식당 룸 (낮)

지안은 생각하는 듯 조용히 차를 마시고, 직원이 들어와 음식 두 개를 세팅한다.

S#49 —— 유라 빌라 계단 (낮)

기훈이 401호 현관에 붙은 전단지를 떼서 아래로 구겨 던지고 쓸며 내려가고. 상훈이 정신없이 대걸레질하며 따라 내려오다가, 뜬금없이 장난처럼 401호 초인종을 띵동띵동 연달아 누르는데.

기훈   없다고! 그걸 왜 자꾸 눌러?

상훈은 끽소리도 않고 걸레질만.

S#50 —— 달리는 다마스 (낮)

기훈은 운전 중이고, 상훈은 옆에 앉아 있고.

상훈   요즘 정희네도 안 오고. 바쁜가 보다.
기훈   …영화 들어갔잖아.
상훈   …너무 빨리 날아가는 거 같다. 걔… 재밌었는데.

기훈   (무뚝뚝한 얼굴로 운전만)

S#51 — 형제 청소방 앞 (낮)

차 운전석에 앉아 있는 윤희. 다마스가 와서 서는 걸 보고는 차에서 내리고. 기훈은 운전석에서, 상훈은 보조석에서 내리며

기훈   오래 기다렸죠?
윤희   저도 방금 왔어요. (보조석에서 화분을 내리고)
상훈   (얼른 가서 화분을 받고) 뭘 이런 걸 다. 개업 화분 받기도 미안하네. 몇 번째야.
기훈   내 거야. 난 처음이야.

상훈이 문을 따고, 기훈은 다마스에서 걸레가 든 자루를 내리고.

S#52 — 형제 청소방 (낮)

상훈이 화분 위치를 잡은 후 히터를 켜고, 윤희는 청소방을 둘러보며

윤희   와본다 본다 하면서 늦었어요.
기훈   (자루 들고 개수대로 가며) 뭐 하러 와요. 바쁜 거 다 아는데.
상훈   자꾸 들러먹어서 제수씨 볼 면목이 없어요. 가게 할 때마다 손님 끌어와주고, 퇴근하자마자 와서 일 도와주고…. 비싼 변호사 서빙으로 부려먹는 호사까지 누려봤는데….
윤희   (둘러보며) 이번엔 왠지 잘되실 것 같아요.
기훈   죽었다 깨어나도 잘돼야죠. 나까지 들러붙었는데.
윤희   도련님은 여태 봤던 중에 요즘이 제일 편해 보여요.
기훈   편해요. 팔자 같아요. 어디 가서 지저분한 거 보면 너-무 치우고 싶어.
상훈   방을 그렇게 치워봐라. (동전 들고) 뭐 마실래요? (밖 가리키며) 커피도 있고, (선반 가리키며) 차도 있고.

윤희	괜찮아요. 많이 마셨어요. (기훈의 얼굴을 보고 슬쩍) 도련님 얼굴은 멀쩡하네요?
상훈	… (얼른) 애 머리로 (얼굴에 박는 시늉) 이렇게 박았는데, 얜 멀쩡하죠. 에으, 헤딩할 땐 좌우 좀 봐라.
기훈	헤딩하면서 좌우 보고 공 보면 내가 프리미어리그에 있지, 조기축구회에 있어? / (윤희에게) 형은 금방 온대요?
윤희	전화 안 해봤는데….
기훈	(상훈에게) 전화해봐. 집에 가서 같이 저녁 먹게.

상훈이 전화하는데, 윤희는 무심히 둘러보는 척하나 긴장하고.

상훈	(통화) 제수씨 왔는데. 같이 저녁 먹자고. …왜? …오래 걸려?
기훈	그냥 빨리 오라 그래. 배고파 뒤지겠네.
상훈	(통화) 기다릴게. 간만에 제수씨도 왔는데.
윤희	(벽에 걸린 월간 계획표를 보는 듯하나, 신경은 온통 통화에)

S#53 — 사무실 (낮)

동훈이 미적거리며 외투를 챙겨 입고, 팀원들은 퇴근 차림으로 동훈을 기다리고 있다. 지안 역시 책상을 정리하며 퇴근 준비.

김 대리	지안 씨 곱창 먹죠?
송 과장	껍데기 아니었어?
김 대리	껍데기는 어제였구요. 먹고 싶은 건 그날그날 다르답니다.
형규	오늘은 지안 씨 먹고 싶은 거 먹죠? 처음으로 같이 먹는 건데.
김 대리	(지안 보며) 곱창.
동훈	(송 과장에게) 미안해. 오늘은 내가 집에 일이 있어서.
지안	!
김 대리	뭐예요. 좀 전까지 아무 말 없다가….
동훈	(송 과장에게 신용카드 주며) 삼십만 원 이상 긁어. / (지안에게) 같이 가서 먹어.
지안	!

동훈   (나가는 모습에)

송 과장   (E) 잠깐만 있다가 가시죠?

S#54 ─ 요순 집 거실 (밤)

상훈, 동훈, 기훈, 윤희가 거실 밥상에 앉아 있고, 요순이 묵은지찜을 동훈 가까이에 정성스
럽게 놓는데, 기훈이 그런 요순의 손동작을 흘겨보고, 요순은 동훈 얼굴에 든 멍을 보자, 또
기훈에게 손이 확 올라가는데.

기훈   (얼굴을 피하고는, 동훈을 흘기고) 내가 효자다.

요순   어멈!

기훈   우리랑 밥 먹을 땐, 밥도 쾅! 국도 쾅! 숟갈은 던지면서.

요순   뭐 이쁘다고 밥을 곱게 놔?

동훈   (그만하고) 드세요.

요순   셋 한창 클 때는 귤 한 박스 사면 이삼일이면 동나고, 돼지고기를 사도
대여섯 근은 사야 됐는데, 이것들 다 내보내고 돼지고기 반 근,
귤 이천 원어치 사니까 세상 그렇게 가뿐할 수가 없더라. (상훈과 기훈을 흘기며)
근데 또 기어들어 와서 팔 떨어지게 바리바리 장 보게 만들고….

상/기   … (먹기만)

윤희   그래도 같이 사시니까 든든하시잖아요.

요순   한여름에 창문 다 열어놓고 자는 거, 그거 하나 좋더라.

상훈   (아래에서 소주를 꺼내 비틀어 따자)

요순   또!

상훈   (동훈과 기훈의 잔을 채워주며) 약이에요.

요순   하루를 그냥 안 넘어가. 대차게 한번 자빠져봐야 정신을 차리지.

삼 형제가 잔을 부딪히고 고개를 돌려 마시고는 잔을 내려놓는데, 윤희가 동훈의 개인 접시
에 묵은지찜을 얹어서 놔주고. 동훈은 덤덤히 먹고.

S#55 — 도로 일각 (밤)

윤희는 운전석에, 동훈은 보조석에. 라디오가 켜져 있고, 정면만 응시하는 두 사람. 말없이 흐르는 긴장감. 그때 라디오에서 시청자 퀴즈가 나오고.

사회	(E) 2018년부터 시간당 최저임금은!
남/녀	(F, OL) 안양! / (F, 조금 늦게) 남양주!
사회	(E) 네, 안양이 빨랐죠. 십 원 단위까지 정확하게 말씀해주셔야 됩니다.
동훈	칠천오백삼십 원.
사회	(E) 시간당 최저임금은?
남	(F) 칠천오백삼십 원!
사회	(E) 칠천, 오백, 삼십, 원! …정답입니다! (딩동댕동 실로폰 소리)
윤희	(동훈을 보며) 오….

#거리 일각: 이어폰 끼고 그런 대화를 듣고 있는 지안.

사회	(E) 작년엔 대선이 있었죠. 올핸 지방선거가 있는데요, 그렇다면 올해 지방선거일은!
남자	(OL, E) 안양!
윤희	(OL, 크게 E) 유월 십삼 일!

#어딘가 한곳을 보는 지안의 시선. 건너편 차도에 윤희의 차가 지나가고 있다. 나란히 앉은 동훈과 윤희. 지안이 보기엔 다정하고 재밌는 부부 같은 느낌.

동훈	(E) 십칠 일 아냐?
윤희	(E) 십삼 일!

S#56 — 요순 집 형제 방 (밤)

요란하게 코 골며 자는 기훈. 조용히 움직이는 상훈. 조심스레 장판을 드는데 오만 원짜리

가 곱게 깔려 있다. 지갑에서 오만 원짜리 두 장을 꺼내 침을 바르고는 지폐가 붙게 겹쳐 잡고, 각을 잘 맞춰서 바닥에 이어서 깔려고 하는데, 그때 요란하게 울리는 기훈의 벨소리! 기훈이 안 잔 사람처럼 바로 일어나 앉아 핸드폰을 받고.

기훈   어. …안 잤는데. …그냥 있었어.

상훈은 그대로 정지. 기훈은 전화받느라 상훈을 보지 못했고. 상훈이 조용히 수습하려는데,

S#57 ── 유라 집 + 요순 집 형제 방 (밤)

유라는 이제 막 들어온 듯 옷을 갈아입으며 통화 중. 지쳤으나 상냥하고 들뜬 목소리.

유라   카메라 감독님도 좋고, 조명 감독님도 좋고, 다 좋아요. 술자리도 재밌고.
기훈   …
유라   근데… 순간순간… 심장이 찌릿할 때가 있어요.
기훈   (덤덤) …갈까?
유라   아뇨. 그 정돈 아니고요. 왜, 학교에서 백 미터 달리기할 때 땅! 하기 전에
         쫄리는 거 있잖아요, 그때 약간 전기 오는 것 같아요. 제가 감독님한테
         한창 갈굼당할 땐, 온몸에 전기가 세게 돌아서 막 어쩔 줄을 몰랐거든요.
         그때에 비하면 백분의 일 정도밖에 안돼요.
기훈   (덤덤) …갈게. (벌떡 일어나고)

기훈이 핸드폰 하며 옷을 챙겨 나가면, 상훈은 일어나 장판을 들어 다시 돈을 가지런히 잘 만지고.

S#58 ── 요순 집 거실 (밤)

요순이 화장실에서 나와 방으로 가는데, 상훈이 보일러 온도조절기를 만지며

상훈	보일러를 왜 이렇게 세게 돌려요. 뜨겁게.
요순	웬일이래. 돈 아까운 줄 모르고 맨날 절절 끓게 하더니.
	(방으로 들어가며) 방바닥에 돈이라도 까냐?
상훈	… (가만)

S#59 ─ 요순 집 앞 + 유라 집 (밤)

기훈이 다마스 앞에 일렬 주차된 차량을 미는데 꿈쩍도 않. 전화 통화는 덤덤하게 하지만, 실은 마음이 급해서 욕 나온다.

기훈	금방 가. (힘껏 밀어보는) 다 왔어. (그냥 빠르게 걷기 시작)
유라	안 와도 돼요. 저 자야 돼요. 내일 또 일찍 나가봐야 돼서.
기훈	(숨찬 티 안 내며 빠르게 걷는) 나 다 왔는데.
유라	(진심으로) 고마워요. 이 시간에 와준다고 해서. 나 오늘 십 센티는 펴진 거
	같애요. 잘 자요.
기훈	… (멈춰 서는)
유라	끊을게요.
기훈	…잘 자라.

전화 끊고 부은 얼굴로 다시 돌아가는 기훈.

S#60 ─ 회사 외경 (낮)

S#61 ─ 사무실 (낮)

동훈이 커피를 마시는데, 송 과장이 와서

송 과장	(카드와 영수증 세 장을 공손히 두 손으로 주며) 잘 먹었습니다.
동훈	(영수증 보며) 꽉꽉 채워 잘 놀았다. 삼 차까지. (지갑에 카드 넣고, 우편물 돌리고 있는

지안을 힐끗 보곤) 좀 친해졌어?

송 과장　지안 씨는 일 차에서 갔어요. 일 있다고.

동훈이 힐끗 지안을 보는데, 지안이 우편물 작업을 끝내고 자리로 오고.

송 과장　(커피 타며 슬쩍) 김 대리, 좋아하는 여자 있대요. 우리 회사에.

동훈　(의외다)

송 과장　근데 짝사랑이래요. 여자가 애인이 있대요.

동훈　애인 있는 여잘 왜 좋아해?

송 과장　결혼은 안 했으니까요. 아주 애가 타 죽으려고 하더라고요. 미치겠대요.

동훈　지 혼자 상상의 나래를 펼치니까 미치겠는 거지. 그런 감정은 뒤통수 한 대 맞으면 바로 끝나. 아무것도 아냐.

지안　(덤덤히 영수증 정리하는 표정)

송 과장　모른 척하세요. (자리로)

동훈　… (지안에게) 요즘에도 밤에 알바하냐?

지안　(시선 안 주고) 네.

동훈　…쉬엄쉬엄해라. (자리로 가는)

이제 막 출근해서 앉는 김 대리의 뒤통수를 동훈이 가볍게 치며 자리로 가고, 김 대리는 주변 사람들에게 '왜?' 하는 눈빛.

S#62 — 식당 (낮)

광일과 종수가 밥 먹는데, 스포티한 명품으로 차려입었으나 불량해 보이는 사십 대(재만) 가 들어온다. 광일과 종수가 긴장의 눈빛으로 그를 보는데, 재만이 들어와 곧바로 광일의 자리에 앉고. 한 사진이 보이도록 광일 앞으로 핸드폰을 놓는데. 사진을 보면, 광일과 싸우는 동훈의 컷.

광일　!

재만　이놈 어떻게 알어? 둘이 왜 그랬어?

광일	이제 형사 아니시잖아요?
재만	나도 짜증 나니까 그냥 빨리빨리 하자. 먹고살려니까 별짓 다 한다. 왜 그랬어?

S#63 —— 오래된 커피숍 (낮)

[광일과 동훈이 싸우는 사진.]
이를 보는 준영. 재만이 준영에게 설명한다.

재만	이지안이 (사진 속 광일을 짚으며) 이놈한테 사채 빚이 있는데, (동훈을 짚으며)
	박동훈 이 양반이 빚 대신 갚아주겠다고 찾아왔다가 둘이 싸운 거래요.
준영	!
재만	(이마를 긁적이며) 아고야 피곤하다…. 밥도 못 먹고 빨빨거리고 다녔더니…
	(다음 사진으로 넘기며) 그리고…

[동훈이 봉애를 업고 내려오는 사진.]
[지안이 택시 뒷문을 열고, 동훈이 입고 있던 봉애를 뒷자리에 앉히는 사진.]
그걸 보는 준영의 눈빛!

재만	이 노인네가 여자애 할머니… (결론) 보통 사이는 아녜요, 둘이.
준영	!

[INS] 식당: 재만이 봉애를 업고 가는 동훈의 사진을 보여줬을 때, 이를 보는 광일의 눈빛.

S#64 —— 파견업체 본사 사장실 (낮)

투덜대며 들어와 사장 책상으로 가는 재만. 양복 입은 오십 대 직원이 테이블에 세팅된 중국요리 랩을 벗기고 있고.

재만	여기가 무슨 흥신손 줄 아나. 기지배 하나 잘못 들여가지고 생고생….

(손가방을 책상에 툭 내려놓으며, 양복에게 성질) 그니까 신원조회 똑바로 하라니까
씨이… (소파에 털썩 앉아서 고개를 젖히고 가만) 아이고….

양복　드세요.

재만　(먹기 시작)

S#65 —— 주택가 커피숍 앞 (밤)

준영이 차 안에 앉아 멀리서 걸어오는 지안을 보고 있고. 지안이 얼추 다가오자 차에서 내
려, 아는 체도 안 하고 커피숍으로. 지안도 커피숍으로 들어가고.

S#66 —— 주택가 커피숍 (밤)

마주 앉은 준영과 지안. 준영이 핸드폰 사진 앱을 열어 지안 쪽으로 돌려 놔주고. 핸드폰을
보는 지안! 준영이 핸드폰을 가져가 사진을 삭제하고는, 비실거리며 지안을 보는데

지안　어떻게 접근할까 하다가 불우한 가정환경 좀 팔았어요. 듣지도 못하고 거동도
　　　 못 하는 할머니랑 단둘이 단칸방에 사는 소녀 가장. 그 뒤로 박동훈 날 보는
　　　 눈빛이 달라지던데? 불쌍한 강아지 새끼 보는 것처럼.

준영　근데 그걸 왜 이제 얘기해? / 다 알고 있었잖아. 박동훈이 니 빚 갚겠다고
　　　 사채업자 찾아가서 싸운 거. 축구하다가 다친 거 아니란 거.

지안　!

준영　감동 먹었지? 그래서 나한테 숨겼지? 박동훈한테 해될까 봐.

지안　그게 뭐가 해가 되지?

준영　사람들한테 물어봐. 어떤 부장이 회사 여직원 빚 갚아주고 할머니까지 챙기나.

지안　'한동네 사는 처지에 어려운 거 알아서 거동 못 하는 노인네 모셔다 드렸다,
　　　 잘했다 칭찬하지는 못할망정 이걸로 공격하는 게 말이 되냐…' 저쪽도
　　　 내 얘기 도는 거 아는 거 같은데, 이렇게 얘기 안 짜볼까.

준영　!

지안　박동훈 인정 많은 인간이란 거 모르는 사람 없고. 나랑 통화한 적도 없고,

주고받은 문자 하나 없는데, 무슨 사이? 손을 잡길 했나, 안기를 했나,

뭘 했다고 나랑 엮을 건데?

그러다가 지안이 창밖을 보고는 살짝 굳고. 조용히 시선을 내리고 가만.

준영   … (빙긋이 웃는) 너 왜 이렇게 말이 길어졌니?

지안   …

길 건너 멀리 서 있는 어떤 남자(모자, 안경, 턱 아래 마스크 착용), 카메라로 풍경을 찍는 척하다

가 카메라를 조정하는 척하면서 지안 쪽을 찍는다.

준영   맨날 도청하다 보니까 정들었어?

지안   (시선 내리고) 사람 달고 오셨나 보네?

준영   ?

지안   뒤돌아보지 마요.

준영   (무의식적으로 뒤돌아보려는데)

지안   뒤돌아보지 말라고요. 사진 찍히니까.

준영   !

지안이 일어나 나가고. 준영은 뒤도 돌아보지 못하고 굳어서 그대로 정지. 지안은 무심을

연기하며 밖으로 나가고. 남자는 계속 카메라를 만지는 척하면서 지안 쪽으로 렌즈를 맞추

고 있고. 준영은 긴장한 채 앉아 있다가, 결국 천천히 힐끗 뒤를 돌아보는데 그 순간 남자의

카메라에 작은 불빛이 살짝 번쩍. 준영이 얼른 고개를 확 돌리고. 낮게 욕이 나오고. 시팔.

지안이 점점 남자에게 다가가고. 준영은 도저히 안 되겠는지 벌떡 일어나 빠르게 나가고.

S#67 — 커피숍 앞 (밤)

준영이 나와서 보면, 남자는 도망가기 시작하고, 지안이 쫓아 내달리고. 지안이 길바닥에

떨어진 아무거나 집어 남자에게 던지고. 남자는 그것에 맞아 고꾸라질 듯하면서 카메라

를 떨어뜨리고. 카메라가 남자보다 좀 뒤쪽에 떨어졌고. 지안이 달려오자, 남자는 카메라

를 포기하고 냅다 내빼고. 그걸 보고 있는 준영! 여유롭게 카메라를 주위 준영 쪽으로 걸어오는 지안.

⟨ Cut to ⟩

카메라에 찍힌 사진을 보고 있는 준영.

[INS] 자신의 뒷모습과 지안의 정면 컷들. 그러나 마지막에 힐끗 돌아봤을 때 찍힌 자신의 얼굴 컷!

준영은 욕이 나오는데, 빠르게 사진들을 앞으로 돌려보면

[INS] 윤희와 호텔 커피숍에서 만났을 때 찍힌 사진 컷.

그대로 굳는 준영. 빠르게 다른 사진들을 넘겨보면

[INS] 호텔에서 윤희와의 사진 여러 컷.

준영	!
지안	저쪽도 사람 붙였나 보네.
준영	!
지안	집에 가서 열심히 스토리 짜셔야겠어요.
준영	!

S#68 — 달리는 준영의 차 안 (밤)

운전해 가는 준영, 낮게 욕이 나오고.

S#69 —— 주택가 커피숍 근처 (밤)

지안이 카메라를 들고 뚜벅뚜벅 가고. 저 앞에 안경과 마스크를 벗고 있는 기범(사진 찍던 남자가 기범)이 있다. 기범이 좀 다친 듯 어깨를 돌려보고 있고.

지안 (카메라 주며) 이제 되게 신경 쓸 거야. 카메라 쓰지 말고, 핸드폰으로 찍어.

기범 (덤덤) 무슨 작전인지는 알고 하자 나두.

지안 (그냥 돌아서 가고)

기범 (크게) 왜 박동훈을 마크하는 건데!

지안 (뚜벅뚜벅 가고)

S#70 —— 아파트 입구 (밤)

동훈이 아파트 쪽으로 가다가 윤희의 차가 주차돼 있는 걸 보고. 아무렇지 않은 얼굴로 아파트 쪽으로.

S#71 —— 아파트 엘리베이터 (밤)

엘리베이터 안에 서 있는 동훈. 띵 소리와 함께, 십일 층에서 엘리베이터 문이 열리는데, 내리지 않고 가만. 그러다가 닫힘 버튼을 눌러버리고, 엘리베이터 문은 도로 닫히고.

S#72 —— 아파트 입구 (밤)

다시 아파트를 나오는 동훈. 뚜벅뚜벅 가는 모습에 동훈과 지안이 가는 단골 술집 주인의 목소리가 얹힌다.

주인 (E) 살아질 줄 알았지. 돌아온 아내가 더 미워. 애쓰는 게 더 미워. 뭘 해도 미워.

S#73 ── 동네 일각 (밤)

이리저리 배회하는 동훈의 모습에 이어지는 술집 주인의 목소리.

주인   (E) 삼 년 버티고 이혼하느냐, 십 년 버티고 이혼하느냐야. / 겪지 않고는

              모른다는 말, 그게 무슨 말인지… 집사람 바람나고 알았어. 드라마에선

              참 흔한 얘기였는데… 세상에 널린 게 바람난 남녀 얘기였는데….

S#74 ── 동훈과 지안의 단골 술집 (밤)

(* 6화 이후에 갔던 동훈과 지안 둘만의 단골 술집) 동훈이 바에 앉아 술 마시고 있고, 주인은 바 안쪽에 앉아서 얘기하고.

주인   내 얘기가 되니까… 어떻게 설명이 안 돼…. / 가만히 있으면 그 생각밖에

              안 나…. 집사람이랑 그놈이랑… (뒹굴었을…)

순간 동훈이 술을 훅 들이켜는데, 준영과 뒹굴었을 윤희의 모습이 짧게.

[INS] 윤희와 단둘이 차 안에 있었을 때, 요순 집에서 자신에게 윤희가 음식을 덜어줬을 때, 집에서 아무렇지 않게 윤희와 스쳤을 때, 그리고 준영과 뒹구는 윤희 모습이 컷컷, 키스하고 얼굴을 부비며 웃는 모습이 컷컷.

동훈   (일부러 덤덤히) 오늘 도장 찍으신 거예요?
주인   …어. (일어나 행주질하며) 나 같은 놈도 사는데, 너같이 평탄한 인생이 무슨

              걱정이 있어서 죽상이야?
동훈   … (피식. 괜히 문 쪽을 봤다가 술잔을 기울이고)

S#75 —— 동훈과 지안의 단골 술집 앞 (밤)

지안이 후드 티를 뒤집어쓰고, 멀리서 술집을 본다. 술집 앞에 정차된 차 안에선 희미한 불빛이 새어 나오고. 차 안 운전석에 앉아 핸드폰을 하고 있는 사람. 동훈의 뒤를 밟는 사람인 것 같은 느낌. 지안은 그 차량 때문에 술집에 들어가지 못한 채 서 있고.

S#76 —— 동네 일각 (밤)

동훈이 뿔난 사람처럼 터덜터덜 걸어가고, 길 건너엔 핸드폰 하는 척하면서 동훈을 따라 걷는, 차 안에 앉아 있던 남자. 그런 두 사람을 보며 멀찍이 뒤에서 따라가는 지안. 그렇게 가다가, 동훈의 기운을 느끼고 싶은 듯, (슬로우) 어느 순간 빠르게 걸어간다. 그렇게 동훈과의 거리를 좁히고, 옆을 지나쳐 가는데… 순간 동훈이 멈춰 선다.

동훈   (뿔나서, 크게) 왜 또 아는 척 안 하냐, 너!
지안   ! (멈춰 서고)
동훈   !
지안   !

지안은 동훈이 자신을 알아봤다는 게 감동. 얼굴도 안 보이는 뒷모습뿐이었는데. 동훈의 큰 소리에 길 건너 있는 사람도 멈춰 힐끗 보고.

동훈   왜 삐졌는데?

지안이 가만히 있다가 뒤돌아서 동훈에게 다가오고. 길 건너 있던 남자는 핸드폰 하면서 미적거리며 서 있고. 서늘하고 차가운 눈빛으로 동훈을 보는 지안.

동훈   왜? 뭐?
지안   …내 뒤통수 한 대만 때려줄래요?
동훈   !
지안   보고 싶고 애타고 그런 거, 뒤통수 한 대 맞으면 끝날 감정이래요.

바람이 화악 불고. 벼락 맞은 것처럼 꼼짝도 못 하는 동훈.

지안   그지 같애. 왜 내가 선물한 슬리퍼 안 신나, 신경 쓰는 것도 그지 같고,

동훈의 얼굴 위로,

[INS] 사무실: 책상 서랍을 여는데, 지안이 준 쇼핑백이 있고. 그걸 집으려다 도로 닫아버리는 동훈.

지안   이렇게 밤늦게 배회하고 돌아다니는 것도 다 그지 같애.
동훈   집에 가-! 왜 돌아다녀! (제정신이 아니고)
지안   그러니까 때려달라고. 끝내게.
동훈   (막 가는데)
지안   (쫓아가며) 왜? 내가 끝내지 않았으면 좋겠어? 나 좋아하나?
동훈   (무섭게 확 돌아보는) 넌, 넌.
지안   넌 뭐?
동훈   미친년이야. (막 걸어간다)
지안   (따라가며) 어. 맞어. 미친 거야. 그러니까 한 대만 갈겨달라고 내 뒤통수!
        정신 번쩍 나게! 내가 어떻게 이딴 인간을 좋아했나 머리 박고 죽고 싶게!
        (거칠게 동훈을 잡아채는데)
동훈   (확 뿌리치며 돌아서고. 무섭게 지안을 쳐다보고)
지안   때려. 끝내게. 안 때리면 나 좋아하는 걸로 알 거야. 동네방네 소문낼 거야.
        박동훈이 이지안 좋아한다고!

동훈이 OL로 세차게 지안의 뒤통수를 날려버리고. 그 바람에 지안은 대차게 앞으로 고꾸라지고. 동훈은 엎어진 지안을 보며, '이게 뭔 짓인가' 싶어 미안하고. 지안은 아무 말 없이 일어나 동훈을 등지고 서럽게 뚜벅뚜벅. 동훈은 멀어지는 지안을 보며, '이걸 어떻게 해야 되나.' 그러다 지안을 등지고 화난 사람처럼 뚜벅뚜벅. 그러다가 욱해서 뒤돌아 멀어지는 지안을 보고. 다시 등지고 뚜벅뚜벅. 그렇게 멀어지는 두 사람의 모습에서 엔딩.

Episode

11

S#1 — 동네 일각 (밤)

동훈이 뿔난 사람처럼 터덜터덜 걸어가고, 그런 동훈을 보며 뒤에서 멀찍이 따라가는 지안.
지안이 그렇게 걷다가, 동훈의 기운을 느끼고 싶은 듯, (슬로우) 어느 순간 빠르게 걸어간다.
그렇게 동훈과의 거리를 좁히고, 옆을 지나쳐 가는데… 순간 동훈이 멈춰 선다.

동훈   (뿔나서, 크게) 왜 또 아는 척 안 하냐, 너!

지안   ! (멈춰 서고)

동훈   !

지안   !

지안은 동훈이 자신을 알아봤다는 게 감동. 얼굴도 안 보이는 뒷모습뿐이었는데.

동훈   왜 삐졌는데?

지안이 가만히 있다가 뒤돌아서 동훈에게 다가오고. 서늘하고 차가운 눈빛으로 동훈을 보는 지안.

동훈   왜? 뭐?

지안   …내 뒤통수 한 대만 때려줄래요?

동훈   !

지안   보고 싶고 애타고 그런 거, 뒤통수 한 대 맞으면 끝날 감정이래매요.
            끝내고 싶은데, 한 대만 때려주죠?

바람이 화악 불고. 벼락 맞은 것처럼 꼼짝도 못 하는 동훈.

지안   그지 같애. 왜 내가 선물한 슬리퍼 안 신나, 신경 쓰는 것도 그지 같고,

동훈의 얼굴 위로,

[INS] 사무실: 책상 서랍을 여는데, 지안이 준 쇼핑백이 있고. 그걸 집으려다가 도로 닫아 버리는 동훈.

지안   이렇게 밤늦게 배회하고 돌아다니는 것도 다 그지 같애.

동훈   집에 가-! 왜 돌아다녀! (제정신이 아니고)

지안   그러니까 때려달라고. 끝내게.

동훈   (막 가는데)

지안   (쫓아가며) 왜? 내가 끝내지 않았으면 좋겠어? 나 좋아하나?

동훈   (무섭게 홱 돌아보는) 넌, 넌.

지안   넌 뭐?

동훈   미친년이야. (막 걸어간다)

지안   (따라가며) 어. 맞아. 미친 거야. 그러니까 한 대만 갈겨달라고 내 뒤통수! 정신 번쩍 나게! 내가 어떻게 이딴 인간을 좋아했나 머리 박고 죽고 싶게!
           (거칠게 동훈을 잡아채는데)

동훈   (확 뿌리치며 돌아서고. 무섭게 지안을 쳐다보고)

지안   때려. 끝내게. 안 때리면 나 좋아하는 걸로 알 거야. 동네방네 소문낼 거야. 박동훈이 이지안 좋아한다고!

동훈이 OL로 세차게 지안의 뒤통수를 날려버리고. 그 바람에 지안은 대차게 앞으로 고꾸라지고. 동훈은 엎어진 지안을 보며, '이게 뭔 짓인가' 싶어 미안하고. 지안은 아무 말 없이 일어나 동훈을 등지고 서럽게 뚜벅뚜벅. 동훈은 멀어지는 지안을 보며, '이걸 어떻게 해야 되나.' 그러다 지안을 등지고 화난 사람처럼 뚜벅뚜벅. 그러다가 욱해서 뒤돌아 멀어지는 지안을 보고. 다시 등지고 뚜벅뚜벅. 그렇게 멀어지는 두 사람의 모습.

(* 사진 찍는 사람은 안 보이게)

S#2 — 지안 집 (밤)

지안이 커피포트에 물을 담아 올리고. 믹스커피 봉지를 뜯어 컵에 넣고. 물이 끓기를 기다리며 가만히.

[INS] 10화: 동훈이 "왜 또 아는 척 안 하냐, 너!"라고 했을 때 길 건너편에서 핸드폰을 만지며 멈춰 섰던 남자. 지안이 "때리라고!" 도발했을 때 슬쩍 사진 찍던 남자. 동훈이 때리고, 지안이 엎어졌을 때 사진 찍던 남자.

[INS] 추가 촬영: 지안이 정희네 앞을 지날 때, 사진 찍던 남자가 탄 차가 지나가고, 지안은 아무렇지 않게 집 쪽으로.

그런 생각을 하며 커피 마시는 지안.

S#3 ── 동훈 집 안방 (밤)

동훈이 옷도 벗지 않고 침대에 가만히 앉아 있는데, 윤희가 갠 수건을 들고 들어오다가 앉아 있는 동훈을 보고 살짝 흠칫.

윤희   왜 그러고 있어?
동훈   …통화했어. (손에 들려 있던 핸드폰을 툭 던져두고. 외투 벗으며 옷장 쪽으로)
윤희   (뭔가 싶어 불안하고. 서랍장에 갠 수건을 넣으며) 뭐… 안 좋은 일 있었어?
동훈   … (말없이 옷만 갈아입고)
윤희   …

S#4 ── 회사 외경 (낮)

S#5 ── 사무실 (낮)

하루를 스케치하는 느낌으로.
#시선은 컴퓨터에 있지만, 신경은 온통 뒤에 앉은 지안에게 가 있는 동훈.
#동훈이 자리를 이동해 회의 테이블에서 수북이 쌓인 자료들을 펼쳐서 보고.
#지안은 동훈이 자리를 비운 사이 동훈의 책상에 우편물을 놓다가 슬리퍼가 든 서랍을 내려다보고.

Episode 11

#동훈이 자리에 앉아 아무 생각 없이 서랍을 열었다가 쇼핑백이 없어진 걸 발견하고!

S#6 ─ 회사 로비 (낮)

로비 엘리베이터 문이 열리면, 지안이 내리고. 쓰레기통을 끌고 가는 청소부를 보고는, 가방에서 쇼핑백을 꺼내 버리고 뚜벅뚜벅.

S#7 ─ 호텔 룸 (밤)

동훈을 상대로 질문을 퍼붓는 정 상무, 한 상무, 고 상무. 중간중간 점프컷으로 툭툭 넘어가고.

정 상무 둘이 어떤 사이야? 어디까지 갔어?

동훈 !

정 상무 잤다고 해도 우린 아니라고 할 거야.

동훈 ! (불쾌하고)

정 상무 책잡힐 만한 거 있으면 빨리빨리 말해. 주고받은 문자 있어 없어? / 전화 통화는? / 한동네 살고, 부모 없이 혼자 할머니 모시고 어렵게 사는 거 알아서, 뭐뭐 해줬는데? / 자르자는 거 안 잘랐고, 또?

동훈의 얼굴 위로,
#봉애를 업고 다닌 동훈.
#광일과 싸우는 동훈.

정 상무 밥 몇 번 사주고, 집에 데려다주고, 또?

동훈의 얼굴 위로,
#"때려. 끝내게. 안 때리면 나 좋아하는 걸로 알 거야." 그래서 지안의 뒤통수를 때렸던!

정 상무 별거 없네. 다정도 병이신 우리 박동훈 부장님께서 어려운 여직원 안 자르고,

힘내라고 밥 몇 번 사줬다…. 뭐가 문젠 거야?

한 상무 그래도 사람이 안 그래요. 한번 말 돈 관계는 뭔가 (붙들고 늘어지며) 있다고
있다고 본다고. 챙겨줬다는 것도 걸리는 거야 이거. 다 걸리는 거야.

정 상무 아니 이게 뭐가 걸려?

한 상무 회장님한테 보고한다고 생각해봐요. "예, 별건 아니고요, 어떤 여직원이랑
말이 좀 있었는데요…." 그 말 하는 순간 스크래치라니깐. 안 그래요, 사람이?

고 상무 들으면 "에이 아무것도 아니네." 그럴 만한 거 없어? "걔 레즈비언이래."
"에이 아무것도 아니네." 이런 거.

동훈 (표정)

정 상무 (동훈 보고) 그런 표정 짓지 말고. 꼭 진짜 좋아하는 거 같잖아?

동훈 …

한 상무 "남친 있대. 곧 결혼한대."

정 상무 그거… 더 꼬리꼬리하게 들릴 수 있다. 뭐가 있을까… (지안의 이력서 사진을 보다가)
그나마 이쁘지 않아 다행이다. 이뻤으면 이건 빼박이다.

동훈 …

S#8 ── 다른 호텔 룸 (밤)

화이트보드에 동훈과 관련된 자료들이 붙어 있고, 동훈이 설계한 건물 사진들도 있는데, 그
중 한 쇼핑센터 건물(콘크리트 구조물이 아닌 철골 구조물) 사진에 집중하는 윤 상무 무리들. 서
서 음식을 대충 입에 넣어가며 설명을 듣는다. 설명하는 사람은 삼십 대 과장(유태석). 한쪽
에는 최 팀장(상무 후보)도 있고.

과장 박동훈 부장이 설계한 건물 중에 완공되고 나서도 말 많았던 게 이 쇼핑센턴데,
최근에도 문제가 있었답니다.

윤 상무 무슨 문제?

과장 건물이 흔들렸다는데, 입주자들이 다 쉬쉬거리는 분위기예요.

윤 상무 (!) 더 조사해봐.

그 건물 사진 옆에는, 지안의 이력서가 붙어 있다. 이력서 속 지안 사진.

S#9 — 호텔 룸 (밤)

정 상무가 지안의 이력서를 보며 서 있고.

정 상무 앨 왜 뽑았어? 스펙 좋은 애도 많다면서? 중역은 사람 보는 안목도 중요해.

동훈 이력서 보면, 뭐에 필요한지도 모르고 이것저것 스펙만 줄줄이 쌓은

애들보다, 달리기 하나 갖고 온 애가 훨씬 세 보였어요. 뭘 해도 하겠다….

#뷔페 주방: 접시를 닦으며 듣는 지안.

정 상무 (답답) 그렇게 말하면 안 된다고오! 씨알도 안 먹힐 얘길.

동훈 …

지안 …

정 상무 자, 이것도 또 짜보자…. (왔다 갔다 하며) 왜 뽑았을까… 왜 뽑았을까….

한 상무 그냥 애 자르는 게 어때요? 그게 제일 깔끔한 거 같은데.

정 상무 당연히 잘라야지! 근데 이 타이밍에 그냥 자르면 발 저리다는 거 백 퍼 티 내는

거야. (그리고) 잘랐다고 저쪽에서 안 붙들고 늘어질 거 같애? 잘린 여자애가

앙심 품고 '나도 피해자다' 하기라도 해봐. 끝인 거야. 저쪽도 여자애도 끽소리

못 하는 상황 아니면 자르면 안 돼. (동훈에게 짜증) 왜 이런 앨 뽑아서

이 고생을 하냐아!

동훈 …

지안 …

정 상무 빨리 가정사로 넘어가야 되는데…

고 상무 가정사는 문제없잖아? 부부 사이 원만하고. 애는 미국에 있는 처형이 봐주는 거고.

동훈 …

S#10 — 정희네 외경 (밤)

S#11 — 정희네 (밤)

바 쪽에 앉아 있는 삼 형제. 동훈은 창밖 보이는 자리에서 밖을 의식하며 앉아 있고. 상훈은 상념에 빠져서 말하고. 기훈은 신경질적으로 핸드폰만 들어서 봤다 놨다…

상훈   내가 내년이면 오십이다. 오십… 캬… 오십. 놀랍지 않냐? 인간이 반세기를
        아무것도 안 하고 살았다는 게? 아무것도 안 했어. 기억에 남는 게 없어.
        학교 때, 죽어라 공부해도 밤에 잘 자리에 누우면 삼시 세끼 밥 챙겨 먹은
        기억밖에 없더니, 딱 그 꼬라지야. 이건 뭐… 죽어라 뭘 하긴 한 거 같은데…
        기억에 남는 게 없어. 없어. 아무리 뒤져봐도 없어. 그냥 먹고 싸고 먹고 싸고….
        대한민국은 오십 년간 별일을 다 겪었는데, 박상훈 인생은 오십 년간 먹고 싸고
        먹고 싸고… 징그럽게 먹고 싸고 먹고 싸고….

기훈   (확) 본론으로 들어가라 좀! 그만 먹고 싸고!

상훈   (확) 넌 듣지 마 새꺄! 절루 가. 따로 앉아.

기훈   (열 받아 자리 옮기고)

상훈   (정희에게) 얘 테이블 따로 줘. 저 새끼 하루 종일 저래.

정희   (간단한 안주를 동훈 앞에 내놓으며) 앞으로도 열심히 먹고 쌉시다!

상훈   결론이 그게 아니고. 그건 기본이고. …만들라구. 기억에 남는 기똥찬 순간.
        있어야 될 것 같애. 뭐래도 해서 만들어 넣어야 그래야 덜 헛헛할 것 같애. /
        아… 저 새끼가 중간에 껴들어서 분위기 다 깨고… 멋진 얘기였는데….
        (동훈에게) 뭐 할지 안 물어보냐?

동훈   (건성) …뭐 할 건데?

상훈   …됐다. (마시고)

S#12 — 정희네 앞 (밤)

동훈이 (불붙인) 담배를 들고서 이쪽 끝을 봤다가 저쪽 끝을 봤다가…. 괘씸한 지안을 기다리는 듯 그렇게 서 있고…

S#13 ── 정희네 (밤)

상훈이 밖을 힐끗 보고, 정희는 바 안에 있고…

상훈   쟨 왜 자꾸 담배는 피워… 겁나게….
정희   그냥 들고만 있지 피는 거 같진 않던데….

S#14 ── 정희네 앞 (밤)

그냥 담배를 들고 서 있는 동훈. 핸드폰을 꺼냈다가 도로 주머니에 넣고… 다시 이쪽저쪽
을 보고….

S#15 ── 요순 집 형제 방 (밤)

상훈이 조심히 장판을 들어 올려 오만 원이 깔린 걸 보고. 비어 있는 한 칸에 오만 원 한 장
을 끼워 넣고는 뿌듯해하는데,

#거실: 씻고 나와 화장실 문 닫는 기훈.

그 소리에 상훈이 분주히 정리하고.

S#16 ── 요순 집 거실, 주방 (밤)

요순이 잠자리에 들 옷차림으로 형제들의 도시락을 씻고. 기훈은 젖은 발을 닦고 방으로.

S#17 ── 요순 집 형제 방 + 거실, 주방 (밤)

기훈이 들어오면 상훈은 돈 깐 장판 위에 이불을 깔고 눕고.

기훈   안 씻어-?

상훈이 끄응… 힘들게 일어나서 나가고. 기훈은 카톡을 확인하는데,

[유라: 오늘도 밤샘 촬영이요.]

[기훈: 파이팅해라.]

유라가 기훈의 카톡 답장을 확인하지 않은 듯 아직 숫자 1이 남아 있고. 기훈은 뿔난 듯 휙 핸드폰을 던져두고 로션을 바르고.

S#18 ── 요순 집 거실, 주방 (밤)

상훈이 수건을 챙겨 화장실로 가고, 기훈은 나와서 물을 따라 마시고.

요순   오십도 안 돼서 저렇게 씻기 싫어하니, 더 늙으면 어쩔 거야.

상훈   화장실 좀 따뜻한 집으로 이사 가요. (화장실로)

요순   사줘봐 니가! 화장실 따뜻한 집. / 늙은 에미 집에 얹혀살면서 말은.

기훈   드럽게 굼떠. 열 받으면 형 잘라버리고 엄마 데꾸 나갈 거야. 대기해요. (방으로)

요순   (힘없이 행주질) 그래… 늙은 에미 계단에 쓰러져 죽어보자….

S#19 ── 동훈 집 안방 (밤)

동훈이 이를 닦고 마지막으로 헹구는 중. 윤희는 세탁소에서 찾아온 옷들을 정리하며 동훈의 안색을 살피다가…

윤희   술도 안 마신 거 같은데, 뭐 하다 이제 들어왔어?

동훈   정희네 있었어.

윤희   술도 안 마실 거면서, 거긴 뭐 하러 갔어?

동훈   (화장실에서 나오며) 일찍 들어오면 뭐 해. 아무도 없는데.

윤희   !

윤희	난 당신이 아주버님이랑 도련님이랑 매일 술 먹고 늦게 들어와서,
	나도 늦게 들어온 건데. 하긴, 당신은 그렇게 생각했을 수 있겠다.
	근데 진짜 뭐가 먼저였는진 모르겠다.
동훈	…
윤희	싸우자는 거 아냐.
동훈	일주일에 이틀만 형하고 기훈이 만날게.
윤희	조기축구회 포함해서, 빼고?
동훈	…빼고.
윤희	… (기분 별로고)
동훈	형하고 기훈이만 보는 게 아니잖아. 어려서부터 봐왔던 친구들,
	형들 다 정희네 있으니까…
윤희	(옷 정리하며, OL) 알아. 그냥 가. 매일 보다가 갑자기 발 끊으면 이상하게
	생각하지. 괜찮아. 가. 당신 죽고 못 사는 사람들 다 정희 언니네 있는데.
동훈	… (동작이 멈춰지고)
윤희	꼬아서 한 말 아냐.
동훈	…
윤희	(포기하고) 미안해.
동훈	…!

S#20 — 동훈 집 서재 (밤)

윤희는 답답해 눈물 날 것 같은 얼굴로 앉아 있는데, 그러다가 핸드폰을 보면, 깜빡이는 불빛. 확인해보면, 문자가 와 있고.

[전화 부탁드립니다.]

준영의 2G폰 번호다.

S#21 — 동훈 집 거실 (밤)

동훈이 아무 생각 없이 베란다 문을 열고, 외출할 때 입었던 외투를 건조대에 거는데, 윤희 목소리가 들린다. 서재에서 하는 얘기가 꽤 자세히 잘 들린다. 가만히 멈추는 동훈.

S#22 — 동훈 집 서재 (밤)

윤희는 밖에 소리가 새어 나가지 않게 하려고 창가에 붙어 얘기 중이다.

윤희   (나름 소리 죽여) 우리 둘이 만난 거 알든 말든 무슨 상관이야. 너랑 나랑 어떤 사이였는지 동훈 씨 이미 다 알고 있는데. 한두 번 더 만났다고 해서 뭐가 달라진다고.

#베란다: 동훈의 표정!

S#23 — 준영 집 + 동훈 집 서재 (밤)

준영   누가 동훈 선배 때문에 그래? 왕 전무 때문에 그러지?

[INS] 카메라에 찍혔던 윤희와 준영이 만나는 사진.

준영   호텔에서 너랑 우연히 만난 걸로 할 테니까, 너도 그렇게 알아.
윤희   (조용히 분노가 이는) 넌… 나한테 이런 부탁하고 싶니?
준영   동훈 선배도 원하는 거야. 들통나서 좋을 거 없어.
윤희   …넌 내가 이 연기를 언제까지 할 수 있을 것 같니?

#베란다에 나와 서 있는 동훈! 서재 쪽으로 좀 다가가 서 있고.

윤희   바람 핀 거 다 아는 사람 앞에서 뻔뻔하게 연기하는 거…

#가만히 서 있는 동훈!

S#24 ── 동훈 집 거실 (밤)

동훈이 베란다 문을 조용히 닫고 가만히. '윤희가 다 안다….'

S#25 ── 지하철 플랫폼 (낮)

출근길. 숨도 쉬지 않는 듯한 동훈의 정지된 얼굴. 그런 동훈 얼굴 위로 문자 내용이 흐른다.

동훈　　(E) 억지로 산다. / 날아가는 마음을 억지로 당겨와, 억지로 산다.

동훈 앞으로 사람들이 스치고. 잠시 후 지하철이 들어오기 시작하자, 동훈이 애써 정신을 차리고 들어오는 지하철을 보는데, 그때 진동이 울려 핸드폰을 확인하면, 겸덕의 답문.

겸덕　　(E) 불쌍하다. 니 마음. / 나 같으면 한 번은 날려주겠네.

가만히 그 글을 보는 동훈. 멈춰 선 지하철에 사람들이 내리고 오르는데, 그래도 가만히 있는 동훈. 지하철은 떠나고… 빈 플랫폼에 혼자 서 있는 동훈…. 휙 계단 쪽으로 가고. 계단을 오른다.

#하늘을 나는 철새들. 논두렁, 밭두렁만 보이는 시골길을 달리는 버스.

S#26 ── 달리는 버스 안 (낮)

그 버스에 앉아 창밖을 보는 동훈. 편한 마음으로 하늘을 본다. 새들이 난다.

S#27 — 절 입구 (낮)

산속 숲길을 걷는 동훈.

S#28 — 절 일각 (낮)

#산사를 오르는 동훈. 뒤돌아 풍경을 보면서 가고.
#낡은 일 톤 트럭 타이어를 갈고 있는 겸덕. 잭을 차체 아래에 넣어 죽어라 돌리고 있다. 그
쪽으로 가는 동훈. 가방을 트럭 짐칸에 던져놓으며,

동훈   용쓴다. 비켜봐.

겸덕이 동훈을 보고는 의외고 반갑고 신난.

겸덕   어어? 일루 날라왔네, 이 자식. 햐… 반갑다!

동훈은 상관없이 죽어라 잭을 돌리고. 너트를 풀어내고. 겸덕이 신나서 타이어를 가져오고.

⟨ Cut to ⟩

교체된 타이어 바퀴가 붕 떠나고.

S#29 — 절 입구 (낮)

겸덕이 운전하고, 동훈은 옆에 앉아 있고. 겸덕은 동훈을 힐끗거리며 마냥 행복한 얼굴이
고. 동훈은 그런 겸덕을 보며 피식.

동훈   부럽다. 좋은 공기 마시고. (겸덕 보며) 사는 것같이 산다.
겸덕   너도 머리 깎을래?
동훈   (피식. 창밖을 보다가 문득) 스님 나이 제한 있지 않냐?

Episode 11

겸덕   오십까지. (빙긋) 잘 생각해봐.

동훈   (편안한 얼굴로 창밖을 보는)

S#30 ─ 대표이사실 (낮)

비서가 문을 열면, 두 남자가 들어오고. 준영이 반갑게 맞이하며

준영   (악수하며) 어서 오세요.

남자1   (꾸벅) 안녕하세요.

준영   오랜만이에요. 잘 지내시죠?

남자1   예. 뭐… 열심히 살고 있습니다.

준영   앉으세요.

비서   차는 뭘로 드릴까요?

남자1   금방 마시고 와서요.

준영   (비서에게) 우리 같이 바로 나갈 거니깐, (남자에게) 같이 식사 괜찮죠?

남자1   아우 그럼요.

준영   (비서에게) 차는 됐어요. / (남자에게) 두 분 다 얼굴은 더 좋아지신 거 같네요.

남자 둘, 계면쩍은 미소. 비서가 나가고 나면, 셋의 말이 끊기고. 표정도 굳고. 준영이 일어나 조용히 문을 잠그고. 두 남자는 일어나 가방에서 장비를 꺼내고 도청을 탐지한다. 남자들의 동작을 예의 주시하는 준영.

S#31 ─ 준영 집 (낮)

남자1이 책상에 앉아 준영의 핸드폰(2G폰 포함)을 검사하고. 남자2는 실내 여기저기를 도청 탐지한다. 그걸 보고 있는 준영.

⟨ Cut to ⟩

남자2가 장비를 챙기고, 남자1은 준영에게 핸드폰을 건네며

남자1 집, 핸드폰… 다 깨끗해요. 도청도 없고, 몰카도 없고. (핸드폰 가리키며) 이상한 것만 클릭하지 않으면 돼요. 누가 잠깐 핸드폰 좀 쓰자고 해도 빌려주지 마세요. 잠깐 사이에 도청 앱 깔아요. 저도 십 초면 깔아요.

준영 수고하셨어요. (돈을 건네고)

남자1 감사합니다.

⟨ Cut to ⟩

핸드폰을 보고 있는 준영.

[INS] 동훈이 지안을 때리고. 지안이 엎어져 있는 사진들.

'이게 뭘까' 싶은 준영의 얼굴.

S#32 ── 사무실 일각 (낮)

윤 상무와 과장이 걸어가며 낮은 목소리로 얘기.

과장 그 쇼핑센터, 월요일에도 한 번 흔들려서 119 출동하고 그랬답니다.

윤 상무 (잠깐 멈춰 서고) 근데 왜 뉴스에 안 나와?

과장 업체 측에서 막고 있는 거 같아요. 봄 방학 특수라고….

윤 상무 (가며) 대한민국 이래서 문제야. (동훈의 빈자리를 보고) 박동훈은 왜 안 보여?

과장 월차 냈대요. 집에 일 있다고.

윤 상무 (멈춰 서고. 의외다 싶은) 마음 떴구만?

그때 사무실 밖으로 나가는 지안이 윤 상무 눈에 들어오고.

윤 상무 걸리는 게 한두 가지가 아니지? 깝깝할 거다. (가고)

지안이 배달원처럼 캡(모자)을 눌러 쓰고, 영수증이 붙은 배달음식 봉투를 들고 건물 안으로. 계단을 올라가고. 벨을 누른다.

S#34 — 준영 집 (낮)

지안이 모자를 벗고는 음식 봉투를 펼치는데, 그걸 보고 있는 준영.

준영	박동훈 왜 안 나왔어?
지안	절에 갔어요. 친구한테.
준영	왜?
지안	토낀 거지. 내가 들이대서.
준영	?
지안	좋아한다고 들이댔어요.
준영	!
지안	(먹기만)
준영	그래서?
지안	맞았어요. (아무렇지 않게 먹고)
준영	!
지안	상무 심사까지 일주일도 안 남았는데, 매일 인터뷰 시뮬레이션한다고 밤마다 호텔에 처박혀서 작전 짜고. 나랑 밥 먹을 시간은 없고. 별수 있나. 들이대는 수밖에.
준영	(가만히 보다가) 틀어봐. 도청.
지안	…
준영	틀어봐. 그때 꺼 있을 거 아냐.

핸드폰을 꺼내는 지안.

11화 1신의 상황이 핸드폰 너머 소리로 흘러나온다. 동훈과 지안의 위험하고 거친 말들. 들을수록 뭔가 이상한 느낌이 오는 준영, 조용히 일어나 양주를 따르고, 조금씩 마시며 듣는다. 지안은 아무렇지 않은 듯 듣고 있지만, 그때의 감정이 다시금 올라오는 듯한 얼굴. 퍽 맞는 소리를 끝으로 지안이 핸드폰을 끄고. 아무 말도 하지 않는 준영. 이내,

준영   희한해. 왜 여자들은 박동훈을 좋아할까. 남자들 사이선 그저 그런 놈인데.

지안   …

준영   왜 좋아해? 이유나 한번 들어보자. 진짜 궁금해서 그래. 왜 좋아해?

지안   (가만히) 망치고 싶은 거지. / 난… 착한 사람 보면 이상하게 발로 차버리고
        싶던데. 울리고 싶고. 그쪽처럼 나쁜 사람한텐 아무 감흥이 없는데,
        착한 사람은… 이상하게 망치고 싶어. 나랑 같은 부류로 만들고 싶어서 그런가?

준영   !

지안   자버릴까요. 박동훈이랑?

준영   !

지안   시간도 없고. 그거밖에 없지 않나?

준영   자겠니, 박동훈이?

지안   술 먹이고, 약 먹여서.

준영   !

준영은 지안의 심중을 읽는 듯한 여유로운 미소로 지안을 본다.

준영   해봐. 어디 할 수 있나 보자.

지안   …

S#35 ― 절 일각 (낮)

동훈이 용달 짐칸에서 기와를 내려 한편에 차곡차곡 쌓고. 겸덕과 같이 하는데, 동훈은 땀이 나고.

동훈   나 안 왔으면 어쩔 뻔했냐?

그렇게 기와를 나르고

S#36 ── 절 주방 혹은 방 (낮)

동훈과 겸덕이 비빔밥을 맛있게 먹고 있다.

동훈   주지가 무슨 노가다도 아니고….
겸덕   작은 절 주지는 별거 다 한다. 운짱에, 정원사에, 목공에. 포클레인도 운전한다.
　　　　구덩이 잘 파. 연못도 파. 팔 거 있으면 말해.

배가 고팠던 듯 맛있게 먹는 동훈을 보며 겸덕이

겸덕   (미소) 죽을병은 아니네. 죽게 생겼어서 온 줄 알고 조마조마했는데.
동훈   (피식… 계속 먹고)
겸덕   오래오래 보고 살자. (먹는)

S#37 ── 절 일각 (낮)

툇마루에 걸터앉아 풍경을 보며 커피를 마시는 동훈과 겸덕. 풍경을 보다가…

동훈   안 쓸쓸하냐?
겸덕   쓸쓸은. 맨날 말하잖냐. 여기도 사람 사는 데라고.
동훈   학력고사 만점에, 뭘 해도 됐을 놈이….
겸덕   그놈의 만점 얘기 좀 그만해라. 여기서도 그 얘기. 아주 지겹다.
동훈   …
겸덕   넌 어떻게 지내는데?
동훈   (미소로 풍경만 보다가) 망했어, 이번 생은…. (말끝에 쓸쓸하고 울컥한다)

겸덕	!
동훈	어떻게 살아야 될지 모르겠다….
겸덕	생각보다 일찍 무너졌다. 난 너 한 육십은 돼야 무너질 줄 알았는데. / 내가

머리 깎고 절로 들어가는데 결정타가 너였다. '이 세상에서 잘 살아봤자
박동훈 저놈이다. 드럽게 성실하게 사는데, 저놈이 이 세상에서 모범 답안일
텐데, 막판에… 인생 드럽게 억울하겠다.'

그 말에 동훈은 실없는 웃음이 터지는데, 한편으론 정곡을 찔린 것 같아 마음이 조용히 녹
아나고. 일어나 먼 산을 본다.

동훈	그냥, 나 하나 희생하면, 인생 그런대로 흘러가겠지 싶었는데…
겸덕	희생 같은 소리 하네. 니가 육이오 용사야 임마? 희생하게? 열심히 산 거 같은데,

이뤄놓은 건 없고 행복하지도 않고. 희생했다 치고 싶겠지. 그렇게 포장하고
싶겠지. 지석이한테 말해봐라. 널 위해서 희생했다고. 욕 나오지. 기분 드럽지.
누가 희생을 원해? 어떤 자식이? 어떤 부모가? 누가 누구한테?
그지 같은 인생들의 자기 합리화… 쩐다 임마.

동훈	다들 그렇게 살아!
겸덕	그럼 지석이도 그렇게 살라 그래!
동훈	(씨이!)
겸덕	그 소리엔 눈에 불나지?
동훈	!
겸덕	지석이한텐 절대 강요하지 않을 인생, 너한텐 왜 강요해?
동훈	!
겸덕	너부터 행복해라 제발. 희생이라는 단어는 집어치우고.
동훈	…
겸덕	상훈이 형하고 기훈이 별 사고를 다 쳐도, 어머니 두 사람 때문에 마음 아파하시는

거 못 봤다. 그눔의 시키들 어쩌고저쩌고 매일 욕하셔도 마음 아파하시는 건
못 봤어. 별 탈 없이 잘 살고 있는 너 때문에 매일 마음 졸이시지.

동훈	…
겸덕	상훈이 형이나 기훈인 뭐 어떻게 망가져도 눈치 없이 뻔뻔하게 잘 살 거 아시니까.

동훈	…
겸덕	뻔뻔하게 너만 생각해. 그래도 돼.
동훈	…

S#38 ─ 정희네 (낮)

요순이 깔판 위에 앉아 뿔소라 입을 솔로 깨끗이 닦고. 물 뺀 뿔소라 몸통에서 살을 빼내고. 채반에 담긴 뿔소라 살을 흐르는 물에 씻고. 깔끔하게 회로 썬다. 정희가 한 점을 집어 초장 찍어 요순의 입에 넣어주고, 자기도 먹고.

요순	동훈이도 온대?
정희	오겠죠. 문자 보냈어요.

요순이 뿔소라 접시 여러 개를 랩으로 싸서 냉장고에 넣고.

S#39 ─ 거리 일각 (낮)

다마스가 (건물 밖으로 난) 화장실 근처에 서 있고. 기훈은 운전석에 앉아 핸드폰을 보고 있다. 유라의 카톡 프로필 사진들. 최근에 촬영장에서 찍은 듯 촬영 장면을 감독과 모니터링해보는 사진도 있고, 셀카처럼 찍은 사진들도 있고. 더 이상 넘겨지는 사진이 없고. 대화창으로 들어가는데,

[기훈: 파이팅해라.]

[(날짜 바뀌어서) 유라: 넵. 꿋꿋하게 버티겠습니다!]

[기훈: 그 인간 계속 뭐라 그러냐?]

[기훈: 힘들면 전화해. 내가 촬영장 뜬다.]

[기훈: 촬영 중?]

날 바뀐 뒤로 보낸 기훈의 문자에도 여전히 숫자 1이 남아 있고. 기훈이 '오늘 정희 누나가 뿔소라 쏜다는데'를 썼다가 지우고 핸드폰을 던져두고. 짜증 나서 빵빵빵! 클랙슨을 울리면, 화장실에서 바지춤 잡고 나오는 상훈. 상훈이 바지 지퍼를 마저 올리고 타는데

기훈 (확) 다 추키고 나와라 좀! 길거리에서 아랫춤 잡지 말고!

상훈 (확) 구박 좀 그만해라 새꺄! 아 나 진짜….

다마스가 붕 떠나고.

S#40 ── 형제 청소방 (낮)

기훈이 물 담긴 개수대에 사용한 걸레를 쏟아내는데, 상훈은 서서 핸드폰을 보고 있고.

기훈 핸드폰 좀 그만 보라고오!

상훈 세탁기 돌 동안 뭐 하라고?

기훈 사무실 좀 치우든가!

상훈 (꾸물꾸물 움직이고)

기훈 눈에 일이 안 보여서 못 하냐?

상훈 경고하는데. 그만해라.

기훈은 성질나 걸레를 주물대는데, 그때 카톡이 울려서 고무장갑 벗고 확인해보면, 게임 하트 달라는 메시지. 욕 나오겠고. 들어온 김에 유라와의 카톡을 확인해보는데 여전히 유라는 메시지를 읽지 않았고. 핸드폰을 주머니에 넣고, 뿔나서 젖은 수건을 물속에 팍 던지며, "우이씨!"

상훈 치우고 있잖아 임마!

S#41 ── 절 방 (낮)

동훈은 방문을 열어놓고 풍경을 보며 앉아 있고. 겸덕은 그런 동훈 뒤에 앉아 있다가 바짝 다가가 동훈을 뒤에서 끌어안고.

겸덕 동훈아….

동훈	미친. 절루 안 가?
겸덕	(꽉 끌어안고) 행복하자 친구야.
동훈	에이… (떨어뜨려내려고 하고)
겸덕	(꽉 끌어안고) 아무것도 아니다….
동훈	… (떨어뜨려내기를 포기하고)

S#42 — 샌드위치 가게 (밤)

지안이 자료들을 한 장 한 장 유심히 보고. 기범은 샌드위치를 들고 와 앞에 앉으며,

기범	반반 나눠 먹자. (주며) 따뜻할 때 얼른 먹어.

지안이 기범에게 샌드위치를 받아 먹으며 계속 자료를 살펴보고.

기범	감사실 메일로 올라온 건 그게 다야. 별거 없어. / 내가 매일 감사실 지키고 있느라고 게임에 한 판도 집중을 못 한다. 지금도 불안불안하다. 또 뭐 올라오는 거 아닌가.
지안	(자료를 넘기는데)
기범	별거 없다니까. …너랑 박동훈 사진은 아직 안 올라왔어.
지안	(그제야 자료에서 시선을 떼고)
기범	…적당한 타이밍에 터트리겠지. / 그냥 토껴. 그 대표라는 인간이 너 딴 수작 벌이는 거 눈치 못 깔 거 같애? 이제 할머니도 걱정 없으니까, 그냥 잠수 타. 돈 많은 인간들 천만 원 때문에 너 안 잡아.
지안	걱정 마. 조만간 잘릴 거야. (묵묵히 먹으며) 상대편 후보 더 파봐.

S#43 — 정희네 (밤)

다 같이 건배하고 술 마시고, 뿔소라를 먹고는 "달다" "예술이다" 감탄하는 분위기. 기훈은 별 감흥 없이 먹으며 핸드폰을 봤다 말았다 하고.

제철	야, 문 걸어 잠궈. 우리만 먹자. 정신 번쩍 나게 맛있네.
진범	(정희에게) 진짜 통 커. 철철이 비싼 안주 서비스로 쏘고.
정희	님들 덕분에 먹고사는데요.
진범	먹고만 살아서 되냐. 집을 얻어야지.
정희	소녀, 남자를 얻겠사옵니다.
진범	햐… 넌 아직도 그 꿈을 꾸냐?
정희	제 나이 여든에도 꾸겠사옵니다.

다 같이 건배하고 마시고. 상훈이 뿔소라를 먹다 턱에 초장을 흘리자

기훈	에이 진짜… 또 흘려! 늙었어?
상훈	(정색) 나 진짜. 이 시키 미쳤나.
모두	(정적)
상훈	(확) 보고 싶으면 달려가 임마! 죙일 나 갖구 지랄하지 말고! 내가 동네북이야 임마? / (일어나) 여기 최유라 전화번호 아는 사람 없어? 이 새끼 좀 만나주라 그래.
기훈	뭐래?
상훈	맨날 여기저기서 말로 사람 죽여놓고 다니는 독설가라고 자랑질은 오지게 해대면서, 여자한테 보고 싶다 좋아한다 그 말 한마딜 못 해서 형만 들이잡냐? 밥 먹다 흘렸다고 뭐라 그러고, 서 있다고 뭐라 그러고, 앉아 있다고 뭐라 그러고. 하루 죙일 그래, 죙일.
기훈	와… 내가 진짜… 그니까 형이 욕먹는 거야! 욕먹을 짓을 해놓고도 왜 욕먹는지 모르고! (나가려는데)
상훈	내가 뭐 욕먹을 짓을 했는데?
기훈	한참 바쁜데 툭하면 화장실 급하다고 아무 데나 세우라고 그러고! 아무 데나 세우면 아무 데나 세웠다고 뭐라 그러고!
상훈	그럼 아무 데나 세우면 아무 데나 싸냐? / 나보고 맨날 핸드폰 본다고 지랄하던 놈이, 지는 밤에 불 끄고도 열두 번은 봐. 운전하면서도 계속 봐. 카톡 읽었나 안 읽었나 확인하느라고. 환자야, 환자.
상훈	(상훈에게 가려고) 진짜 씨이!
남자	(손으로 가볍게 제지. 중간쯤 테이블에 앉아 있는 상황)

상훈 유라한테 답장 오면 (흉내) 헤죽. 그니까 있을 때 잘하지 그랬냐.
　　　 드럽게 구박해서 애 인생 망치지 말구!

기훈 …사람 많은 데서 그렇게 동생 쪽팔리게 하고 싶냐?

상훈 넌 임마 사람 많은 데서 그렇게 형 구박하고 싶냐–?

정희 아무나 이겨라!

기훈 (표정)

상훈 봤지? 이 새끼 울먹였어. (팔 들며) 내가 윈!

다 같이 박수 치며 "우–" 소리.

기훈 아우 씨! (확 나가고)

상훈 (앉고) 비엉… / (뿔소라 먹으며) 입 하나 줄었다.

S#44 ── 정희네 앞 (밤)

기훈이 분에 겨워하며 담배를 빼 무는데, 카톡 알람 소리. 욕먹은 것도 있어서 담배에 불을 붙이고, 좀 튕겼다가 확인하는데
[유라: 이제 집에 왔어요… 자려고요… 힘들어…ㅠㅠ]
아무렇지 않게 핸드폰을 바로 주머니에 넣고. 아무렇지 않게 담배를 몇 번 더 피다가 그냥 꺼버리고. 빠르게 걸어가고. 그러다가 막 달린다.

S#45 ── 큰길 (밤)

어금니 꽉 깨물고 전력질주로 달리는 기훈.

기훈 (E) 가자 씨이. 보고 싶으면. 달려가자아.

S#46 ── 정희네 (밤)

제철 (아련한) 우리 눈에도 아른거리는데 기훈인 오죽하겠냐… 나도 달려가고 싶다….

정희 으… 나도 달려가고 싶다!

누구를 생각하고 한 말인지 알기에 남자들은 그냥 정희 잔에 술잔만 갖다 부딪히고.

S#47 ── 큰길 (밤)

죽어라 달리는 기훈.

S#48 ── 유라네 빌라 앞 (밤)

#저 멀리 택시에서 내린 기훈. 유라네 빌라까지 달리고. 안으로 뛰어 들어가고.
#계단을 경중경중 막 올라가다가…

기훈 아나씨. 씨바바바바바. 씨이.

기겁하며 돌아서고. 계단 아래에 머리 잡고 앉아 있고.

#기훈이 빌라 앞에 나와 서서 난감한 얼굴로 서 있다. '뭘로 치워야 되나.' 치울 만한 도구를 눈으로 찾고.
#쓰레기통에서 대충 청소 도구 될 만한 걸 뒤지고. 봉투는 일단 하나 챙겼고. 계속 쓰레기통을 뒤적이는.
#윗도리를 코까지 끄집어 올리고 계단을 오르고.

⟨ Cut to ⟩
수그려 계단을 치우는 기훈. 욕지기가 간혹 나고.

S#49 ─ 유라네 거실 (밤)

기훈이 부은 얼굴로 애매하게 앉아 있고, 유라는 들어와 외투만 벗고 누워 있었던 듯 흐트러진 매무새. 심리적으로 바닥인 상황에서 억지로 상냥함과 예의를 끌어내 말하는 중.

유라   미안해요. 잠깐 누웠다가 일어나서 치우려고 했는데…. / 바로 토한 건…
건들기가 싫어요…. (고개가 떨어지고. 그대로 가만)

기훈   감독이 또 뭐랬는데?

유라   … (가만)

기훈   뭐랬는데?

유라   그냥 뭐. 매일 똑같죠. 기억도 안 나요. '이렇게 말고 저렇게. 저렇게 말고 이렇게.'
매일 한숨, 짜증….

유라가 말끝에 심호흡. 상냥함도 완전히 놓아버리고, 깊이 가라앉는다.

유라   아침에 일어나기가 끔찍해… 사라지고 싶어….

기훈   …

유라   또 완전히 구겨졌어….

기훈   …

유라   지구에 종말 온다는 말 없어요? 도망가긴 쪽팔리고…
다 같이 망해야 되는데… / 남산은 왜 화산이 아닐까… 폭발하면 좋을 텐데….

가만있던 기훈이 덤덤한 얼굴로

기훈   ……사랑해.

유라가 아무 반응 없이 미동도 않고 가만있다가

유라   ……1도 안 펴진다.

S#50 ── 유라네 빌라 앞 (밤)

기훈이 토사물 담은 쓰레기를 쓰레기통에 던지고 가만.

⟨ *Cut to* ⟩

쓸쓸히 걸어가는 기훈.

S#51 ── 절 방 (밤)

동훈이 누워 있다가 울리는 벨소리에 일어나 앉고. 겸덕은 목도리를 두르고 나갈 채비하며
동훈의 핸드폰 액정에 뜬 '형'을 힐끗 보고.

동훈　　(받고) 어.

S#52 ── 정희네 + 절 방 (밤)

손님이 더 들어찬 가게. 정희는 분주히 왔다 갔다 서빙 중이고.

상훈　　어디야?

동훈　　…형은? (왠지 상훈이 정희네 있을 것 같아서 불안하다)

상훈　　내가 정희네지 어디야. 카톡 안 봤어?

동훈　　봤어.

상훈　　근데 왜 안 와. 어딘데?

겸덕　　(동훈의 옆에 앉아 핸드폰에 대고) 동훈이 얘 머리 깎는대요.

상훈　　…이발소야? 옆에 누구야?

겸덕　　(핸드폰에 대고) 저 상원이예요. (핸드폰 뺏고) 잘 지내시죠?

상훈　　(힉! 겸덕이다) 어… 그래….

상훈이 정희를 피해 나가려고 문 쪽으로 가는데, 서빙하고 오던 정희가 "줘봐" 하며 상훈의

11화

핸드폰을 확 뺏고, 상훈은 기겁하고

정희   너 어디야?
겸덕   !

그대로 가만히 있게 되는 겸덕.

정희   오늘 꼭 오랬잖아. 내가 뿔소라 쏜다고.
겸덕   !
정희   어머니 이거 손질하시느라 고생하셨는데, 니가 못 먹으면 어떡해? / 못 와?
겸덕   !
정희   왜 말을 안 해? 어딘데?
겸덕   (핸드폰을 동훈에게 건네고)
동훈   (받고) 어.

동훈은 통화 상대가 누구였는지 알고는 겸덕을 보고. 어색하게 미소 짓는 겸덕.

동훈   좀 멀리 왔어. 일 때문에. 오늘은 힘들 것 같은데….

나란히 앉아 있는 두 사람. 쓸쓸하게 미소 짓는 겸덕.

S#53 — 정희네 앞 (밤)

동훈이 겸덕의 용달에서 내리고.

동훈   조심해서 가.
겸덕   가끔 불쑥 날아와주라.
동훈   가.
겸덕   먼저 들어가.

동훈이 정희네로. 들어가다가 문 앞에서 돌아보고. 겸덕은 손 들어주고. 들어가는 동훈.

S#54 ─ 정희네 + 정희네 앞 (밤)

#동훈과 상훈이 바 쪽에 앉아 있고, 동훈 앞엔 뿔소라 회가 있는데, 밖에 아직 용달이 있는
게 보이고…. 밖을 쳐다보지는 않지만 아직 겸덕이 있다는 것을 아는 동훈. 왔다 갔다 하는
정희도 동훈의 눈에 들어오고…
#정희네 앞, 가만히 서 있던 용달이 휙 가고…
#동훈은 마음이 좀 짠해서 잔잔한 미소… 정희가 지나가며…

정희   이따 까먹지 말고 냉장고에 윤희 꺼 가져가. 생거로 먹기 싫으면,

        참기름 넣고 볶아 먹으라 그래. (가며 상훈에게) 기훈이 것도 챙겨놨으니까

        가져가고요. 왜 애는 울려.

술잔을 기울이는 동훈… 제철이 술잔을 가지러 왔다가 동훈을 보고는

제철   머리 안 깎았네. 그대론데? 이발소 갔다 왔대매?
상훈   (멀뚱하게 딴청)
정희   (동훈 앞에 털썩 앉고) 아고 힘들다.
상훈   (술 따라주며) 덜 마셔서 그래.

잔을 받아 마시는 정희… 동훈의 쓸쓸하고 선선한 얼굴에서…

S#55 ─ 사무실 복도 (다음 날, 낮)

#복도: 대표이사실을 향해 걸어가는 동훈.

겸덕   (E) 뻔뻔하게 너만 생각해. 그래도 돼.

11화

#대표이사실 앞: 비서가 대표이사실에서 나오며 문을 닫으려고 하는데, 동훈이 걸어오고.
안에 있는 준영이 동훈을 보고! 동훈은 비서가 닫던 문을 그냥 밀어 열고 들어간다. 비서가
당황해 뭐라 하자, 준영이 손을 들어 그냥 두라는 제스처.

S#56 ── 대표이사실 (낮)

동훈이 들어와 문을 닫고, 잠근다.

준영　　　!

동훈과 준영이 마주 서 있고.

동훈　　사람 말 안 듣지 너?
준영　　!
동훈　　'내가 안다는 건 윤희는 모르게.' 그게 어려웠냐?
준영　　내가 말한 거 아녜요. 윤희가 먼저 알고 찾아왔어요. 공중전화 선배한테
　　　　　걸린 거 아니냐고.
동훈　　(무섭게 버럭) 아니라고 했어야지-!
준영　　!

#그 소리를 들은 비서실 사람들 표정!
#사무실 직원들(송 과장, 김 대리, 형규는 작업복 차림)도 대표이사실 쪽을 보고! 굳어 있던 지안
은 습관적으로 이어폰을 끼는데, 동훈의 책상 위에 핸드폰이 있는 게 보이고.

동훈　　물어본다고 술술 다 불어-? 회장님 앞에서 니 아구창 날려버리고 밟아(버리고)
　　　　　죽여버리고 싶은 거 꾹꾹 참아가면서, 그거 하나 말했는데! 물어본다고 그냥 다 불어?

#윤 상무도 어리둥절해서 밖으로 나와 보고. 대표이사실 쪽을 바라보는 직원들의 표정을
보고는, 빠르게 대표이사실 쪽으로.

Episode 11

동훈   안 듣는 거야. 이 새끼는 사람 말 안 듣는 거야. 남 얘기는 관심 없는 거야.

준영   !

동훈   됐다. / 내가. 너 밟아버릴 거야.

준영   !

문손잡이가 다급하게 돌아가는 소리.

#윤 상무가 손잡이를 계속 돌려본다. 옆에는 비서가 있고.

윤 상무   열쇠, 열쇠 없어?

비서가 허둥지둥 책상으로 가서 열쇠를 찾고.

동훈   넌 내 손에 망해야 돼.

준영   !

동훈   (돌아서는데)

준영   저기요.

동훈   (돌아보면)

준영   우리 그냥 터트리죠. 그게 피차 속 편할 거 같은데.

동훈   !

준영   (서서히 돌변) 진짜 못 해먹겠네. 어디 부장 나부랭이가 대표이사실 쳐들어와서
         소리를 지르고 지랄야-!

동훈이 달려가 준영에게 주먹을 날리고. 준영은 나가떨어지고. 그때 문이 팍 열리고, 윤 상무와 일행이 들어오고. 순간 발딱 일어나는 준영. 비틀거리면서도 빠르게 중심 잡고.

윤 상무   야이 새꺄!

⟨ Cut to ⟩

왕 전무가 앉아 있고, 그 뒤로 정 상무, 한 상무, 고 상무가 서 있고. 한쪽에는 윤 상무의 사

람들이 서 있고. 동훈은 뚝 떨어져 서 있고. 준영은 분노에 차서 일갈을 날린다.

준영　좀 정정당당하게 좀 합시다, 예? 제 뒤나 캐고 다닐 생각 마시고요!
　　　제 뒤 졸졸 쫓아다니면서 그딴 사진 찍어서 뭐에 쓰게요? 저 박동훈 부장
　　　와이프랑 학교 동기고 동아리 친굽니다. 내가 학교 동기도 못 만납니까?
　　　일부러 만난 거 아니고, 우연히 만나서 십 분 얘기한 게 답니다. 그걸 찍어서
　　　뭐 있는 것처럼 만들어서 (박동훈 가리키며) 엄한 사람 대표이사실 쳐들어와
　　　소란 피우게 만들어요?

동훈　!

S#57 ─ 대표이사실 앞 (낮)

우르르 나오는 사람들. 왕 전무 무리는 굳은 얼굴로 나와 가고, 윤 상무 무리는 의기양양
한 얼굴로 나와 가고.

S#58 ─ 대표이사실 (낮)

동훈이 나가려는데, 준영은 여유만만하게

준영　(이죽거리는) 주먹을 날릴 땐, 이 정도 계산은 하고 날렸어야죠.
　　　아무 생각 없었죠? / 어디 누가 이기나 보자고요.

동훈　(덤덤) 그러다가 자빠지면 쪽팔려 새꺄.

준영　!

나가는 동훈의 뒷모습을 보는 준영의 표정.

S#59 ─ 왕 전무 방 (낮)

왕 전무 주변으로 몰려서 있고.

왕 전무   도준영 미행 누가 붙인 거야?

서로의 얼굴을 보는 정 상무, 한 상무, 고 상무.

정 상무   전 아닌데.
한 상무   저도 아닌데.
고 상무   저도 아닌데.
왕 전무   (그럼 누구야?)
정 상무   (왕 전무 보며) 혹시….

S#60 ─ 부산 지사, 박 상무 방 (낮)

통화 중인 박 상무. 가만히 듣고 있는 표정.

박 상무   도준영 이 새끼…. / 내가 올라갈게.
정 상무   …상무님이 그러신 거예요?
박 상무   어. 나라 그래. (전화를 끊고. 표정)

S#61 ─ 사무실 (낮)

책상 앞에 선 동훈은 어떻게든 일에 집중해보려고 하는데, 쌓인 자료들에 선뜻 손이 가지 않고. 직원들은 긴장해서 눈동자만 왔다 갔다… 지안은 탕비실 쪽에서 커피를 타고. 동훈이 사무실 분위기를 풀어줘야겠다 싶어

동훈   (돌아보며) 별거 아냐. 일해.

직원들은 자리에 앉아 뭔가 얼버무리는 느낌인데

동훈   안 나가?

그제야 일어나 움직이는 송 과장, 김 대리, 형규. 형규가 괜히 슈미트 해머를 두드려보고. 작동이 안 되는 듯. 동훈이 아래 서랍에서 슈미트 해머를 꺼내어 주고.

동훈　이거 가져가.

형규　감사합니다. (받아가고)

동훈은 열려 있는 아래 서랍(쇼핑백이 들어 있던)을 봤다가, 지안을 본다.

S#62 — 동네 일각 (밤)

좀 화가 난 동훈이 빠르게 걷고, 앞서가는 지안에게 거의 다다르자

동훈　슬리퍼 어쨌어?

지안　! (돌아보고)

동훈　슬리퍼 어쨌냐고?

지안　쪽팔려서 버렸어요. 뒤통수 한 대 맞으니까 정신 번쩍 나던데요.

동훈　(!) 그렇다고 버려? 내가 너한테 슬리퍼 한 짝도 받지 못할 사람이야?
　　　　내가 너한테 그렇게 했어?

지안　그냥 됐으면 신었고요?

동훈　!

지안　내 말 잘 들어요. 내일 출근하면, 사람들 많은 데서 나 자르겠다고 말해요.
　　　　자꾸 들이대서 못 살겠다고, 처음 아니라고, 사람들 다 있는 데서 말해요.
　　　　느닷없이 키스하고 별짓 다 해서 잘라버린다고 경고했었는데, 불쌍해서
　　　　몇 번 도와줬더니, 지 좋아하는 줄 알고 또 들이대더라고… 다 말해요.
　　　　난 가만있을 테니까… 다 사실이니까….

동훈　!

지안　그냥 하는 말 아녜요. 어차피 한 사무실에서 얼굴 보기 불편한 사이 됐고, 회사에서
　　　　나 때문에 골치 아픈 거 같은데, 다 얘기하고 그냥 잘라요. 난 아쉬운 거 없으니까.

동훈　(크게) 안 잘라!

지안　!

동훈 이 나이 먹어서 나 좋아한다고 했다고 자르는 것도 유치하고, 너 자르고 동네에서
우연히 만나면 아는 척 안 하고 지나갈 거 생각하면 벌써부터 소화 안 돼. / 너
말고도 내 인생에 껄끄럽고 불편한 인간들 널렸어. 그딴 인간… 더는 못 만들어.
그런 인간들 견디며 사는 내가 불쌍해서… 더는 못 만들어.

지안 !

동훈 그리고! 학교 때 아무 사이 아니었던 애도, 어쩌다 걔네 부모님한테 인사하고
몇 마디 나누고 나면, 아무것도 아닌 사이는 아니게 돼. 나는 그래.

지안 !

동훈 나 니네 할머니 장례식에 갈 거고! 너 우리 엄마 장례식에 와.

지안 !

동훈 그니까 털어. 골 부리지 말고. 털어. 나도 너한테 앙금 하나 없이, 송 과장,
김 대리한테 하는 것처럼 할 테니까, 너도 그렇게 해. 사람들한테 좀
친절하게 하고! 인간이 인간한테 친절한 거 기본 아니냐? 뭐 잘났다고
여러 사람 불편하게 퉁퉁거려? 여기 너한테 뭐 죽을죄 진 사람 있어?

지안 …

동훈 직원들 너한테 따뜻하게 대하지 않은 거 사실이야. 이제 그렇게 안 하게
할 거니까, 너도 잘해. 나 너 계약 기간 다 채우고 나가는 거 볼 거고,
딴 데 가서도 일 잘한다는 소리 들을 거야.

지안 …

동훈 그래서 십 년 후든 이십 년 후든, 길거리에서 우연히 너 만나면! 반갑게
아는 척할 거야. 껄끄럽고 불편해서 피하는 게 아니고! 반갑게 아는 척할 거야.

지안 …

동훈 …그렇게 하자.

지안 …

동훈 …부탁이다. 그렇게 하자. (뒤돌아 가려다가, 욱해서 돌아보며) 슬리퍼 다시 사 와!

그러고 가는 동훈. 이를 보는 지안.

11화

S#63 ── 동훈 집 거실, 주방 (밤)

윤희가 이제 막 들어온 차림으로 어둠 속에서 쪼그려 앉아 있다.

S#64 ── 동네 일각 + 동훈 집 거실, 주방 (밤)

동훈이 만두 담는 아주머니를 기다리고 있고.

〈 Cut to 〉

전화받는 동훈.

동훈　　어.

윤희가 여전히 어둠 속에 쪼그려 앉아서

윤희　　저녁 먹고 들어오냐?
동훈　　아니. 지금 들어가.

동훈은 전화를 끊고 만두를 받아 들고 가고.

S#65 ── 동훈 집 (밤)

#동훈과 윤희, 같이 밥 먹고. 한마디도 안 하지만 동훈은 열심히 먹고.
#윤희가 설거지하는 동안, 동훈은 청소기를 돌리고.
#동훈이 소파에 앉아 TV 리모컨을 이리저리 돌리며 보는데(축구 채널), 윤희가 주방에서 설거지를 끝내고 가만히 있다가…

윤희　　한잔할래?

동훈은 윤희가 무슨 말을 할지 두려운 마음에 몇 초 더 리모컨을 돌리다가 리모컨을 두고 마지못해 일어나고, 술을 꺼내는 윤희 옆에서 맥주잔을 세팅하고 안주를 꺼내고….

⟨Cut to⟩

마주 앉아 술 마시는 동훈과 윤희. 윤희는 어떻게 말을 꺼내야 할까 싶은데, 동훈은 회피하고 싶은 마음에 시선을 계속 TV에.

동훈　　(TV 보며 혼잣말) 업사이드….

그때!

윤희　　여보….

그 말에 동훈은 슬쩍 일어나 TV 리모컨 있는 데로 가고. 리모컨 들고 소리를 키우더니 중요한 장면인 듯 집중해서 보는 척. 윤희, 긴 한숨이 나온다.

S#66 ── 재만의 사무실 (밤)

준영은 재만이 보여주는 '동훈과 싸우던 광일의 사진'을 보며 설명을 듣는다.

재만　　이놈이랑 이지안이랑 어려서부터 알고 지내던 사이였는데, 얘 아부지가
　　　　이지안 손에 죽었대요. 내가 그건 몰랐네. 내가 애네 아부지 여러 번 잡았었는데.
　　　　칼 맞고 죽었다길래, 그놈 그럴 줄 알았다 싶었는데… 근데 이 아들놈도
　　　　만만찮아요.

[INS] 그 시각 광일은 철물점 같은 영세 가게에 쳐들어가 깽판을 치고. 채무자처럼 보이는 남자가 벌벌 떨고 있고. 그러던 광일이 경찰에게 잡혀 경찰차에 실리면서 "대한민국 참 살기 좋은 나라다! 돈 떼먹는 놈들까지 보호해주고!" 하며 악을 쓰고.

재만　　이놈 여기 찾아왔었어요. 왜 박동훈 뒤 캐냐고. 되게 관심 있어 하는 눈치던데.

이지안이 빚 다 갚아서 이 새끼 똥줄 탔거든요.

준영　　…　(사진 속 광일을 보며 머리 굴리는)

S#67 — 정희네 (밤)

남자들이 "여-! 최유라다!" 하며 일어나 자리를 내주는데, 기훈은 불안한 얼굴. 이미 취해서 사랑스러운 미소를 하고 들어오는 유라.

제철　　벌써 한잔한 것 같은데.

⟨ *Cut to* ⟩

유라는 사랑스러운 얼굴로 말하고, 남자들은 뭔가 멀멀한 얼굴.

유라　　전요, 여기 있는 사람들 전부 부러워요. 너무 부러워요. 다 끝났잖아요.

모두　　…

유라　　나도 빨리 끝났으면 좋겠어요. 잘되든 못되든, 그냥 빨리 끝났으면 좋겠어요.

제철　　나 아직 안 끝났다. 결혼 안 한 애가 둘이야.

유라　　(호통) 알아서들 하겠죠! 그건 걔들 인생이고요!

제철　　걔들 인생이 내 인생이야.

유라　　(정색) 지금 나보다 더 힘들다고 말씀하시는 거예요?

제철　　…미안하다.

정희　　(빈 잔 들고 다가와 앉아, 포스 있게 다리 꼬고) 나도 불행한 걸로는 안 밀리는 여잔데.
　　　　　배틀 붙어볼래?

상훈　　(빈 잔 채워주며) 붙어.

S#68 — 정희네 앞 (밤)

기훈은 통화 중이고.

Episode 11

기훈   걔 조감독 때도 현장에서 소문 안 좋았지? 성깔 드럽다고. 그 새끼 일정 좀 알아
봐줄 수 있냐? 그 새끼한테 내 얘긴 말고. 아니. 내가 좀 한번 봐야 될 거 같아서.

S#69 —— 절 방 앞 (밤)

산사를 걸어가는 겸덕. 그렇게 방으로 들어가고.

S#70 —— 절 방 (밤)

#겸덕이 들어와 비니를 벗고 옷도 벗은 뒤 화장실로.
#세수하는 겸덕.

S#71 —— 정희네 화장실 (밤)

비틀거리며 세면대에서 세수하는 정희. 그러다가 아래로 퍽 자빠지고. 일어나는데 코피가
흐른다. 그것도 모르고 스윽 닦으며

정희   엎어질 순 있습니다. 괜찮습니다. 씻는다는 게 중요합니다. 그게 제정신인
겁니다. / (손등의 피를 보고) 어디서 피가 흘렀을까요? / (거울 보고) 으씨.
괜찮습니다. (대충 닦고)

⟨Cut to⟩
깔판 위에 앉은 정희가 비틀거리며 속옷과 양말(혹은 스타킹)을 손빨래하는데, 제대로 앉아
있기도 버거운 듯 계속 옆으로 쓰러질 뻔.

정희   빨래를 하면, 그렇게 취한 게 아닙니다. 그날 입은 걸 빨면, 난 아직, 괜찮은 겁니다.

그러다가 결국 옆으로 쓰러지고, 다시 똑바로 깔판 위에 앉기도 힘들고.

S#72 —— 정희네 쪽방 (밤)

정희가 건조대 앞에 엎드려, 수건에 속옷과 양말을 넣어서 쾅쾅쾅 내리쳐 물기를 빼고, 그 걸 건조대에 너는데 취해서 손놀림이 힘들고.

정희 씻었고, 속옷도 빨았습니다. 오늘 일과를, 다했습니다. (기어서 이불로 가며)
난, 망가지지 않았습니다. 나는, 잘 살고 있습니다. (전등을 끄고) 이제,
시체처럼 자겠습니다.

전원을 끄듯 손바닥을 탁 치면 팔이 뚝 떨어진다. 그렇게 가만있는 정희.

#그리고 참선하는 겸덕의 모습에서.

S#73 —— 마트 주차장 (다음 날, 낮)

휴일. 동훈이 장 본 것들을 드링크에 싣고. 동훈은 운전석으로, 윤희는 보조석으로.

S#74 —— 달리는 윤희 차 안 (낮)

신호에 걸려가며 서행 중인 상황. 동훈이 휴지로 대시보드를 닦는데

윤희 그냥 둬. 실내 세차 맡기면 돼.
동훈 거기 걸레 줘봐.

윤희가 보조석 서랍을 열고 차량용 헝겊을 꺼내 건네는데, 무언가가 기어가 있는 곳으로 뚝 떨어진다. 보면 서초 미네트 주차 카드. 그걸 보는 동훈과 윤희! 동훈이 주차 카드를 외면하듯 헝겊을 뺏어 여기저기 닦고. 윤희는 주차 카드를 주워 다시 서랍에 넣은 채 가만.

동훈 (억지로 침묵을 메우려는) 오늘 차 쓸 일 없지?

윤희   …

동훈   내가 이따 세차하고 올게. 날 풀려서 할 데 많을 거야.

다시 출발하는 차. 굳은 윤희의 얼굴.

S#75 ─ 동훈 집 거실, 주방 (낮)

동훈이 장 본 봉지를 식탁 위에 놓고, 외투만 벗고 와 장 본 물건을 분주히 냉장고에 넣거
나 다용도실에 두며 움직이는데, 윤희는 이미 마음이 무너졌기에 가방을 내려두는 동작이
며 외투를 벗는 동작이 느리고. 그걸 감지한 동훈은 두려운 마음에,

동훈   일해. 내가 정리할게. 바쁜 거 있대매.

동훈이 싱크대 쪽으로 뒤돌아서 정리하는데, 윤희가 그 자리에 천천히 무릎을 꿇는다.

동훈   (침묵을 메우려, 인스턴트 음식 봉지 보며) 이건 냉장 보관인가….

윤희   (눈물이 흐르며) 여보… 미안해….

동훈   !

윤희   미안해….

돌아보기가 겁나는 동훈. 힐끗 보는데, 윤희가 무릎을 꿇고 있고.

윤희   (동훈의 얼굴을 보자 완전히 무너지는) 정말 미안해….

무너지듯 싱크대를 짚고 서는 동훈. 이내 화난 사람처럼 그냥 방으로 들어가려는데.

윤희   (동훈 쪽으로 몸을 홱 틀며) 내가 잘못했어!

동훈은 방문을 확 열고 들어가는 지점에서 감정이 터져서 방 문짝을 주먹으로 쳐버리고!

동훈   (울분) 왜 그랬어-?

윤희는 서럽게 회환의 눈물을 쏟아내고, 동훈에게서도 눈물이 떨어지고. 동훈의 주먹에 뚫린 문짝에서…

#지안 집: 이어폰을 꽂고 있는 지안의 굳은 얼굴.

S#76 ── 아파트 현관 앞 (다음 날, 아침)

조기축구회 단체복을 입고 가방 멘 채 선선히 걸어가는 동훈.

S#77 ── 동훈 집 거실, 주방 (밤) - 회상

흥분해서 방 문짝을 치는 동훈. 무릎 꿇고 우는 윤희.

동훈   하고 많은 놈 중에 왜-! 왜-! 왜-!
윤희   미안해… 미안해… 정말 미안해….

#뭔가 퍽! 내리치는 소리.

윤희   (기겁하며 울부짖는) 여보오!
동훈   어떻게 그 새끼랑 그럴 수 있어? 어떻게-?

#뭔가 또 내려치는 소리. 기겁하며 우는 윤희 목소리.
#지안 집: 그 모든 소리를 들으며 고개를 숙이고 있던 지안.

S#78 ── 운동장 (낮)

동훈이 빠르게 공을 쫓아 달리고. 멋지게 뻥 차고. 골이 들어가고. 같은 편인 사람들이 환호하는데도 동훈은 별 표정 없이 그냥 뛰어가고. 그런 동훈의 모습들. 열심히 이리저리 뛰는 동훈.

S#79 —— 요양원 입원실 (낮)

봉애와 마주 앉아 있는 지안.

봉애　(수화, 해맑은 얼굴) 그분은 잘 계시고?
지안　… (안쓰러운 동훈 생각에 눈물이 주룩)

S#80 —— 운동장 (낮)

이리저리 공을 쫓아 달리는 동훈의 모습 위로

동훈　(E, 슬픈) 왜 그랬니? 왜 그랬어? 왜애….

운동장을 뛰는데도 쓸쓸한 동훈의 모습.

동훈　(E) 너 지석이 엄마잖아… 애 엄마잖아….

S#81 —— 동훈 집 거실, 주방 (밤) – 회상

윤희 앞에 엎드려 울며 말하는 동훈.

동훈　넌, 그 새끼랑 바람 핀 순간 나한테 사망 선고 내린 거야. 박동훈 넌 이런
　　　대접받아도 싼 인간이라고. 가치 없는 인간이라고. 그냥 죽어버리라고.

S#82 — 요양원 입원실 (낮)

불쌍한 동훈 생각에 눈물이 나는 지안.

봉애 (수화, 철렁해서) 왜? 왜 그래? 무슨 일인데?

지안 (수화, 미소) 잘 지내셔. 할머니 잘 지내시냐고도 물어봐. 나 밥도 사주고,
회사에서도 잘해주고. …그분, 곧 승진할 것 같애.

봉애 (수화) 근데 왜 울어?

지안 (울컥, 수화) 좋아서… (좀 생각 후) 나랑 친한 사람 중에도, 그런 사람이 있는 게,
좋아서….

그런 지안의 모습에서 엔딩.

Episode 11

Episode

12

S#1 — 정희네 앞 (낮)

동훈이 커피를 마시며 서 있고… 기훈은 담배를 피다가 동훈의 까진 손등을 보고,

기훈   손은 왜 그래?
동훈   (대수롭지 않게 자기 손등을 보고) 현장에서 다쳤어.

동훈이 먼 산을 보며 커피를 마시다가 지안네 방향을 힐끗 보고는… 이내 피식.

동훈   (혼잣말) 미친놈….
기훈   (힐끗 보고 말지만 뭔가 이상한)
동훈   기훈아….
기훈   왜?
동훈   …

기훈을 보다가 시선을 돌리고 마는 동훈. 쓸쓸하고 헛헛한 동훈의 얼굴에서.

S#2 — 정희네 (낮)

아직 라면을 먹고 있는 일행들이 있고,

권식   오늘 설거지 몇 회야?
후배   넵! 육십사 휩니다.

육십사 회 졸업생인 동훈이 덤덤히 설거지하는 모습에서

S#3 — 동훈 집 거실, 주방 (밤) – 회상

절망해서 울분을 쏟아내는 동훈. 윤희는 여전히 무릎을 꿇고 있고.

Episode 12

동훈   내가 부족했다고 쳐. 난 하려고 했는데 아주 많이 모자랐다고 쳐. 그래….

그래서 이혼하고 싶었다고 쳐…. 그렇다고… 그 새끼랑 놀아나?

사람 보는 눈이 그렇게 없어? 너 그렇게 멍청한 여자였어?

대표이사 사모님 소리가 그렇게 듣고 싶었냐?

윤희   (울면서도 서운한)

동훈   그 새끼랑 짜고 나 회사에서 자르고 거지 만들면 이혼하기 쉬울 거라 생각했어?

(버럭) 맘 편히 그 새끼랑 살 수 있을 거라 생각했어? 그럼 지석이는?

너, 지석이 생각했으면 그딴 짓 못 했어. 애를 생각했으면 애 아빨 그렇게

망가뜨릴 생각 못 했어. 어떻게(그딴 짓을 할 생각을 할 수 있어?)!

(옆에 있는 식탁 의자 다리를 잡아 내리치며, 분노에 차) 왜! 왜! 왜!

S#4 ─ 정희네 (낮)

동훈이 묵묵히 설거지하는데, 정희가 설거짓거리를 챙겨 오고

총무   누님. 여기 라면값이요.

정희   거기 둬. (동훈에게) 그래서 닦이겠니? 세제 좀 더 해라.

(수도꼭지를 온수 쪽으로 옮기고) 뜨거운 물은 아꼈다 뭐 하려고…. (주방에서 나가고)

동훈   …설거지는 내 맘대로 하면 안 되겠습니까?

정희   안 돼! 니네 엄마한테 혼나. (가고)

동훈   … (부러) 세제는 몇 그램이면 되겠습니까? 칠 그램이면 되겠습니까?

힘없이 세제를 더 묻혀 설거지하는 동훈.

S#5 ─ 동훈 집 거실, 주방 (밤) ─ 회상

동훈   (울분) 힘들게 일하고 들어와서 지저분한 거 보면 화나겠지.

들어오자마자 청소기 돌리고 세탁기 돌리고! 너 오자마자 서재에 처박히면,

눈치 보여서 TV 소리도 못 키우고! 뭐 없다 뭐 사 와라 하면 사 오고!

(눈물 날 듯) 출장 간다고 하면 그런가 보다! 늦게 들어오면 바빠서 그렇겠지,
바빠서 그렇겠지! 그 새끼랑 그러는 것도 모르고!

S#6 ─ 정희네 앞 (낮)

동훈이 의자에 앉아 축구화 끈을 고쳐 매고. 옆에는 상훈과 제철. 한쪽에는 서서 담배 피는
무리들도 있고. 제철이 정면 담벼락에 주차된 다마스를 보며

제철   또 자빠졌냐?

상훈   …

제철   그만 좀 자빠져라. 나 마음 안 좋다. 그래도 내 새끼였는데.

상훈   내가 너보다 쟤한테 훨씬 잘해. 너 쟤 아무 데나 댔지? 난 밤마다 이쁜 차
         골라서 그 옆에 따악 대줘. "(상냥) 둘이 재밌게 놀아. 이상한 짓하지 말고."
         이쁜 차 옆에 대준 날은 아침에 시동 걸 때부터 달라. 애가 신나.

기훈   왜애? 새끼 치라고 그러지. 그래서 맨날 그렇게 자빠지냐? 여기저기 다 까지게?

상훈   같이 노는 거야.

기훈   (어이없고)

제철   쟤 남자였냐?

상훈   그럼 여잔 줄 알았냐? 넌 지 차가 남잔지 여잔지도 몰랐냐….

그때 육중한 느낌에 빛나는 검은 밴이 오자

상훈   쟨 남자. (지나가는 거 흘겨보며) 저런 놈 옆엔 안 대. 애 기죽어.

동훈은 피식 웃으며 축구화 끈만 고쳐 매는데.

Episode 12

윤희가 울며 악에 받쳐 항변하고.

윤희 난 내 인생에 일 순위 당신이었어. 당신밖에 없었어. 지석인 어차피 크면
        품 떠날 자식이고! 당신밖에 없었어! 당신은? 당신한테 나 뭐였는데?

동훈 맨날 그놈의 일 순위! 식구한테 서열이 어디 있어?

윤희 있어야지! 내가 당신이 첫 번째라고 하면 당신도 내가 첫 번째가 돼야지!
        사랑에 두 번째가 어디 있어? 두 번째로 많이 사랑하는 게 그게 사랑하는 거야?
        내가 두 번째이기나 해? 매일 큰 차 사자고. 식구들 다 태우고 다니게
        큰 차 사자고. 달랑 세 식구에 구 인승 차가 왜 필요해? 뭐 하냐고 물어보면
        식구들이랑 밥 먹는다고. 어떻게 식구들이란 말이 나와? (악에 받쳐)
        거기 나는 없는데! 거기 나는 없는데!

동훈 !

윤희 나 지석이 낳고 삼칠일도 안 돼서 김장하러 갔어. 어머니한테 잘하는 거
        당신이 제일 좋아하니까! 당신이 그렇게 애달복달하는 어머니한테 잘하면,
        당신도 내 편 되겠지! 우리 엄마 병원비는 못 대줘도, 어머니 집 옮기시라고
        삼천만 원 드리는 거 안 아까워했어! 당신 단 한 사람 얻겠다고,
        당신이 좋아하는 어머니, 아주버님, 도련님! 심지어 정희 언니한테까지도
        잘했어. 그래도 당신, 한 번도 전적으로 내 편이었던 적 없었어!

S#8 ── 정희네 앞 (낮)

동훈이 덤덤한 얼굴로 일행의 차로 가는데, 일행들이 각기 차로 흩어지며 얘기.

진범 웬만하면 첫판에 지자. 이기면 다음 주에 또 가야 되고 골치 아퍼.

제철 꿈도 야무지다. 다음 주에 또 갈 생각하고.

후배 4강까진 제주도 보내준대요.

진범 내 돈 주고 가고 말어. 4강까지 가려면 한 달 동안 주말 내내 뛰어야 되는데.

후배 카톡에 주소 올렸습니다. 내비 찍고 오세요. (무리들과 차에 오르고)

정희   (배웅하는) 오늘은 싸우지들 말고!

상훈   기훈이 저 새끼만 안 싸우면 돼.

덤덤히 가는 동훈의 얼굴 위로

[INS] 윤희: "난 이 동네가 싫어! 당신 주변에 바글바글대는 사람들도 다 싫어!"

기훈이 다마스 운전석에 오르려는 상훈을 잡아채며

기훈   됐어. 딴 거 타. 또 자빠질라고. / (동훈에게) 작은형! 이거 타.

상훈   (다마스에 인사) 이따 봐.

동훈이 가다 멈춰서 뒤돌아 다마스 쪽으로 가는데.

[INS] 윤희: "너무 억울한 게, 사람들은 모른다는 거. 당신이 옆에 있는 사람 얼마나 외롭게 하는지."

S#9 — 달리는 다마스 (낮)

동훈에겐 억지로 짜내던 흥도 없고. 기훈도 운전만 하고 있지만 그런 동훈의 기운을 느끼고.

기훈   형수랑 싸웠어?

동훈   (흘기며) …싸우긴. (창밖을 보고)

기훈이 운전하다가…

기훈   나 오늘 공 차면서 절대 안 싸울 거다. 내가 이따 어떤 새끼 잡으러 가야 되거든.
모든 울분을 모아 모아 그 새끼한테 팍! 나 뚜껑 열려서 독설 날릴 때 못 봤지?
엄청 매력적이다. 대따리 섹시해. 말도 예술로 나와. 한 마디 한 마디
이런 주옥 같은 독설이 없다. 말도, 운율 맞춰서 딱딱 리듬 있게 나와.

받아 적어야 돼. / 근데 이게 앞에서 살짝이라도 한 번 터지면, 정작 그 새끼
잡을 땐 잘 안 터지거든. 그래서 누굴 잡아야겠다 싶을 땐 아침부터 좀 눌러둬.

신호에 걸리고… 그래서 본론은…

기훈	내가 형을 위해서 그 새끼 족치는 건 낼루 미룰게. (사이드 당기고) 말해. 뭐야?
동훈	운전이나 해 임마.
기훈	(정색) 말 안 하냐?
동훈	(부라리는) 내가 니 동생이야 임마?
기훈	내가 살면서 형이 나한테 "기훈아…" 그렇게 다정하게 부르는 거 못 봤어.
	죽을 날 받아놓은 얼굴로. 뭔데 그러냐고? 손도 까지고!
동훈	내가 회사 일 일일이 너한테 다 얘기해?
기훈	(쳐다보고)
동훈	(쳐다보고)
기훈	(뭔가 기운에 밀렸고. 사이드 풀고 다시 운전하며) …그깟 상무가 뭐라고.
동훈	…
기훈	(운전하며, 어깃장) 그래요. 회사 일로 알고 넘어가주겠습니다.

동훈은 그 말에 기훈을 휙 노려봤다가… 시선을 돌리고.

S#10 — 요양원 세신실 앞 복도 (낮)

지안이 봉애를 목욕시키고 나오는 듯, 젖은 맨발에 슬리퍼 차림으로 봉애가 앉은 휠체어
를 밀며 가고.

S#11 — 요양원 병실 (낮)

지안이 봉애를 휠체어에서 침대로 옮겨 눕히는데, 그 바람에 필담을 적는 노트가 침대에서
떨어지고. 지안이 봉애를 제대로 눕히고는, 펼쳐진 채 떨어진 노트를 주워 개인 사물함 위에

올려놓다가 뭔가 본 듯 노트를 다시 펼친다. 노트에 쓰인 글귀. '내가 이제 편하게 눈감을 수 있을 것 같아요. 안심이 돼요. 우리 지안이 옆에 선생님같이 좋은 분이 계셔서.'

[INS] 10화: 봉애가 글귀를 쓰고, 동훈이 보고 있던.

그 글귀를 가만히 보고 있는 지안의 등짝.

S#12 — 한강 공원 (낮)

주차된 다마스에서 쪽잠 자고 있는 동훈. 햇볕이 따사롭게 동훈의 얼굴에 떨어지고. 공도 찼고, 심정적으로도 무너졌고. 잠시나마 햇볕 아래서 쪽잠을 자고 있는. 평온해 보이면서도 쓸쓸해 보이는 동훈. 밖에는 '관악구청기 생활체육축구대회' 플래카드가 걸려 있고, 한창 경기 중. 일행들은 경기를 구경하고 있고. 제철이 기훈과 일행들에게 건강식품을 타서 건네며

제철 왜 이렇게 피곤해 보이냐. 이거 먹고 기운들 내.

기훈과 일행들이 다 같이 마시고.

권식 (마시고) 좋다 이거.
상훈 (제철에게) 가, 동훈이 깨워.

그 말에 기훈이 다마스 쪽을 돌아보고. 제철은 다마스 문 열고 동훈을 깨우며,

제철 야야, 일어나. 다음 우리야.

동훈은 힘겹게 일어나 앉는다. 정신을 차리려고 가만히 앉아 있고….

동이 터오고. 밤 새워 싸운 듯, 이쪽저쪽에 패잔병처럼 앉아 있는 동훈과 윤희.

윤희   사시 패스하고 결심했었어. 이 동네 떠야지…. 딴 데로 이사 가서

우리 셋만 살면, 당신도 달라지겠지…. 이사 얘기만 나오면 입 다물어버리는

당신 보면서… 포기하기 시작했던 것 같애…. 어떻게 해도 안 되는 사람이구나….

동훈   …

윤희   …어떤 말을 해도 용서받지 못할 거라는 거 알아. 백 번, 천 번 내가 죽을

죄인인 거 알아…. (눈물이 나기 시작하고) 당신이 다 알고 있었다는 거 알고…

죽고 싶었어. 내가 무슨 짓을 한 건지… 내가 너무 싫어서 죽고 싶었고…

당신이 너무 불쌍해서 죽고 싶었어….

동훈   …

윤희   …당신이 제일 무서워하는 게 뭔지, 피하고 싶은 게 뭔지 알아.

동훈   …

윤희   …이 결혼 깨고 싶지 않은 게, 나에 대한 애정이 남아서는 아니잖아. 그지?

동훈   …

윤희   (가슴 아프고) 어머님하고 지석이 생각해서, 당분간 조용히 살자고 하면…

그렇게 할게. / 더는 안 되겠다, 못 살겠다, 끝내자… 그러면 그렇게 할게.

당신이 하자는 대로 할게.

가만히 있던 동훈이 일어나 침실로 들어가고. 잠시 후, 조기축구회 단체복으로 갈아입고 가

방 메고 나오는 동훈. 축구화를 다 신고 일어나서,

동훈   나 덜 힘들자고 당신 괴롭게 하면서 살 생각 없어. 다만… 당신 만나서

지금까지 이십 년 세월인데… 어떻게 끝내야 될지, 어디서부터 어떻게

갈아엎어야 될지… 모르겠어서 그래…. / 당신만 모르면 견딜 수 있을 거라고

생각했는데… 이제 너무 힘들게 됐어. 당신도 나도….

현관문이 쾅! 닫히는 소리. 그냥 앉아 있는 윤희.

S#14 — 한강 공원 (낮)

공 갖고 노는 동훈. 그러다가 공을 뺏기고. 골키퍼인 상훈이 고래고래 소리 지르고. 제철은 쏜살같이 빠르게 달려 공을 커팅해내고. 반대편으로 뺑! 차버리고. 기훈은 동훈에게 패스하고. 동훈은 슈팅으로 골 때려 넣고. 다 같이 환호성. 동훈은 기훈과 스치며 손을 부딪치고.

S#15 — 후계 역 부근, 달리는 다마스 (해 질 녘)

돌아오는 길. 기훈이 운전하고, 동훈은 지쳐 창밖을 본다. 동훈의 시선에서 보이는 옆 차선의 일행들 차량. 그 차에도 전부 초주검이 돼서 널브러져 자는 일행들. 저 차에도 전부 널브러져 자는 일행들. 맨 앞 탑차를 운전하는 권식 옆에도 널브러져 자는 일행. 권식이 동훈과 눈이 마주치자, 당신을 보고 반했다는 듯 가슴 뛰는 시늉하며 동훈에게 하트를 날리고. 동훈이 실없다는 듯 웃는데, 그 차가 지나간 자리에 서 있는 지안! 인도에서 동훈을 보며 서 있고!

동훈 !

지안이 멀어지는 다마스를 보고. 다마스에 실려 가는 동훈의 표정.

S#16 — 회사 외경 (다음 날, 낮)

S#17 — 사무실 (낮)

동훈, 송 과장, 김 대리, 형규가 회의 테이블에서 안전진단보고서 회의 중. 에이포 용지에 인쇄된 진단 자료들이 수북이 쌓여 있고, 꽤 오랜 시간 골몰하고 있었던 듯. 다 같이 송 과장이 자료 계산하는 것을 보고…

송 과장 총 합산하면… **점. (등급표 가리키며) C 등급이에요.
동훈 …
송 과장 딴 건 증거자료 있어서 손 못 대도, 설비 점수만 좀 낮게 주면 D…

많이 낮추는 것도 아니고 *점만 낮추면 돼요.

동훈　설비 다시 봐봐.

컴퓨터로 사진 파일 보여주면,

[INS] 여러 설비 사진들.

동훈이 빠르게, 그러나 자세히 넘겨 보더니 컴퓨터에서 물러나며

동훈　수정하지 마. 이 수치 맞아.

송 과장　이거 C 나와서 재건축 물 건너가면 후폭풍 장난 아닐 텐데요.

동훈　구조기술사는.

송 과장　(넵!) 구조적 판단만 한다!

동훈　정치적 판단하지 마. 기술자는 기술적 판단만 해.

모두　넵!

모두 각자 맡은 자료를 빠르게 챙겨 들고 일어나 자리로 가는데, 그때 울리는 문자 착신음.

[정찬모 상무님: 호텔 옮겼어. 보안을 위해서. **호텔. 1403호. 7시.]

고민하다가 답을 쓰는 동훈.

[내일까지 구청에 넘겨야 되는 안전진단보고서가 있어서요.]

[정찬모 상무님 : 지금 그게 중요해?]

그 문자를 보는 동훈의 표정. 한편에서 역시 그 문자를 보고 있는 지안.

S#18 ── 호텔 룸 (밤)

정 상무가 열 받아 동훈을 다그치고, 한 상무와 고 상무는 관망하는 자세….

정 상무　그런 일이 있었으면 우리한테 먼저 와서 알렸어야지,

　　　　　대표이사실 쳐들어가서 무턱대고 주먹부터 날려?

동훈　죄송합니다.

정 상무	가만있으면 그냥 되는 판인 걸. 이지안만 잘 넘어가면 되는 판인 걸.
동훈	…
정 상무	혼자 움직이지 마. 박 상무가 무슨 자료 넘겨줘도 우리한테 먼저 보고해.
	지금 부산에 혼자 떨어져 있는 사람이랑 손발 맞추게 생겼어? 그리고
	사람들한테 자네가 도 대표 학교 선밴 거 자꾸 각인시키지 말라고!
고 상무	뭐 현재 임원 중에 도 대표보다 어린 사람 있나?
정 상무	그래도 학교 직속 선후배 사이는 다르죠. 열패감 들게 보이잖아요.
동훈	…

S#19 —— 호텔 다른 룸 (밤)

윤 상무와 일행들이 있고. 칠판에는 '박동훈(빨간색)' '최도훈(파란색)' 써 있고, 윤 상무가 부하 직원 인터뷰 대상자로 '박동훈' 아래에 송석범 과장을 빨간 펜으로 쓰면서,

윤 상무	백 퍼 저쪽에선 송석범 과장 인터뷰 시킬 거야. (파란 펜으로 바꿔 잡고)
	그럼 우리는… 박동훈 설계 쪽에서 있을 때 사이 안 좋았던 부하 없어?
	죄책감 같은 거 없이 용감하게 나쁜 말 막 해줄 인간… 응?
최 팀장	…
윤 상무	그럼 그냥 총대 메라 그러고, 시켜. (쓰며) 유태석 과장.

S#20 —— 호텔 엘리베이터 (밤)

동훈, 정 상무, 한 상무, 고 상무가 있고.

정 상무	(동훈에게) 부하 직원 인터뷰로 송 과장 괜찮지? 별로 안 길어. 일이십 분?
	자네에 대해서 물어보는 말에 대답하는 수준이니까.

그때 엘리베이터가 중간층에서 멈추는데, 문이 열리면 소곤거리며 올라타려는 윤 상무 일행과 최 팀장(상대 후보). 양쪽 무리들이 서로를 보고는 굳고! 어색하지만 능구렁이들이라

정 상무　이거 되게 골 때리게 됐네. 뭐… 타셔야지 어떡해요?

윤 상무 무리들이 올라타고. 최 팀장은 동훈에게 목례. 엘리베이터 문이 닫히고. 조용히 내려가는데…

정 상무　서울 시내 하고 많은 호텔 중에 여기서 이렇게 부딪히네.
윤 상무　…
정 상무　많이들 연습하셨어요?
윤 상무　뭐… 연습하고 말고 할 게 있나….
정 상무　(웃으며) 진짜 골 때리네…. 어떻게 이렇게 만나냐…
윤 상무　웃지 말고…

정 상무 표정이 떨어지고. 불편하고 어색한 무리들.

S#21 ── 호텔 앞 (밤)

모든 상무들이 말없이 각자 차로 흩어진다. 동훈과 최 팀장이 속속들이 나가는 차량에 대고 인사한다. 그렇게 다 가고 나면, 동훈과 최 팀장만 남고.

동훈　　할 만해?
최 팀장　부장님은요?
동훈　　이 짓도 좀 있으면 끝이다…. / 너랑 나 둘 중에 누가 될 것 같냐?
최 팀장　부장님이요.
동훈　　고맙다.
최 팀장　들어가세요. (돌아서고)
동훈　　가.

동훈이 핸드폰을 꺼내 시간을 보고. 열 시가 다 된 시각.

S#22 —— 사무실 + 호텔 앞 (밤)

송 과장이 핸드폰으로 통화 중.

송 과장   피곤하실 텐데 그냥 들어가세요. 내일 아침에 오시면 보시고 도장만
        찍으시면 되게, 저희가 꼼꼼히 체크해놓겠습니다. 넵!

#호텔 앞: 동훈이 전화를 끊고는 가만. 그러다 결심한 듯 뚜벅뚜벅.

S#23 —— 사무실 (밤)

동훈이 외투를 벗으며 사무실로 빠르게 뚜벅뚜벅 들어오고. 자료를 보던 송 과장, 김 대리,
형규가 동훈을 보고 반가운 얼굴.

송 과장   어? 안 오셔도 되는데.
동훈   두 시간 내로 끝내고 막차 타자!
모두   (신나서) 넵!

동훈이 외투를 대충 던져놓는데, 그때 동훈 앞에 (낱장으로 인쇄된) 두꺼운 진단보고서를 놓
고 가는 지안. 이에 동훈이 흠칫 놀라고. 뭔가 출렁이는 눈빛. 송 과장이 옆으로 슬쩍 와서

송 과장   (조용히) 달라졌어요. "혹시 야근…"까지밖에 말 안 했는데, 바로 "네!" (신기하죠?)

지안은 쳐다보지도 않고 제 할 일만 하고. 동훈은 지안이 놓고 간 보고서를 훑어보는데, 손
만 건성으로 움직이고. 지안을 한 번 더 보게 되고. 그러다 결심한 듯 자리에 앉아서 팔을
걷어붙이고 집중해서 본다.

동훈   (보다가 낱장 빼주며) 구조해석 빠졌다. 이거.
형규   네! (와서 건네준 자료를 자세히 보고)

동훈이 계산된 식이 맞는지, 빨간 펜으로 빠르게 계산해보고. 그런 식으로 점점 뒷장으로 넘어가고.

S#24 — 회사 로비 (밤)

엘리베이터가 열리면, 마구잡이로 쏟아져 나와 달리는 동훈, 지안, 송 과장, 김 대리, 형규. 출입 펜스를 통과하는 중에 김 대리가 핸드폰 시계를 보고, "사 분 전!" 그 말에 모두 죽어라 밖을 향해 내달리고.

S#25 — 회사 근처 (밤)

동훈이 선두로 달리고, 일행들이 뒤에 따라 달리고. 그렇게 달려서 역사로 뛰어 내려가고.

#지하철이 들어오고 있는 컷.

S#26 — 역사 안 (밤)

개찰구를 통과한 동훈, 지안, 송 과장, 김 대리가 플랫폼을 향해 뛰고. 형규는 "내일 뵙겠습니다!" 하며 반대편 플랫폼으로 뛰고.

S#27 — 플랫폼 (밤)

지하철이 멈춰 있고, 문은 열려 있고. 계단을 경중경중 내려가는 동훈과 지안. 닫히기 직전에 올라타는 동훈. 그 뒤에 바짝 붙어 타는 지안. 동훈이 휙 플랫폼을 돌아보면, 안타깝게 못 탄 송 과장과 김 대리는 황망한 얼굴들이고. 김 대리가 동훈에게 엄지를 치켜 보이지만 표정은 좋지 못하고. '뉘뉘….' 동훈이 그제야 돌아보면, 지하철에 지안만 탔음을 알게 되고.

S#28 ── 지하철 안 (밤)

텅 빈 열차에 둘만 있고. 숨도 차고 머쓱해진 동훈.

동훈   달리기 좀 하네.

지안   …

동훈이 아무 데나 앉고, 지안은 조금 떨어진 곳에 서 있는데.

동훈   웬일로 야근을 다 했냐?

지안   말 잘 들으라매요.

동훈   … (피식)

그렇게 있다가…

지안   보고 싶어서 기다렸어요.

동훈   !

지안   …

동훈   (굳은 얼굴로 지안을 보고)

지안   그 눈빛은 뭐지? '왜 또 이러나? 알아듣게 얘기한 줄 알았는데.' 뭐 그런 건가.
         알아듣게 말 안 했어요. 더 좋아하게 만들었지.

동훈   !

지안   사람들한테 물어봐요. 그게 찬 건가. 온갖 멋진 말로 더 좋아하게
         만든 거지. / 걱정 마요. 어디 가서 티 안 내요. 나 가지고 뭐라고 떠드는 지
         다 아는데.

동훈   …

지안   어색해지셨나?

동훈은 가만히 있다가…

동훈	너, 나 왜 좋아하는지 알아?
지안	…
동훈	내가 불쌍해서.
지안	!
동훈	니가 불쌍하니까, 너처럼 불쌍한 나 끌어안고 우는 거야.
지안	…아저씬 나한테 왜 잘해줬는데요?
동훈	!
지안	똑같지 않나?
동훈	!
지안	우린 둘 다 자기가 불쌍해요.
동훈	…

그때 지안이 통로 쪽 문을 힐끗 보는데, 사진을 찍던 남자가 이쪽으로 오고 있다.

지안	따돌린 줄 알았는데… 따라붙으면서 사진 찍는 사람 있었는데, 눈치 못 챘죠?
동훈	!

지안이 그렇게 말하고는 다른 칸으로 가버리고. 남자가 반대편에서 통로 문을 열고 들어오고. 핸드폰을 보는 척하며 지안이 건너간 문 끝까지 와서 옆 칸을 넘겨다본다. 지안이 힐끗 돌아보며 또 문을 열고 한 칸 더 가고. 옆 칸으로 쭉쭉 가는 느낌. 남자는 '어떻게 할까' 하다가 동훈의 대각선 맞은편에 앉아 핸드폰을 하고. 남자가 들어왔을 때부터 그의 동작을 의식하던 동훈, 가만히 있다가…

동훈	저기요. 잠깐 핸드폰 좀 볼 수 있을까요?
남자	!
동훈	!

서로 가만히 보는… 둘의 기 싸움. 남자가 그렇게 동훈을 보다가… 일어나 지안이 건너간 옆 칸으로 가고. 가만히 앉아 있던 동훈도 일어나서 쫓아가고.

S#29 —— 지하철 안 (밤)

동훈이 건너와서 보면, 남자가 또 옆 칸으로 가고. 남자는 지안이 서 있는 칸까지 도착. 남자 뒤를 쫓는 동훈의 발걸음이 빨라지는데, 남자가 지안을 그냥 지나쳐 옆 칸으로 가고. 동훈은 지안을 지나쳐 몇 발자국 더 남자를 쫓다가… 남자가 쭉쭉 멀어지는 걸 보고는 지안의 옆으로 바짝 다가가 선다.

지안　　!

동훈은 다시 한번 그놈이 건너간 곳을 보고. 나란히 서서 밖을 보는 두 사람.

S#30 —— 정희네 앞 (밤)

상훈, 제철, 권식, 진범이 나와 서고. 정희는 퇴근 차림으로 문을 잠그는데, 상훈이 어딘가를 보고 멈칫하는 눈빛. 뒤늦게 제철과 일행들이 그곳을 보면, 동훈과 지안이 오고 있다.

제철　　이제 오냐? 우리 파장했는데.

그러다 다들 지안을 보고는 '누군가' 싶은 표정들.

동훈　　회사 여직원. 야근하고 지금 끝나서. 데려다주느라고.

지안과 일행이 서로 목례. 정희만 반갑게 인사.

정희　　안녕하세요. 우리 동훈이가 회사를 다니긴 다니는구나. 여직원도 있고.
권식　　어디 사시는데?
동훈　　저기 안안초등학교 뒤에.
권식　　거긴 데려다줘야지. 거긴 외져서 쫌 그래.
상훈　　…갔다 와. 기다릴게.
지안　　됐어요. 혼자 갈게요. (가려는데)

Episode 12

정희　(앞장서며) 같이 가자. 신난다. 멀리 간다. (일행에게) 같이 가요.

무리들은 애매하게 있다가 정희를 쫓아가고.

동훈　기훈인?

상훈　약속 있다고 일찍 갔어.

S#31 ── 동네 일각 (밤)

무리들이 앞장서 가고. 지안이 뒤따르고.

제철　난 우리 회사 여직원 우리 동네 사는 거 퇴사하고 알았다. 어떻게 그렇게
　　　　철두철미하게 숨어 다녔나 몰라. 전철에서도 한 번을 못 봤어.

진범　상사가 그렇게 싫은 거야. / 역에서 안안초등학교 가려면 이 길이 지름길인데,
　　　　상사 단골집 있는 거 알았으니 이제 뼁 돌아가겠네요. 골치 아프겠어요.
　　　　얼루 다녀야 되나….

권식　그냥 뛰어가요. 부딪히면 쌩 까고. 역에서 거기 가는 데 딴 길 없어.

상훈　우리 동훈이가 부딪히면 피해 갈… 그 정도는 아니다….

제철　세상 모-든 부장들은 다 미친놈, 개놈, 죽일 놈이야. 아닌 놈이 없어. 그죠?
　　　　(부하 입장, 상사 입장 번갈아가며) 그냥 혼자 가도 된다는데, 이 미친 부장 놈이
　　　　오바를 해요. 그래도 또 우리는 그게 아냐. 야근까지 시켰는데.
　　　　택시비 주면 되잖아? 돈은 또 안 줘요. 동훈아, 왜 그르니.

정희　택시는 안전해?

제철　애(동훈)는 안전해?

정희　애(동훈)는 안전해.

동훈　그만해라. 이래서 싫어하는 거야.

제철　(지안에게) 미안해요. 술 좀 해서.

정희　…동훈이 앤 안전해. 내가 옛날에… 내가 여기서 또 옛날 애길 합니다.
　　　　옛날에 애랑 그 새끼 찾아서 보름 동안 전국 팔도 절이란 절은 다 뒤지고
　　　　다녔는데… 아-무 일이 없었어. 남녀가 보름을 같이 숙식을 했으면,

뭔 일이 있어야 되는 거 아냐? 어떻게 아무 일도 없니. 지금 생각해도 참 신기해. 이십 대였는데. (순간 욱해서 동훈을 가로막고) 나쁜 놈의 시키. 어디 있는지 다 알고 있었으면서! 보름을 뺑뺑이 돌리냐?

동훈이 정희를 피해서 가고. 정희는 지안에게 다시 가서

정희   우리도 아가씨 같은 이십 대가 있었어요. 이렇게 늙을 생각하니까 끔찍하죠?

다들 피식거리며 걷는데, 잠잠히 따라가던 지안.

지안   전 빨리 그 나이 됐으면 좋겠어요. 인생이 덜 힘들 거잖아요.

그 말에 모두 멈춰서 지안을 돌아보는. '너 지금 인생이 힘들구나. 우리도 그렇게 안 힘들지는 않단다'라는 시선으로 멈춰 있다가, 이내 정희가 다가와 지안의 팔짱을 끼고 앞장서 가면… 무리들도 따르고…

S#32 ── 지안 집 근처 계단 아래 (밤)

진범과 권식이 직진해서 가고.

상훈   제수씨한테 고맙다고 그래!
권식   (손을 흔들며 가고) 들어가.
상훈   (계단을 오르며, 동훈에게) 쟤네 이사 간 빌라, 계단 청소 들어왔어. 네 개 동이야. 팔만 원씩 월 삼십이만 원.
제철   햐… 노 났네. 저 자식, 나 때는 영업 안 해주고.
상훈   제수씨가 날 좋아해.
제철   붕….

S#33 — 지안 집 앞 (밤)

정희가 풍경을 내려다보며,

정희   하… 공기 좋다… 좋은 동네 사네….

하고 돌아보면, 제철이 지안의 현관문을 잡아 흔들어보고는 나오며

제철   주인한테 문 바꿔달라고 해요. 잡으면 그냥 뜯어지겠네.

상훈   (어딘가를 향해 소리 지르는) 철용아! 문철용!

잠시 후, 좀 떨어져 있는 한 집의 창문이 열리는데, 12화 2신에서 총무 역할을 하던 후배.

후배   예 형님! 이 밤에 어쩐 일이세요?

상훈   (지안을 가리키며) 동훈이 회사 직원인데, 여기 산대!

　　　　　이상한 놈들 기웃대나 잘 봐!

후배   네에!

동훈   자라!

후배   네에! (꾸벅) 조심히 들어가세요.

상훈   어! (돌아서며 지안에게) 들어가요.

제철   (반대편으로 넘어가며) 난 이쪽으로 넘어가는 게 빨라. 가.

서로들 인사하고, 동훈이 상훈 뒤에 따라붙는데,

지안   감사합니다!

동훈이 웬일인가 싶어 돌아보는데, 다른 이들은 대수롭지 않게 여기며

상훈   들어가요. 또 봅시다. (가고)

정희   우리 가게 놀러 와요. 아까 거기 정희네. (손 흔들며 가고)

동훈　(지안을 보다가) 들어가. 문단속 잘 하고. 무슨 일 있으면, 저기, 문철용 부르고.

동훈이 가면, 지안은 돌아가는 세 사람을 보고….

S#34 — 동네 일각 (밤)

되돌아가는 길. 조금 전과 달리 말없이 걸어가는 상훈, 동훈, 정희. 정희 얼굴이 잠잠하고…

정희　생각해보니 그렇다… 어려서도 인생이 안 힘들지는 않았어….

묵묵히 걸어가는 동훈의 표정.

S#35 — 영화사 편집실 (밤)

어두운 실내.

[INS] 촬영 화면: 직장 회식 자리. 유라는 얼추 취했고, 옆에는 또래 여직원들. 유라는 기진맥진해서 "내가 왜 맨날 아픈지 알아? 싫어하는 사람이 너무 많아. 생각해봤어. 내가 안 아플 때. …사랑할 때. (돌변해서 일어나 저 멀리 어디쯤 앉아 있는 부장에게 폭발하듯) 그래서 내가 오늘부로 널 사랑하기로 했다, 이 씨배렐렐 부장 새꺄!" 주변 여직원들이 기겁해서 유라를 잡아채어 앉히는데, 유라는 계속 "참으로 거룩한 순간이다! 증오를 사랑으로 승화시키고!"

화면을 보고 있는 기훈. 옆에는 편집 기사가 있고.

편집　애가 원래 살짝 똘끼가 있잖아. 그래서 처음엔 잘 어울린다, 잘한다 싶었는데…
　　　　뒤로 갈수록 애가…

[INS] 유라가 책상에 앉아 부장을 노려보는 눈빛으로 "어차피 지 처먹고 싶은 거 처드실 거면서 메뉴는 왜 맨날 처묻고…" 하면, 화면 밖에서 들리는 감독 소리. (E) 컷. 야… 그걸

Episode 12

그렇게 하냐….

편집 기사가 다른 신으로 툭툭 넘기는데, 감독이 지적하는 소리가 계속해서 들리고.

편집 갈수록 완전히 얼어서… 눈빛 봐….

기훈 …

편집 어제 온다더니…

기훈 바빴어요….

[INS] 감독의 구박에 얼기 시작하는 유라의 눈빛이 화면 가득 보이고.

이를 보는 기훈은 마음이 안 좋고.

S#36 — 영화사 편집실 앞 (밤)

기훈이 씁쓸한 얼굴로 담배를 비벼 끄는데, 편집 기사는 옆에서 통화 중이고.

편집 어. 알았어. (전화 끊고) 안 감독 요기 감자탕집에 있대. 가자.

기훈 …슬프다. 나 같은 인간이 또 하나 있다는 게.

편집 (이쪽으로) 얼른 가. 일어나기 전에.

기훈 …그냥 갈랍니다. (힘없이 다마스 쪽으로)

편집 뭐야…? 안 감독 잡으러 안 가?

기훈 … (그냥 가고)

편집 뭐야. 간만에 싸움 구경 좀 하나 했더니. …어어? 진짜 그냥 가? 잡아 죽인대매?

기훈이 다마스에 오르고.

#운전해서 가는 기훈의 덤덤한 얼굴.

S#37 — 형제 청소방 앞 (다음 날, 낮)

상훈과 기훈이 청소 도구와 약품을 다마스에 싣고 있는데, 유라가 집에 있다 나온 듯 초췌한 몰골로 기훈에게

유라 나 납치해주면 안 돼요? 그만두는 건 쪽팔리고. 자신 없어서 도망친 인간으로
        낙인찍히는 건 못 견디겠어요. 한 육 개월만 나 납치해주면 안 돼요?
        내가 부탁했다는 건 죽을 때까지 비밀로 하고.

기훈 (OL로 청소 도구를 툭 놓고) 너 그냥 나랑 청소할래?

유라 진심으로 하는 말이에요.

기훈 나도 진심으로 하는 말이야. 너 맨날 여기 와서 징징대고 빌빌대다가
        나랑 눈 맞아서 결혼해. 무섭지 않냐?

유라 난 여기서 감독님한테 납치당해서 애를 낳아도 상관없어요!
        이것만 피할 수 있으면!

기훈 애를 낳는 그 심정으로 가서 죽기 살기로 싸우고 버텨! 개겨! 그건 왜 못 하는데!

유라 …그냥 납치해주면 안 돼요?

기훈 (돌아버리겠다. 그냥 차에 오르려고 문을 여는데)

유라 (절박한 심정으로) 내가 지금 심장이 어떻게 뛰는지 알아요~?

기훈 (다시 문을 쾅 닫으며) 그냥 때려쳐! 한 번이면 내가 그러려니 한다.
        두 번이면 너한테도 문제 있는 거야. 니 간땡이가 원래 고만한 거야.
        그릇이 안되는 게, 크게는 되고 싶고! 욕 처먹을 그릇은 안 되고! (유라를 밀며)
        때려치고, 알아서 살어. 여기도 오지 마 씨이. 남의 영업장에 와서 맨날
        징징대고. 기분 잡치게.

문을 잠그고 운전석에 올라타 앉아 있던 상훈이 안 되겠다 싶어서 내리는데, 유라는 삶의 어떤 끈도 없는 사람처럼 뚜벅뚜벅 가고.

상훈 못 봐서 안달일 땐 언제고. (괘씸한 눈빛으로 운전석에 오르는)

#걸어가는 유라.

S#38 ─ 기범의 거처 혹은 PC방 + 사무실 일각 (낮)

기범이 컴퓨터 화면을 보며 다급히 통화 중.

기범   야, 감사실 메일에 떴어. 박동훈이랑 니 사진.

[INS] 컴퓨터 화면: 봉애를 업은 동훈 사진, 동훈과 지안이 나란히 걷는 사진, 10화에서 지안이 고백했을 때 동훈이 때리던 사진 등등.

지안   ! (통화) 지워. 당장 지워. 읽기 전에 얼른 지워.
기범   지웠어. / 이쪽에서 받았다는 확증 있을 때까지 계속 보낼 텐데 어떻게 해?
지안   메일 열어놓고 지키고 있어.
기범   언제까지?
지안   …기다려.

지안이 전화를 끊고 생각 중. 한쪽을 보면 동훈이 송 과장과 있고. 송 과장은 제본된 안전진단보고서(총 다섯 권)에 제출문 부분을 펼쳐 잡고 있고. 동훈이 '구조기술사 박동훈' 옆에 도장을 찍고….

송 과장   영광입니다. 부장님을 상무님으로 만드는 인터뷰에 제가 다 들어가고.
동훈   쪽팔리게 괜히 펌프질하지 마. 묻는 말에 간단하게만 답해.

지안이 핸드폰에서 강윤희를 찾고. 통화 버튼을 누르고. 동훈은 지안이 나가는 걸 슬쩍 보고는, 다시 도장을 찍고….

S#39 ── 윤희 사무실 (낮)

울리는 핸드폰을 가만히 보는 윤희.

S#40 ── 병원 병실 (낮)

회장은 '상무 후보'라고 찍힌 동훈과 최 팀장의 인적사항 두 장을 검토 중이고, 옆에는 왕 전무와 준영이 있다. 회장의 안색이 10화보다는 호전된 상황.

회장   박동훈이 왕 전무가 미는 사람인가? 최도훈이 자네(도 대표)고?

왕/준   (긍정의 표정)

회장   이 사람들… 앞으로 안 볼 사람들도 아닌데, 양쪽 다 적당히 해.

준영   그래도 검증이라는 공식적인 절차에 맞게…

회장   (OL) 둘 다 십 년 넘게 우리 회사에 일해왔는데 모르는 게 뭐 있어? 괜히
        감정 상하게 해서 하나라도 나가게 하지 마. 둘 다 아까워. / (다시 당부하듯)
        적당히 해.

준영   …네.

왕 전무   (여유롭지만 뼈 있게) 적당히 하면… 답이 너무 보여서요.

준영   (부드럽지만 뼈 있게) 저, 임원 중에 제일 어렵니다. 짬밥순, 이제 그런 거
        없지 않나요?

왕 전무   (정색) 누가 짬밥순이래? 실력순 얘기한 거야.

회장   (정색) 왜 이래?

왕 전무   …

회장   이럴 거야?

준영   …

S#41 ── 엘리베이터 안 (낮)

밖이 보이는 통유리 엘리베이터가 쭉쭉 올라가고. 굳은 얼굴로 서 있는 준영.

S#42 —— 옥상 야외 공원 (낮)

준영이 엘리베이터 쪽에서 나와 누군가를 찾는 듯 두리번거리고. 가다 보면 윤희가 보이고. 윤희에게 다가가는 준영.

윤희	…동훈 씨랑 다 말했어.
준영	!
윤희	내가 이제 동훈 씨한테 못 할 말이 뭐니. 너, 그 애 데리고 했던 짓, 다 말하면 넌 끝이야. 그래도 한때를 생각해서 거기까진 말하진 않을 테니까, 조용히 그만둬. 스캔들? 미쳤니? 내가 머리 박고 죽고 싶어. 너 같은 애를 좋아했다는 게 너무 창피해서.
준영	나만 나빴어? 너랑 결혼하려고 벌였던 짓이야.
윤희	웃기지 마. 너 나랑 결혼할 마음 없었어. 그리고 나랑 끝났으면 그만둬야지, 왜 계속 동훈 씨 망치려고 들어? 순전히 니 욕심 때문이면서….
준영	헤어졌다고 이렇게 말해? 이렇게 다 내 탓으로 몰면 마음이 좀 편해?
윤희	그만두라고! 동훈 씨 망치는 짓! 나 하나 망가진 걸로 모자라서 동훈 씨까지 니 손에 망가지는 꼴 못 봐!
준영	!

그때 지안이 다가오고.

준영	!
윤희	확실히 해두려고 불렀어.

지안이 가까이 오자…

윤희	너, 이 사람이 시킨 짓, 그만해. 동훈 씨 근처도 가지 마. 그리고 회사 그만둬.
지안	지금 그만두면 박동훈이 불리할 텐데. 내 문제 안고 가서 정면 승부 보시겠다는데.
윤희	…무슨 문제?
지안	벌써 좀 했거든요.

윤희   뭘 해?

지안   …

윤희   똑바로 말 안 해?

지안   왜요? 잤을까 봐요?

윤희   !

지안   웃기려고 그러네. 자기는 별짓 다 해놓고.

윤희   (떨리는데)

지안   회사에 소문 다 돌았어요. 나랑 박동훈이랑 그렇고 그런 사이라고. 사진도 찍혔고.

윤희   무슨 사진? 무슨 짓을 했길래 그런 소문이 돌아. 왜?

지안   … (대답이 없고)

윤희   너, 애랑 동훈 씨 그렇게 몰아가는 순간, 난 다 말할 거야. 너랑 바람 핀 거.
애 니 사주받고 동훈 씨한테 일부러 접근한 거. 박 상무 잘라낸 거.
다 말할 거야. 다 말하기 전에 당장 그만둬. (지안에게) 그만둬.

지안   (준영에게) 어떡할까요? 다 써버려서 돌려줄 돈도 없고.

준영   (빙긋이 보는) 어떻게 하고 싶은데? 내가 그만두라면 그만둘 건가?

윤희   !

지안   (준영에게) 그만두죠. …대외적으론.

준영   (그럴 줄 알았다는 표정)

윤희   (준영과 지안의 표정을 살피고) 무슨 소리야?

지안이 그냥 돌아서 가고.

준영   니가 나 생각해줘서 동훈 선배한테 쟤 존재 오픈 못 해? 어떻게든 살아보려고
하는데 쟤 존재까지 알고 있었다는 거 들통나면 선배한테 완전히 팽 당할까 봐
못 하는 거지? 니가 제일 비겁해!

윤희   내가 너 같은 쓰레긴 줄 알아? 어차피 우리 못 살아. 동훈 씨하고 나,
우리가 지금 어떤 지옥을 살고 있는 줄 알아? 자기가 경멸하는 남자랑 놀아난
아내가 있는 집구석에 들어와야 되는 동훈 씨도 지옥이고! 그런 동훈 씨
증오 참아내야 하는 나도 지옥이야. 다만, 동훈 씨가 그렇게 경멸했던
너 때문에, 너 때문에 자기 가정이 파괴된 것처럼은 안 보이게!

준영	(욱 치받지만 꾹 참고)
윤희	욕하면 욕먹고, 구박하면 구박받고, 그 사람 증오 다 받아내다가,
	너 때문에 헤어지는 게 아니고, 나 때문에, 나에 대한 애정이 하나도 남아 있지
	않아서 헤어지는 걸로, 그렇게 생각할 수 있을 때까지 기다려주는 게… 그게…
	내가 동훈 씨한테 해줄 수 있는 마지막이야.
준영	…
윤희	…이게 내가 한때… 바보같이 널 좋아한 대가고… 동훈 씨 배신한 대가야….

준영은 불쾌하고 씁쓸하고. 헛웃음 지으며 그냥 가다가 돌아서서,

준영	박동훈 주변 여자들은 왜 다 이 모냥 이 꼴이냐?
윤희	!
준영	(비아냥) 쟤가 작전으로 박동훈한테 접근한 것 같애?
윤희	!
준영	나도 쟤한테 속았어.
윤희	!
준영	(열 받은 얼굴로 가고)

S#43 — 달리는 차 안 (낮)

준영이 기사가 운전하는 차 뒷좌석에 앉아서 통화.

준영	감사실에 전화해서 감사실로 들어오는 익명 제보 같은 거,
	하나도 풀지 말라고 하세요. 회장님 지시라고. 깔끔하게 가라는.

신경질적으로 전화를 끊고.

S#44 ── 윤희 차 안 + 거리 일각 (낮)

윤희는 차 안에서 떨리는 눈물을 삼키고. 진정하고 통화한다.

윤희　　너… 진짜 동훈 씨 좋아하니?

지안　　네.

윤희　　(확 눈물이 터지지만 이내 진정하려 하고) …어쨌든 고맙다. 먼저 전화해줘서. 고마워.

전화를 끊는데 눈물이 쏟아지고.

S#45 ── 지안 집 앞 (밤)

지안이 무심한 얼굴로 걸어오는데, 광일은 거하게 취한 얼굴로 쪼그려 앉아서 그런 지안을 보고. 대문은 열려 있고. 지안도 광일을 보고 멈추고.

광일　　할미니 언다 숨겼냐?

지안　　이제 나 볼 일 없을 텐데.

광일　　(비웃는) …보고 싶어서 왔다. …넌 나 안 보고 싶었냐?

지안　　…그 얘기하는데 몇 년이 걸린 거니?

광일　　…

지안　　너도 니 아빠랑 하나 다를 거 없는 쓰레기야. 보고 싶어 미치겠는데,
　　　　　볼 핑계는 없고, 어떻게 봐야 되나, 그냥 가서 패버릴까….

광일　　미친년… 보고 싶어서 때렸겠냐? 미워서 때렸지. 울 아버지 죽인 년…
　　　　　미안하단 말 한마디 안 하는 년… 죽도록 미워하는 게 맞지 씨이….

지안　　그래서 미운 마음 풀리디?

광일　　… (잠잠해지며) 여기 올라오는 길… 옛날 그 언덕길 닮았다.
　　　　　울 아버지한테 맞고 정신 잃은 너 업고 오르던 그 길….

지안　　…!

후배(철용)의 집 창문이 조용히 열린다. 가만히 지켜보는 후배.

Episode 12

광일   마음이 왔다 갔다 한다. 죽여버릴까… (눈물 차오르며) 그냥 내가 죽어버릴까….

광일, 지안, 가만히 있고. 후배는 여전히 지켜보고 있고. 그렇게 있는 세 사람의 모습에서.

S#46 ── 형제 청소방 외경 (낮)

S#47 ── 형제 청소방 (다음 날, 낮)

상훈이 약품을 섞고 있고, 요순과 기훈은 걸레를 너는데

요순   동훈이 승진 결과는 언제 나온대?

기훈   우리도 몰라요.

요순   애 목소리가 힘이 없는 게… 뭔 일 있나… 물어보기도 뭐하고….

기훈   자꾸 전화하고 그러지 마요. 그깟 상무가 뭐라고 애달복달….

요순   누가 나 좋자구 그래? 안 되면 걔 실망할까 봐 그러지!

기훈   형은 엄마가 실망할까 봐 스트레스 받는다고요! 형한테 관심 좀 끊어요 좀!

요순   …넌 왜 얼굴이 별로야? 아침밥 잘 처먹고?

외면하고 일만 하는 기훈. 상훈이 약품을 챙겨서 밖으로 나가고.

S#48 ── 정희네 (낮)

요순이 주방 안쪽에서 신문지 펼쳐놓고 파를 다듬고 있고. 정희는 이제 일어난 듯 차를 마시고,

요순   뭐 있는데 나한텐 말을 안 하는 거 같애. 그것들 어려서부터 한 놈이 뭐 안 좋은
일 있으면, 셋 다 같이 기분 안 좋았는데… 동훈이한테 뭔 일이 있나….
어제 통화하는데 목소리도 그렇고.

정희   동훈인 아무 문제없어요.

요순   (그럼? 하는 눈빛)

정희	기훈이가 여자랑 좀 안 좋은 것 같애요.
요순	!
정희	걔 좋아하는 여자 있어요.
요순	(처음 듣는 얘기) …청소하는 것도 알아?
정희	알아요. 모른 척하세요.
요순	…(여자) 어떤데?
정희	… (수건 들고 화장실 쪽으로) 모르겠어요.
요순	…별로야?
정희	기훈이랑 어울려요. (화장실로 들어가고)
요순	…많이 이상해?

S#49 ── 도로 일각 (낮)

상훈이 운전 중이고, 기훈은 항의 전화를 받고 있는 듯 통화 중이고.

기훈　청소했어요. 아주머니, 거기 일 층에 청소한 시간 날짜 다 체크돼 있잖아요.
(사이) 안 했으면서 했다고 일부러 거기까지 가서 체크를 해요?
그 시간에 청소하고 말지?

저쪽에서 전화를 끊은 듯 기훈이 신경질적으로 핸드폰을 놓는데, 좌회전 신호가 끝물이다.
상훈이 속도를 내기 시작하고. 이미 주황불로 바뀌었는데.

기훈　서라. 스라고 했다아. / 그래! 또 자빠져 씨이!

상훈은 안 되겠다 싶은지 막판에 브레이크를 급히 밟는데, 끼익 소리와 함께 멈추면서 뒷바퀴 두 개가 바짝 들리고. 마치 다마스가 코 박고 멈추는 것 같은 형상. 기훈은 욕이 나오고, 상훈은 기겁하고. 들렸던 뒷바퀴가 착지하고. 주변 사람들은 기이한 광경을 본 듯 눈이 휘둥그레. 기훈이 차에서 내려 문을 쾅 닫고, 폭발하기 직전인 듯 머리를 잡고 왔다 갔다 하다가, 상훈이 내려서자 한 대 칠 듯이 뚜벅뚜벅 다가가는데,

상훈   (뒷걸음질 치면서도 악을 쓰는) **니가 스래매-?**

올기 직전인 기훈은 그냥 돌아서 가버리고.

상훈   **어디 가 임마!**

기훈은 그냥 서럽게 뚜벅뚜벅.

⟨ *Cut to* ⟩

통화하며 가는 기훈.

기훈   **안 감독 그 새끼 지금 어딨냐?**

S#50 — 좌식 식당 (낮)

문소리에 편집 기사가 밥 먹다가 말고 눈동자를 굴려서 보는데, 기훈이 들어와 안 감독 옆에 팍 앉고. 옆에 있던 사람들은 어쩔 수 없이 사이를 벌려주고.

기훈   설마설마했다. 진-짜 설마설마했다…. 나 같은 놈이 또 있을 줄 몰랐다.

안 감독   (애매한 웃음. 최유라 때문이구나….)

기훈   한번 안아줘도 되냐? 내가 눈물 난다. 나 보는 거 같아서.

안 감독   뭐… 그렇게까지….

기훈   우리 그러지 말자, 응?

안 감독   (무슨 말인가 싶은 눈빛)

기훈   괜히… 애 잡고 그러지 말자. 너 왜 그러는지 안다고! 진짜 안다고, 나는!

안 감독   아니 애 연기 어떤지 뻔히 다 아시는 분이…

기훈   아니! 더 깊이 내려가봐! 내가 너한테 무슨 말을 하고 있는 건지. 다 안다고!

안 감독   (성질나기 시작하는) 아니 뭘 알아요?

기훈   너하고 나만 알아. 우리가 얼마나 치사한 새낀지.

안 감독   !

기훈   몰랐는데 연기 시켜보니까 알겠지? 니 시나리오 완전 구린 거. 다들 그래.

종이에 쓴 거 볼 땐 몰라. 찍다 보면 감 와. 망했다. 그딴 글 갖고 전도연 데리고

오면 뭐 달라질 줄 아냐?

안 감독   (수저를 상에 내팽개치며) 에이 나 진짜…

기훈   (OL) 애 하나 잡아 족쳐서 빠져나갈 생각 말고 그냥 찍으라고!

사람들이 말리기 시작하고, 기훈은 사람들에게 잡힌 와중에도

기훈   너 그러다가 내 꼴 나 새꺄!

S#51 — 유라네 (밤)

유라가 초췌하게 바닥에 앉아 있고, 기훈도 한쪽에 있고…

기훈   십 년 전에… 너랑 찍던 그 영화… 찍으면서 알았어…. 망했다… 큰일 났다….

찍어서 걸면 백 프로 망하고, 난 재기도 못할 것 같았어. 난 그냥… 어쩌다

천재로 추앙받은 거라는 거 알았어. 근데, 천재이고 싶었어.

천재로 남고 싶었어. 다시는 영화 못 찍고 굶어 죽어도… 천재로 남고 싶었어.

그래서 니 탓하기로 한 거야. 내가 구박하면 할수록, 니가 벌벌 떨면서

엉망으로 연기하는 거 보면서, 안심했어.

유라   (울컥)

기훈   더 망가져라… 더 망가져라…. 그래서 이 영화 엎어지자. 내가 무능한 게

아니고 쟤가 무능한 거다. / 반쯤 찍은 거 보고, 제작사가 엎자고 했을 때…

안심했어.

유라   (눈물 줄줄)

기훈   (흥분하기 시작) 사내새끼들도 치사한 게, 당할 애 알아봐. 조지면 망가질 애

알아본다고. 너, 찍혔어. 그 새끼한테 희생타로 찍혔어. 왜 거기에 찍혀 씨이!

조지면 대들어! 바락바락 대들고, 그냥 확 물어버려! 니가 그때 나한테 대들고,

나 찍어 눌렀으면, 나도 이 지경까진 안 왔어. 너한테 그렇게 하고, 치사빤스

같은 내가 너무 싫어서, 그냥 스스로 알아서 망가져 산 거야. 망가지자, 벌주자,

치사한 박기훈 새끼. 그래서 여기까지 굴러왔다고!

유라　(눈물 줄줄) 어이없어라. 지금 내 탓하는 거예요?

기훈　…

유라　…

기훈　(일어나고) 앞으론 너한테 뭐라고 하는 새끼들, 그냥 다 죽여. 뒤는 내가 책임질게.

유라　…

기훈이 나가고. 문이 쾅 닫히고. 가만히 있는 유라.

S#52 ── 유라네 앞 (밤)

기훈이 유라네 빌라에서 나와 가고… 유라는 앉아서 여전히 눈물만 흘리고…

S#53 ── 정희네 (밤)

기훈이 자괴감에 빠져 조용히 있다가 상훈에게…

기훈　형… 나는 있잖아. 세상에서 내가 제－일 싫고. 내가 제일… 좋아.

상훈　난 그냥 내가 제일 좋은데….

기훈　…내가 그래서 형을 좋아해.

S#54 ── 정희네 앞 (밤)

유라가 택시에서 내려, 한판 할 듯 눈물 콧물 흘리며 전투적으로 슬리퍼 질질 끌면서 오고.

S#55 ── 정희네 (밤)

유라가 문을 확 열어젖히고 들어와 서고. 기훈이 일어나서 벽에 휴지를 뽑던 자세로 유라를 보고. 유라가 기훈에게 다가가 뺨을 가열차게 날리고. 모두들 어안이 벙벙해 보고 있는데. 유라가 씩씩대며 기훈을 보다가, 기훈의 허리를 확 끌어안고, 뒤로 다다다 벽으로 밀어붙이고. 그렇게 기훈의 허리를 끌어안고 대성통곡. 사람들은 머쓱해서 그냥 외면하고. 조용히 팝콘만 집어 먹고.

S#56 — 정희네 앞 (밤)

기훈은 불쌍하게 쪼그려 앉아 있고, 그 옆에 바짝 붙어 함께 쪼그려 앉은 유라.

기훈　먼저 차면 죽여버린다.

유라　나도 감독님이 먼저 차면 죽여버릴 건데.

기훈　나 청소부야. 넌 여배우고. 백 퍼 니가 먼저 차. …진짜 먼저 차지 마라.

유라　서로 먼저 차지 말기. (새끼손가락 내밀고) 약속.

유라가 기훈의 손을 가져가서 자기 손가락에 걸고.

유라　결혼은 힘들 거예요.

기훈　나 그 정도로 양심 없진 않다.

S#57 — 정희네 (밤)

문밖을 의식하는 무리들….

상훈　쟤넨 무슨 남녀 사이에 기승전결이 없냐.

정희　남녀 사이에 기승전결은. 네 단계씩 빼는 것들은 초짜들이지.
　　　　남녀는 시작과 동시에 끝이 한 방에 들어와.

상훈　오… 그래서… (뭔가 말하려다가 말고)

정희　(노려보는) 왜애. 끝까지 말해봐.

상훈　미안해…. (마시고)

Episode 12

정희   (혼잣말처럼) 알고 있었던 것 같기도 해. 이렇게 될 거. 근데… 자꾸…

이게 또 끝은 아닐 것 같단 말이지….

상훈   …

정희   그냥 그렇다고. (쓸쓸하게 마시는)

S#58 ── 요순 집 거실, 주방 (밤)

요순이 검은 콩이 담긴 바가지에 물을 채우는데, 기훈이 개선장군처럼 문을 빵 차고 들어와

기훈   엄마! 나 여자 생겼어.

요순   (같잖게 보다가) 도시락은?

기훈   (뒤따라 들어오는 상훈에게) 도시락?

상훈   니가 갖구 와 임마. (방으로)

기훈   씨이…. (도로 밖으로 나가고)

요순   (콧방귀 뀌며 행주질)

S#59 ── 정희네 (밤)

문소리에 돌아보는 정희, 제철, 진범, 권식. 동훈이 들어오고.

정희   늦었네. 형제들은 갔는데.

제철   일찍 왔으면 재밌는 거 보는 건데. 안타깝다 야.

동훈   (핸드폰을 주방 쪽에 있는 충전기에 꽂으며) 뭔데?

S#60 ── 정희네 앞 (밤)

동훈은 제철이 전해주는 기훈과 유라의 얘기를 웃으며 듣고, 옆에서 진범과 권식은 거들고.
동훈은 얘기를 들으며 자꾸 이쪽저쪽을 본다. 지안을 기다리는 듯.

S#61 —— 정희네 (밤)

정희가 주방 안에서 일하는데, 충전기 꽂혀 있던 동훈의 전화가 울리고.

정희　　(밖을 향해) 동훈아! 전화!

동훈은 못 듣고, 정희가 젖은 손을 닦고 동훈의 핸드폰을 들고 뛰어나가려는데, 액정을 보니 발신자가 겸덕! 잠시 후 벨소리가 끊기고. 이어 들어오는 카톡. 보면 '삼안이앤씨'라고 인쇄된 볼펜 사진. 사진을 보낸 상대방 이름도 겸덕이고. 이어 들어오는 문자.

[내 방에 주인 잃은 펜 하나. 너 보는 것 같다.]

가만히 있는 정희. 이어서 문자가 들어온다.

[자냐?]

정희가 그 글에 조용히 답한다.

[술 마셔.]

이어서 들어오는 문자.

[회사 사람들이랑?]

정희는 가만히 있다가 '아니'라고 써서 보내고, 이어서 '정희랑'이라고 써 보내는데, 답이 없다. 다시 문자를 찍는 정희.

[정희 생각은 나냐?]

정희는 가만히 기다린다. 답이 없다가 한참 후에…

[생각은 무슨…]

정희는 조용히 마음이 무너지고… 그만하려는데…

[봤어. / 저번주에. / 너 데려다주면서.]

그대로 굳는 정희. 이어서 들어오는 문자…

[그대로더라…]

S#62 —— 정희네 화장실 (밤)

밖에선 왁자한 소리가 들리고. 정희는 숨죽인 채 눈물만 줄줄. 한두 해 울었던 게 아니기에 일그러짐도 소리도 없이 그저 눈물만 줄줄줄.

S#63 — 회사 대회의실 (다음 날, 낮)

'임원 인사위원회 / 상무 후보 동료 인터뷰'라고 문에 붙어 있고. 위원회 사람들(상무들 포함)이 속속 모여드는데.

S#64 — 윤 상무 방 (낮)

윤 상무가 조용히 유태석을 다그치고, 유태석은 별로인 얼굴.

윤 상무　　그냥 무조건 나쁜 말만 하라고. 그게 뭐 어려워? 니들 맨날 술 마시고
　　　　　　　담배 피면서 상사 뒷담화 잘하잖아. 그대로만 하라고.

유태석　　⋯ (그래도 껄끄러운 얼굴)

윤 상무　　(말이 안 통하는 것 같아 괘씸하고) 박동훈 제대로 못 까면, 알아서 해!

윤 상무가 확 나가고, 유태석은 난감하고 짜증 나는 얼굴이고.

S#65 — 회사 대회의실 (낮)

위원회 사람들이 자리에 앉는데, 윤 상무는 뚱한 얼굴로 동료 인터뷰 명단에 '유태석'이라는 이름을 가만히 보다가⋯ 그 이름을 쓱쓱 지우고, 다른 이름을 쓰고는 그 종이를 들고 위원장에게 가고.

윤 상무　　저희 동료 직원 인터뷰를 바꿀까 하고요.

그 종이를 보는 위원장.

⟨Cut to⟩

양쪽 진영 간의 거친 언쟁.

정 상무 (종이 던지며) 이게 뭔 개수작이냐고요!

윤 상무 부하면 됐지, 파견직은 안 된단 규정 있어요? 왜요? 뭐 꿀리는 거 있어요?

S#66 ─ 사무실 (낮)

#인사팀 직원이 지안의 이력서를 보며 걸어오고.

#지안은 자리에 앉아 일하고 있는데, 그때 인사팀 직원이 들어와

직원 이지안 씨!

지안 !

직원은 이지안이 누군지 몰라 이력서의 사진을 보며 사무실을 둘러보다가 지안을 발견하고,

직원 이지안 씨?

지안 !

직원들 '무슨 일인가' 싶어서 모두 지안을 보고.

S#67 ─ 회사 복도 (낮)

지안이 직원과 함께 대회의실을 향해 걸어가고.

S#68 ─ 사무실 (낮)

동훈이 자료를 보며 들어오는데, 송 과장이 난감한 얼굴로

송 과장 저기….

동훈 …?

S#69 — 회사 대회의실 (낮)

열댓 명 되는 위원회 사람들 앞에 앉아 있는 지안.

지안　배경으로 사람 파악하고, 별 볼 일 없다 싶으면 빠르게 왕따시키는
　　　　직장 문화에서, 스스로 알아서 투명인간으로 살아왔습니다. 회식 자리에 같이
　　　　가자는, 그 단순한 호의의 말을… 박동훈 부장님한테 처음 들었습니다. 박동훈
　　　　부장님은, 파견직이라고, 부하 직원이라고, 저한테 함부로 하지 않았습니다.

윤 상무　(비아냥) 그래서 좋아했나?

지안　…네.

모두　(정적)

지안　좋아합니다. 존경하고요.

S#70 — 몽타주 (낮)

#사무실: 긴장한 얼굴로 있는 동훈.
#회사 로비: 회장이 걸어 들어오고.

S#71 — 대회의실 (낮)

지안의 얘기가 계속되고 있다.

지안　무시, 천대에 익숙해져서 사람들한테 별로 기대하지도 않았고, 인정받으려고,
　　　　좋은 소리 들으려고 애쓰지도 않았습니다. 근데 이젠… 잘하고 싶어졌습니다.

회장이 조용히 들어오자, 사람들은 소리 없이 술렁이는 분위기인데, 회장은 계속 진행하라
는 듯 한쪽 구석에 조용히 앉아 눈 내리깔고.

지안   제가 누군가를 좋아한 게 지탄의 대상이 될 수 있는지는 모르겠지만,
　　　　 전 오늘 잘린다고 해도, 처음으로 사람대접받아봤고… 어쩌면 내가…
　　　　 괜찮은 사람일 수도 있겠다는 생각이 들게 해준 이 회사에…
　　　　 박동훈 부장님께… 감사할 겁니다. 여기서 일했던 삼 개월이 이십일 년
　　　　 제 인생에서 가장 따뜻했습니다. 지나다가 이 건물만 봐도 기분이 좋아지고,
　　　　 평생… 삼안이앤씨가 잘되길 바랄 겁니다.

지안이 말하는 동안 눈을 감으며 듣고 있는 회장의 모습과,

#대표이사실: 지안에게 제대로 당했다 싶어 쓴웃음이 나는 준영과,
#사무실: 초조한 마음으로 앉아 있는 동훈의 모습이 교차로 흐르고.

윤 상무 (포기할 수 없다) 그래서 둘이 어디까지 갔냐고?
지안   …집까지요. 한동네 삽니다.

S#72 ── 사무실 (낮)

동훈과 직원들이 위원회에서 돌아오는 지안을 보고. 지안은 아무렇지 않게 자리로 가고. 뒤따라 들어오는 정 상무가 동훈을 보고.

S#73 ── 사무실 일각 (낮)

정 상무가 흡족한 얼굴로 동훈에게

정 상무 이지안 말도 잘하고 똑똑하던데? 잘했어. 됐어.
동훈   …

S#74 —— 회사 로비 (낮)

회장이 걸어 나가고 준영, 왕 전무, 윤 상무, 정 상무 그 외 준영 쪽 상무들이 따라붙는데
(회장의 아래 멘트에 영향을 받아 후에 표 선택을 바꿀 사람들 몇몇 보이게)

회장   박동훈한테 이번엔 내가 진짜 밥 산다 그래.

준영   (굳은 표정으로 따라가고)

S#75 —— 동훈과 지안의 단골 술집 (밤)

동훈과 지안이 마주 앉아서 맥주를 마시고. 동훈은 그렇게 말없이 술을 마시다가

동훈   용감하다. ('고맙다')

지안이 별거 아니라는 듯 무심히 술을 마시고, 동훈은 다른 곳을 보다가 혼잣말처럼 툭

동훈   근데 나 그렇게 괜찮은 놈 아냐.

지안   (일 초의 망설임 없이) 괜찮은 사람이에요. 엄청.

동훈   !

지안   좋은 사람이에요. …엄청.

동훈은 실없는 미소를 띠면서도 울컥하고. 그런 동훈의 얼굴 위로,

[INS] 11화: "넌 그 새끼랑 바람 핀 순간, 나한테 사망 선고 내린 거야. 박동훈 넌 이런 대접받아도 싼 인간이라고, 가치 없는 인간이라고. 그냥 죽어버리라고…."

그런 생각에 동훈은 눈물이 날 것 같아 괜히 다른 곳을 응시하고. 설움과 감동을 누르며 그렇게 있는 동훈, 그런 동훈의 심정을 느끼며 가만히 있는 지안의 모습에서 엔딩.

Episode 12

Episode

13

S#1 ── 동네 일각 (밤)

간간이 차들이 지나가고 좌판도 벌어져 있고…. 그런 풍경들을 무심히 구경하며 천천히 걸어가는 동훈과 지안. 두 사람이 처음으로 천천히 걷고. 그렇게 걸어가는 동훈의 모습 위로

S#2 ── 사무실 일각 (낮) ─ 회상

한쪽에 비밀스런 분위기로 서 있는 동훈과 정 상무.

정 상무 윤 상무가 "그래서 박동훈 좋아했나?" 그러니까 "네!" 그러는데…
동훈 !
정 상무 아… 끝났구나…. 쟤가 박동훈 죽이기로 했구나…. 확실히 저쪽 편이었구나….
동훈 !

그 뒤로 동훈에게 설명하는 정 상무 얼굴 위로

[INS] 12화, 인터뷰하는 지안의 모습: "회식 자리에 같이 가자는, 그 단순한 호의의 말을… 박동훈 부장님한테 처음 들었습니다." / "사람들한테 별로 기대하지도 않았고, 인정받으려고, 좋은 소리 들으려고 애쓰지도 않았습니다. 근데 이젠… 잘하고 싶어졌습니다." / "오늘 잘린다고 해도, 처음으로 사람대접받아봤고… 어쩌면 내가… 괜찮은 사람일 수도 있겠다는 생각이 들게 해준 이 회사에… 박동훈 부장님께… 감사할 겁니다." / "여기서 일했던 삼 개월이 이십일 년 제 인생에서 가장 따뜻했습니다."

동훈 ! (그 얘기를 들은 표정)
정 상무 타이밍 기가 막히게 그때 또 회장님이 딱 들어오셔서, 이 건물만 봐도,
삼안 로고만 봐도 가슴이 따뜻해지고, 평생 삼안이 잘되길 바랄 거라는데,
삼안을 세우신 분께서, 자기가 만든 회사에 들어와서 한 인간이 살아 있음을
느꼈다는데, 어떤 창업주가 감동을 안 먹어?
동훈 …
정 상무 스캔들로 몰아가려고 발악했던 인간들, 제대로 한 방 먹은 거지. / 반전이 너무

영화 같으니까… (멍해서) 이게 혹시… 이지안 빅픽처였나….

동훈 …

S#3 ── 동훈과 지안의 단골 술집 (밤) – 회상

동훈과 지안이 마주 앉아서 맥주를 마시고. 동훈은 그렇게 술을 마시다가,

동훈 용감하다. ('고맙다')

동훈이 딴 곳을 보다가 혼잣말처럼 툭

동훈 근데 나 그렇게 괜찮은 놈 아냐.
지안 (일 초의 망설임 없이) 괜찮은 사람이에요. 엄청.
동훈 !
지안 좋은 사람이에요. …엄청.

동훈은 실없는 미소를 띠면서도 울컥하고.

S#4 ── 동네 일각 (밤)

그런 생각으로 말없이 걷는 두 사람. 그렇게 걷다가…

지안 첨이네.
동훈 ?
지안 이렇게 천천히 걷는 거. 웬일로 천천히 걸어요?
동훈 …안 춥잖아.
지안 …그동안 내가 불편해서 빨리 걸었던 건 아니고요?
동훈 …!

동훈은 그저 천천히 걷고. 지안도 따라 걷고. 그렇게 걸어가는 두 사람.

S#5 ── 지안 집 앞 (밤)

동훈이 돌아서며

동훈   들어가. (그렇게 가는데)
지안   한번 안아봐도 돼요?
동훈   ! (돌아보는)

쳐다보는 두 사람.

지안   힘내라고 한번 안아주고 싶어서요.
동훈   힘 나. 고마워.

동훈이 무심히 돌아서 가고, 지안은 그런 동훈을 보고.

S#6 ── 동네 일각 (밤)

걸어가는 동훈. 두고 온 지안을 생각하는 듯. 그렇게 동훈이 걸어서 사라지면, 한편에 서 있던 차에 시동이 걸리고. 확 돌아서 동훈이 온 방향으로 달리는데, 운전석에 앉아 있는 사람은 준영.

S#7 ── 지안 집 근처 (밤)

준영이 차 옆에 서서 계단을 내려오는 지안을 노려보고. 지안은 준영의 앞에 와 서고.

준영   집까지 데려다주고 그러는 사이냐?
지안   궁금해서 왔나?

Episode 13

준영이 지안의 싸대기를 날려버리고. 지안의 고개가 확 돌아가고.

준영   박동훈 잘라주겠다고 돈 받아 가놓고 날 자르려고 들어? 내가 그 꼴난 대표이사
       월급 이 년 더 받자고 그 짓을 했는 줄 알어? 너 이 판 아주 우습게 봤어.
       너 어른들 세계가 만만하지? / 조용히 꺼져. 내가 이 와중에 회사에서
       니들 연애질하는 꼴까지 봐야 돼? 내일부터 눈에 띄지 마라.
지안   나 나가면 박동훈한테 무슨 짓할 줄 알고.
준영   !
지안   그만둘 거예요. 그쪽이 박동훈 손에 잘리는 거까지 보고.
준영   (웃긴다 싶고) 너 니가 박동훈 도와준 거 같지? 박 상무 자른 것도 너고,
       그 자리에 박동훈 박은 것도 너야. 이거 사람들이 알면 어떻게 되겠냐?
       둘이 짜고 한 건지, 너 혼자 한 건지 어떻게 아냐고. 니가 박동훈 좋아하는 거
       사람들 다 알잖아. / 내가 이 얘기 다 하면 박동훈 어떻게 나올까?
       까딱하다간 지가 다 덤탱이 쓰게 생겼는데?
지안   !
준영   나도 피해자야. 너한테 불륜 걸려서 협박당하고, 박 상무 잘라주겠다고
       돈 내놔라 한 것도 너야.
지안   …
준영   조용히 그만둬라.
지안   까는 김에 다 까죠?

하며 핸드폰 속 녹음 파일을 들려주는.
8화, 준영과 지안의 대화: "박동훈은 안 그래. 밥 먹고 술 먹으면 좋아하는 거야. 그리고 절
대로 발뺌 못 해. 거기까지만 가봐. …어려운 것도 아니잖아? 나머진 내가 알아서 해. / 직
장 상사의 권위를 이용한 부적절한 관계로… 넌 따로 보상도 받을 수 있어…."

준영   (!) 너 내 것도 녹음했니?
지안   안 했을까 봐?
준영   !
지안   박동훈이 신사적으로 내보내준다고 할 때, 그냥 조용히 나가세요.

처음부터 끝까지 다 까기 전에.

지안이 준영을 등지고 걸어가는데…

준영　　(웃으며) 죽자고 작정을 했구나….

덤덤히 가는 지안.

S#8 ── 동훈 집 거실, 주방 (밤)

동훈이 들어오고, 윤희는 시선을 마주치지 못한 채 맞이하며

윤희　　밥은?
동훈　　먹었어.
윤희　　(무심히) 아주버님하고?
동훈　　…직원하고.

그 말에 멈칫하게 되는 윤희. 주방으로 가며

윤희　　커피 내릴 건데. 뭐 마실래?

방으로 가던 동훈이 잠깐 고민하다가 그대로 주방 쪽으로 오고.

윤희　　뭐 마실래?
동훈　　커피 말고. (외투를 벗어놓고)
윤희　　메밀차?
동훈　　어.

⟨Cut to⟩
차를 놓고 마주 앉은 동훈과 윤희. 딱히 할 말도 없고 어색하고.

윤희	상무 심사 결과는 언제 나와?
동훈	… (가만히. 상무 되면 도준영은 잘린다)
윤희	…! (뭔가 아차 싶고)
동훈	…다음 주.
윤희	…돼. 꼭 돼. 됐으면 좋겠어 당신.
동훈	… (조용히 차를 마시고)

S#9 ── 회사 대회의실 (다음 날, 낮)

윤 상무가 뚱한 얼굴로 상무들의 공격을 받으며 앉아 있고.

모 상무 작전이라고 그 자리에 걔를 불러와요? 걔랑 말이라도 한번 맞춰봤어요?
　　　　 걔한테 가서 박동훈한테 무슨 감정인지 떠보기라도 했냐고요?
　　　　 어떻게 두는 수마다 악수인지….

윤 상무 그럼 이지안 부른다고 했을 땐 왜 가만있었어요? 말리지!
　　　　 다들 옳다구나 싶었으면서…

모 상무 걔랑 얘기가 다 된 건 줄 알았죠!

김 상무 (말리는) 그만들 하시고… 아직 본인 인터뷰 안 끝났으니까….

모 상무 (OL) 물 건너간 거 안 보여요? 회장님이 박동훈한테 먹자고 했더니
　　　　 또 퇴짜 났답니다. 상무 심사 결과 나오면 그때 먹자고요.
　　　　 되도 먹고 떨어져도 먹자고요. 갈수록 이쁜 짓만 골라 하고….

윤 상무 (일어나) 이런 식으로 은근슬쩍 발 빼고 라인 갈아타려나 본데, 어디 그래 봐요.
　　　　 일은 끝까지 가봐야 아는 거고. 그때 가서 봅시다. (홱 나가는데)

모 상무 저 인간이 어디서 협박이야?

S#10 ── 사무실 (낮)

동훈, 송 과장, 김 대리, 형규가 작업복을 입고 장비를 챙기는데, 윤 상무가 씩씩대며 오더니 지안을 발견하고는 그쪽으로 가고.

윤 상무   (비아냥) 회식에 그렇게 가고 싶었어? 고기 먹고 싶으면 사달라고 그러지, 나한테.

동훈과 일행이 무겁게 윤 상무를 보고. 윤 상무도 그들을 보고.

윤 상무   뭘 봐? / (동훈에게) 구박하다가 정 붙었냐? 뭐 이런 꼴값잖은 파견직 하나
          자르지 못해서 징징댈 때는 언제고… 뭐 있어 이것들, 그지?
송 과장   제가 이지안 씨 좋아합니다.

모두 정적. 황당한 채령의 얼굴. 윤 상무는 어이없어 헛웃음이 나고.

윤 상무   이것들이 진짜 한패로 짜고…. / 야, 3팀. 차… 나 삼이 싫다. 숫자 삼도 싫어 이제.

윤 상무는 열 받아 제 방으로 가고.

송 과장   (낮게) 미친… 똥줄 탔지….
동훈   (지안과 채령 쪽을 보며, 덤덤히) 신경 쓰지 말고 일해.

그러고는 동훈이 조용히 윤 상무 방 쪽으로 가는데, 윤 상무 방 문고리를 잡으려는 순간, 송 과장이 다가와 막으며

송 과장   (낮게) 하지 마세요. 다 끝나고 해도 되잖아요.
동훈   (그래도 들어가려고 하자)
송 과장   (막으며) 며칠 안 남았잖아요. 하지 마세요. (주변을 의식하며) 이상해 보여요.

주변을 보면, 동훈을 보고 있다가 얼른 시선 돌리는 여직원들. 이에 어쩔 수 없이 돌아서는 동훈. 그리고 지안의 표정.

S#11 — 사무실 복도 (낮)

장비를 챙겨 나가는 동훈, 송 과장, 김 대리, 형규. 동훈은 기분이 안 좋은데.

Episode 13

송 과장	당분간 지안 씨한테 관심 끊으세요. 챙길수록 이상해 보여요.
동훈	(살짝 욱) 뭐가 이상해 보이냐?
송 과장	… (난감하고)
동훈	니가 당해도 내가 가만있어?
송 과장	…

동훈이 다시 가면, 송 과장과 무리들이 무거운 분위기로 쫓아가고.

S#12 — 달리는 업무 차량 (낮)

송 과장이 운전하고, 동훈은 옆 좌석에 앉아 있는데, 문자 착신음에 핸드폰을 확인하는 동훈.
[박동운 상무: 저녁에 잠깐 봐. 내가 회사 근처로 갈게.]

S#13 — 사무실 (낮)

#지안 역시 박 상무의 문자를 보고 있는데.
#준영이 대표이사실에서 나오고,
#준영은 비서의 배웅을 받고 지안을 같잖게 보며 가고. 지안도 그런 준영을 의식하고. 채령도 그런 준영을 힐끗 보더니… 지안에게 다가가 슬쩍

채령	존경해서 뽀뽀했니?
지안	!
채령	난 니가 진짜 무섭다. 어쩜 그렇게 영악하게 포장을 잘하니? / 너, 이게 어떤 판인지 모르는 거 같은데, 넌 그냥 니가 좋아하는 박동훈 부장님 상무 되게 도와줬다고 생각하지? 아니란다. 저기 높으신 분, 좀 전에 빡친 얼굴로 나가신 대표님… 니가 자른 거야.
지안	…
채령	뭔 말인지 아니? 이게 그런 판이란다 아가야. (약간 협박조) 내가 또 이 판 뒤집어엎자고 들면, 진짜 난장판 된다….

채령이 자기 자리로 가는데, 지안이 핸드폰을 만지고 접으면 채령의 핸드폰에 문자 착신음. 채령이 핸드폰을 확인하고는 굳어서 지안을 보며,

채령 너… 이게 뭐니?

지안 니가 박 과장이랑 붙어먹은 증거. 박 과장 와이프한테 보낼까, 니 남편한테 보낼까?

채령 !

지안 인생 종 치고 싶지 않으면 입 닥치고 가만있어.

지안이 나가려는데 채령이 확 잡아채고, 지안은 뿌리치고. 그 바람에 지안의 이어폰이 끊어지고.

채령 부장님은 아시니? 너 이렇게 무서운 애라는 거?

지안 어. 알아. …사람 죽인 것도 알아.

채령 !

지안이 끊어진 이어폰을 주워 드는데 망가졌고. 그냥 쓰레기통에 버리고.

S#14 ── 유라네 빌라 계단 (낮)

기훈이 유라네 현관문에 붙은 전단지를 떼어내고 구겨 던져서 쓸고 내려가면, 상훈이 걸레질하며 내려오고. 상훈은 다른 집과는 달리 유라네 현관문을 젖은 걸레로 싹싹 닦아준다. 그러고는 벨을 누르는데,

기훈 없다고! 촬영 나갔다고!

상훈 안다고!

〈 Cut to 〉

기훈이 계단 일 층에 있는 청소 확인 판에서 종이를 꺼내 날짜와 시간을 체크하고 도로 꽂고 나가는데, 상훈이 내려오다가 확인 판을 보면, 한쪽에 '유라짱'이라고 써 있다. 옆에는 하트.

상훈   미친놈….

S#15 ── 촬영장 (낮)

감독이 유라 앞에서 열 받은 듯 머리를 긁적이고, 유라는 우물쭈물 손에 들린 쪽지만 만지
작거리고. 스태프들은 난감한 얼굴로 제 위치에 있는데…

유라   괜찮아요. 욕하세요.

감독   왜? 박기훈이 와서 나 패준대?

유라   …

감독   박기훈이랑 친해?

유라   …

감독   좀 웃기잖냐. 그 인간 니 욕 무지 하고 다녔어.

유라   알아요.

감독   근데 둘이 친해? 왜 친해?

유라   박기훈 감독님이 커밍아웃했어요. 나한테 왜 그랬는지.

감독   왜 그랬대냐?

유라   …감독님도 아실 거라는데요?

감독   나 모르거든? 알게 설명 좀 해주라?

유라   (손에 들린 쪽지를 힐끗 보고)

감독   여태 대사도 못 외워서 적어 다니는 주제에…

유라   대사 아닌데요. 박기훈 감독님이 몇 자 적어줬어요. 감독님이 뭐라고 하면 대꾸
         할 말들.

감독   (휙 뺏어서 보는데)

유라   …거의 욕이에요.

감독   (보면 그렇고. 기가 막히고)

유라   근데… 전 욕은 못하겠어요. 밤새 연습해봤는데… 어색하고… / 그냥…
         그 말만 받을라고요. 감독님이 뭐라고 하시면, 겁먹어서 그런 거니까
         잘해주라고. 안심시키라고. (생글생글) 안심하세요. 이러나저러나 한 세상.
         뭐 나라를 구하는 일도 아닌데 그냥 찍자고요.

감독은 OL로 확 돌아서 가버리고.

S#16 ── 달리는 밴 (낮)

유라가 뒷좌석 차창에 머리를 기대고 통화 중.

유라   (눈에 독기) 미친놈. 그 자식 지금쯤 어디서 울고 있을 걸요? 쪼만한 새끼가…
        한 번만 더 지랄 떨어보라 그래. 귓방맹이를 날려버릴 테니까.
        (문득 스스로 대견한) 와… 나 욕 된다. 좀 무서웠죠?

S#17 ── 요순 집 근처 (낮)

상훈은 주차하고, 기훈은 옆자리에 앉아 도시락을 챙기며

기훈   시끄럽고. 그거 욕도 아니고. 너 거기서 잘리면 나랑 청소해야 되니까 잘해.
        정희 누나네서 봐. 천천히 와. 나도 씻고 밥 먹어야 돼. (내리고)

S#18 ── 요순 집 거실, 주방 (낮)

반찬 통에 고사리볶음, 말린호박볶음 등이 담겨져 뚜껑이 열려 있다. 설거짓거리를 개수대에 담그며 통화 중인 요순.

요순   (반가운) 시간 돼? 그럼 잠깐 들러라. 오는 김에 만두도 가져가고.
        새로 담근 김치도 있는데….

그때 상훈과 기훈(두 개의 빈 도시락을 들고), "다녀왔습니다" 하며 들어오는데

요순   야야. 아니다. 오지 마라. 기훈이 들어왔다. 기훈이 편에 보낼게.
        (끊고 부리나케 반찬 뚜껑 닫으며 움직이는)

Episode 13

기훈	(뚱) 뭘요?
요순	얼른 지석이네 갔다 와. 지석이 에미 집에 있대.
기훈	아 몰라요. 배고파 쓰러지겠어요.
요순	차릴 동안 얼른 갔다 오면 되잖아. 차 끌고 오 분이면 갔다 오는 걸.
기훈	몰라요. 밥 먹고 갈래.
요순	(꽥) 동훈인 저녁 안 먹어?
기훈	엄마만 작은형 사랑해요! 난 작은형 안 사랑해요!
상훈	…얼른 줘요.
요순	(허둥지둥 챙기며) 에우, 저눔은 인정머리 없이 지 배고픈 것만 생각하고.
기훈	엄마도 그러는 거 아녜요. 작은형이 배고프다고 했어봐요. 얼른 밥상 먼저 차려줬지!
요순	그놈이 생전 배고프단 소리 하는 놈이야? 말 없는 놈이 배고프다고 하면 진짜루 배고픈 거지!
기훈	그럼 내가 배고프다고 하는 건 가짜루 배고픈 거예요?
요순	(김치냉장고에서 김치 통 꺼내주며 상훈에게) …안 익었으니까 익혀 먹으려면 하루 이틀 베란다에 내놓으라고 하고. (냉동실에서 만두를 꺼내 장바구니에 담는데)
상훈	(김치 통 들고 나가며, 기훈에게) 들고 나와.
기훈	(우씨…) 그만 꺼내요! 또 바리바리….

S#19 — 동훈 집 아파트 주차장 (낮)

기훈이 보조석에서 내려 보따리 두 개 들고 먼저 들어가고, 상훈은 김치 통 들고 들어가려다가 이쁜 차를 힐끗 보고는 다마스에게

상훈 쟤? 쟤가 맘에 들어? 알았어. (도로 다마스로 가며) 시간 짧다. 금방 나올 거야.

김치 통을 놓고 다시 차에 오르는 상훈.

S#20 —— 동훈 집 현관 앞 복도 (낮)

기훈이 와서 보는데, 동훈 집 현관문이 도어 스토퍼로 고정되어 열려 있고. 그 옆에는 구멍 난 문짝이 나와 있다. 기훈이 보따리를 놓고 그 구멍을 주먹으로 치는 시늉. 백 프로 이렇게 주먹으로 쳐서 난 자국이라는 느낌.

S#21 —— 동훈 집 거실, 주방 (낮)

새로운 문짝이 달려 있고, 인부들이 공구를 챙겨 일어나며

인부   다 끝났습니다.
윤희   수고하셨습니다.

윤희가 문을 잠그려고 인부들을 따라 나가는데, 기훈이 들어오며

기훈   안녕하세요.
윤희   오셨어요? (한쪽 보따리 받고, 인부들에게) 안녕히 가세요. (하며 문을 닫으려고 하자)
기훈   두세요. 형 금방 올라와요.

윤희는 문을 열어둔 채 기훈을 따라 거실로.

S#22 —— 동훈 집 현관 앞 복도 (낮)

인부들이 자국 난 문짝을 들고 엘리베이터 쪽으로 가고.

S#23 —— 동훈 집 거실, 주방 (낮)

기훈이 식탁 위에 있던 귤을 까먹으며 새로운 안방 문을 보고

Episode 13

기훈	이거 바꾼 거예요?
윤희	(보따리 풀며 외면하고) 네…
기훈	싸웠어요?
윤희	…아뇨.
기훈	싸운 건데요 뭐. 문짝 보니까 주먹으로 내리친 거던데. 박동훈 이거 안 하던 짓하네… 왜 싸웠어요?
윤희	별거 아녜요.
기훈	별거 아닌데 주먹을 써요, 이 인간이?
윤희	…그냥 …제가 잘못했어요. (장바구니에서 꺼낸 반찬 통을 냉장고에 넣는데)
기훈	형수가 뭘 잘못해? (정말 아무 생각 없이) 형수 바람 폈어요?
윤희	!

순간 철렁한 윤희는 굳어서 말이 없고. 기훈은 당황해서 딴짓하는 윤희를 보자 느낌이 쌔하고,

| 기훈 | …아무 대답도 안 하면 진짠 줄 알잖아요. |
| 윤희 | …! |

기훈은 황당한 얼굴로 있다가 서서히 감이 오고. '아…' 머리를 쥐어 잡게 되고 미치겠는데.

기훈	아니라고 해야죠!
윤희	!
기훈	빨리 아니라고 해요!
윤희	아녜요. (그런데 얼굴은 그게 아니고)
기훈	(아… 씨…)

S#24 — 동훈 집 (낮)

#현관 앞: 상훈은 엉덩이만 복도에 나와 있고. 무거운 김치 통을 들고 들어가던 자세에서 꼼짝을 못 하고 있는 분위기. 상훈이 조용히 김치 통을 현관에 내려놓고는 나가고.
#복도: 상훈이 발소리를 죽인 채 벼락 맞은 얼굴로 엘리베이터로 도로 가고. 상훈이 사라지

고 나면 기훈이 나와 엘리베이터 쪽으로.

S#25 — 달리는 다마스 (해 질 녘)

상훈이 운전하고, 기훈은 옆에 앉아 있는데 핏기 하나 없는 얼굴로 흔들리는 차에 그냥 실려 가는 느낌. 어디로 가는지도 모르고 그냥 가는 느낌.

⟨ Cut to ⟩

마치 서울을 벗어난 듯, 한적한 시골길. 생각 없이 가는 느낌. 그렇게 가는 중에 기훈의 핸드폰이 울리고.

S#26 — 요순 집 거실, 주방 + 달리는 다마스 (해 질 녘)

밥상이 차려져 있고. 요순은 통화 중.

요순	어디야? 왜 안 들어와?
기훈	어디… 잠깐 좀 왔어요.
요순	어딜?
기훈	…
요순	밥 안 먹어?
기훈	…먹었어요.
요순	이이, 쌍눔의 시키들. 다 차려놨구만! 에우!
	(전화를 팍 끊어버리고, 차려진 상을 보니 속이 터지고) 에우… 열 뻗쳐.

#전화를 끊고 가만히 있는 기훈.

S#27 — 달리는 다마스 (해 질 녘)

기훈의 얼굴 위로

[INS] 11화: 동훈의 손에 있었던 상처. 그리고 슬픈 얼굴로 "기훈아" 하던 동훈.

그 생각에 기훈은 조용히 미치겠다. 한편 상훈의 얼굴 위로는

[INS] 6화: 축구하다가 성질내며 나갔던 동훈.

'그때부터구나' 싶은.

[INS] 10화: 동훈이 맞은 얼굴을 했던 것.

둘 다 그 생각인데, 기훈은 '그놈이랑 싸워서 그랬구나' 싶어 눈에 불이 나고. 머리를 마구 헝클이다가 자기 얼굴을 때리고.

기훈   (씨발) 개새끼…

〈 Cut to 〉

기훈이 차에서 내려 분에 겨워 어쩔 줄 몰라 하고. 상훈은 그런 기훈을 조마조마한 얼굴로 보면서 마음이 안 좋고.

기훈   내가 이 새끼 죽여버릴 거야. (분에 겨워 몸이 떨리고)

S#28 ── 회사 앞 (밤)

업무 차량에서 내리는 동훈과 일행들. 일행들이 내려서 장비를 챙기고, 동훈은 가며

동훈   먼저 들어가.
송 과장 어디 가세요?
동훈   잠깐… 누구 좀 보고. (가고)
송 과장 (?) 다녀오세요.

S#29 — 허름한 커피숍 + 이어폰 숍 (밤)

동훈이 들어와 시선으로 누군가를 찾는데, 한쪽에서 박 상무가 손을 든다.

⟨ Cut to ⟩

마주 앉은 동훈과 박 상무.

박 상무 여자애는 뭐야?

동훈 …

박 상무 듣도 보도 못한 애랑 이상한 얘기 돈다고 했을 때, 이거 백 프로 도준영이
붙인 여자애다….

동훈 !

#매장에서 헤드폰을 쓰고 듣는 중인 지안.

박 상무 그 기지배 조지면 도준영 나온다….

동훈 (불편하고) 아녜요.

박 상무 아니더라. 근데 오해할 만하지 않았냐. 니가 생전 가야 여자랑 소문날 애도
아니고. 도준영은 너 자르지 못해 안달이고. 너 뇌물 안 통한다는 거
회사 사람들 다 아는 마당에 이 새끼가 여자 붙이기로 작정했구나…
쓰레기 같은 새끼…. (피식) 까딱하다간 그 여자애 진짜 족칠 뻔 했다.

동훈 (말 돌리려) 어떻게 지내세요? 올라오셔야죠.

박 상무 걱정 마. 금방 올라올 것 같애. (왜냐면) 나 속초로 태워 나른 놈, 얼추 잡아가.

동훈 !

#헤드폰 쓰고 계속 듣는 지안.

박 상무 이러나저러나 도준영 그 자식은 끝났어.

#지안이 이어폰을 하나 사 들고 급히 나오고.

Episode 13

S#30 —— 샌드위치 가게 (밤)

지안이 샌드위치를 먹는데, 기범은 먹지 않고 황당하다는 듯

기범 날 어떻게 잡어? 얼굴도 노출 안 됐고, 지문도 안 남겼고,
　　　　박 상무 그 인간이랑 통화도 안 했는데?

S#31 —— 경찰서 복도 (밤)

박 상무가 형사와 얘기하며 수사실로 가고

형사 이 자식 CCTV에서 왜 사라졌는지 알았어요.

S#32 —— 경찰서 (밤)

형사 자리에 있는 컴퓨터 화면에 CCTV 자료가 뜨고. 박 상무가 옆에 서 있고.

[INS] 호텔에서 나가는 기범의 CCTV 컷.

형사 시작점부터 시작해서 도주로 따라서 CCTV 찾아봤는데…

[INS] 거리1: 핸드폰 검색하며 가는 기범.

형사 호텔에서 오백 미터 지점… 여기 한 번 찍히죠….

[INS] 거리2: 여기도 핸드폰 검색하며 가는 기범.

형사 팔백 미터 지점… 여기서 또 한 번 찍혀요. 근데 이 뒤로 없는 거예요.
　　　　아… 이 새끼 CCTV 피해서 잘 빠져나갔나…. 일 키로 반경 이내에

흔적이 없어. 근데… 이걸 몰랐던 거죠… (화면 플레이) 세 시간 후에…

[INS] 거리2: 마지막으로 찍혔던 CCTV 장소에 다시 찍히는데, 이번에는 반대 방향으로
가는 기범.

형사 고 장소에서 또 찍혀요. 이 자식 고속버스 첫차 시간까지 어디 처박혀 있다
나온 거예요.

[INS] 거리3: 전화 거는 기범.

그 화면에서 일시정지하고.

형사 고맙게도 전화 걸어주시고… / 통화량 없는 새벽이고, 시간도 정확하게
특정되는 거라, 기지국에 확인해보면 번호 몇 개 안 나와요. 잡았어요.

박 상무 수고했어.

S#33 ── 샌드위치 가게 (밤)

지안은 묵묵히 먹고, 기범은 지안을 다그치고.

기범 그 새끼들이 어떻게 알아내서 날 잡는다 쳐. 나 잡히면 너도 잡혀.
내가 안 불어도 잡히게 돼 있어. 같이 튀자. 오늘 당장 같이 튀자고.

지안 (먹기만)

기범 그 대표가 너 가만둘 것 같애? 지까지 끌고 들어갈까 봐 박 상무 손에
잡히기 전에 그 새끼가 먼저 너 죽여. / 우리 너무 큰 판에 꼈어. 그만 튀자. 어?

지안 …이틀만 줘.

기범 (보는)

지안 …하루만. 하루만 있다 튈게.

기범 박동훈 때문에 그러냐?

지안 …

사복으로 갈아입고 살짝 급히 들어오는 동훈. 자리로 가며 힐끗 지안의 자리를 보는데, 지안이 없다. 살짝 실망하는 얼굴빛. 동훈이 핸드폰을 충전기에 꽂고 설계 사무실 쪽으로.

S#35 ― 회사 설계 사무실 (밤)

동훈이 최 부장 옆에서 설계 도면 화면을 같이 보다가 책상에 있던 브로슈어를 들어 보며

동훈　　내진 철강재 쓰게?

최 부장　내진 설계도 하고, 내진 철강재도 쓰려고요.

동훈　　그래. 더 이상 한국도 지진 안전지대 아닌데, 내진 철강재 써야지.

　　　　　보보다는 기둥이 튼튼하고 유연해야 지진에 안전하니까. (슬쩍) 인터뷰 어땠어?

최 부장　(씁쓸한 한숨과 웃음) 물어뜯겼죠 뭐. 부장님은 내일이시죠?

동훈　　…

최 부장　그냥 맘대로 지껄이게 두세요. 그 인간들 그게 지 일인 줄 아는데….

동훈　　…수고해라. (가고)

최 부장　들어가세요.

S#36 ― 사무실 (밤)

동훈이 자리로 와 퇴근 준비하는데, 김 대리가 가방 메고 와서

김 대리　간만에 한잔하시죠?

동훈　　넌 내일이 무슨 날인지도 모르지?

김 대리　(잠깐 생각하고) 아….

그때 동훈의 핸드폰이 울리고, 액정을 보면 집사람.

동훈   (받고) 어. (뭔가 이상한 듯) …왜?

S#37 —— 동훈 집 거실, 주방 + 사무실 (밤)

#통화 중인 윤희…

윤희   미안해… 도련님 왔다 갔어….

#윤희의 상황 설명을 가만히 듣고 있는 동훈의 쓸쓸한 등짝….

S#38 —— 지하철 안 (밤)

동훈은 손잡이를 잡고 서 있는데, 힘이 하나도 없다. 눈물 나겠다 진짜. 손잡이를 잡은 팔에 머리를 기대고….

S#39 —— 형제 청소방 (밤)

동훈이 들어와서 보면, 짬뽕에 소주를 까던 상훈과 기훈이 벌건 눈을 하고 침통한 얼굴들. 슬쩍 동훈을 봤다가 시선을 돌리고.

상훈   …왔냐?

상훈이 괜히 일어나 자기 그릇을 주섬주섬 치우고. 기훈은 그저 먹기만 하고. 어색하고 멀멀한 기운. 동훈이 한쪽 구석에 가서 서고.

상훈   …저녁은?
동훈   …
상훈   …뭐 시켜줘?
동훈   …

서로 무슨 말을 해야 할지 몰라 어색한 기운. 동훈은 벽에 걸린 월간 계획표만 맥없이 보는데, 그때 콧물을 훌쩍이는 상훈의 소리가 들리고. 그 소리에 동훈은 마음이 무너지고, 눈물이 고이는데.

상훈　짬뽕이 맵다….

결국 상훈이 코를 팽 풀고. 그 소리에 동훈은 억장이 무너지고. 서로 한마디도 못 하면서 각기 떨어져서 슬픈 상황. 그러다가… 기훈이 동훈의 옆에 메모지와 펜을 두고. 다시 자리에 돌아가 앉아서 먹으며

기훈　(덤덤하게) 그 새끼 이름만 적어줘.
동훈　…
기훈　오늘 그 새끼 이름 넘기기 전엔 여기서 못 나가.

동훈은 한마디도 없이 움직이지도 않고. 상훈 역시 물 잔을 든 자세로 가만히 있는데. 이내 휙 문 쪽으로 가는 동훈. 기훈이 젓가락을 내동댕이치며 동훈의 멱살을 잡아채고.

기훈　씨 그지 같은 형수년 족쳐서 그 새끼 이름 따오기 전에 달라고오!

동훈이 OL로 기훈의 귓방망이를 날려버리고, 기훈은 나가떨어지고.

기훈　그래애! 파이팅 좋네!
상훈　(기훈에게 무섭게) 하지 마 이 새꺄!

동훈이 확 나가버리고.

S#40 ── 형제 청소방 앞 (밤)

동훈이 도망가듯 뚜벅뚜벅 가는데, 상훈이 쫓아 나오며

상훈　(마음이 아픈) 동훈아⋯ 동훈아⋯.

동훈이 정신없이 빠르게 걷는데, 그때 기훈이 씩씩대며 동훈을 막 앞질러 가자, 동훈은 냅다 기훈을 잡아채고. 이후 둘 간의 몸싸움이 계속되고, 상훈은 누가 볼까 봐 미치겠어서 말리고.

동훈　어디 가 새꺄!

기훈　놔아! 형수한테 물어볼 거야.

동훈　니가 뭔데 새꺄. 가만 안 있어?

기훈　(확) 왜 처맞구 다니고 지랄야 새꺄. 죽여도 시원찮을 판에. 너 욕도 제대로 못 했지?

상훈　그만해 새꺄. 누가 봐!

기훈　너 어버버버 욕도 제대로 못 했지? 내가 욕해준다고! 패준다고! 화끈하게!

동훈　가만있으라고오! (하며 기훈을 밀치고 패고)

기훈　(빡 돌아서 동훈에게 달려들며) 왜 날 패구 지랄야 새꺄!

상훈　(미치겠고) 누가 본다고!

S#41 ── 동훈 집 베란다 (밤)

베란다 창문을 열고 바람을 맞는 윤희. 숨을 못 쉬겠는지 억지로 크게 심호흡한다.

S#42 ── 형제 청소방 앞 (밤)

다마스가 세워져 있고. 형제 청소방은 불이 꺼져 있는데.

S#43 ── 형제 청소방 (밤)

불은 꺼져 있고. 문도 잠겨 있고. 어둠 속에 가만히 앉아 있는 삼 형제. 행여 누가 올까 봐 빈 사무실인 척하는 상황. 그렇게 한마디도 않고 앉아 있는데, 테이블 위에 있던 상훈의 핸드폰이 울리자, 상훈은 무음으로 바꾸고 내려놓고. 핸드폰이 무음 상태에서 빛만 발하며 울리다가 꺼지고⋯ 상훈은 가만히 있다가 일어나며,

상훈　일어나. (이러다가) 누구 와.

동/기　…

상훈　일어나.

그래도 가만히 있는 동훈과 기훈.

S#44 —— 달리는 택시 안 (밤)

달리는 택시 안 삼 형제. 상훈과 동훈은 뒷좌석에 앉았고, 기훈은 앞좌석. 한마디도 없이 다들 침통한 얼굴. 간선도로를 타고 멀리 가는 느낌. 표지판으로 '일산' 같은 곳이 보이고.

S#45 —— 일산 애니골 같은 (밤)

낯설고 쓸쓸한 거리를 걷는 삼 형제. 한마디도 없이 거리를 두고 흩어져 걷고. 상훈이 선두에서 음식점을 찾아가는 분위기.

S#46 —— 정희네 (밤)

폭발 직전인 유라가 핸드폰을 귀에 대고 있고. 신호음이 가다가 "(E) 고객이 전화를 받지 않아…" 유라는 화나서 핸드폰을 내려놓고.

유라　미친 거야. 미친 거야 이거.

한쪽에서 유라 눈치를 살피며 핸드폰 하고 있던 제철도 내려놓으며

제철　(이상한) 상훈이도 안 받는데?

정희　(통화 버튼 누르고) 내가 동훈이한테 해볼게. 셋이 사우나 갔지 뭐.

제철　애네 십 분이면 나오는데. 물만 묻히고 나오는데.

유라　(혼자 배시시) 저희가요, 사권 지가요, 아, 진짜 이런 거 따지는 거 유치하지만요…

(웃음기 싹 가시고) 삼 일 됐어요. 저 지금, 삼 일 만에 바람맞는 거예요.

정희 (뭔가 이상하다 싶은 시선으로 핸드폰을 내리고) …동훈이도 안 받는데?

그 말에 불길한 눈빛이 되는 무리들. 유라도 '뭔가 이상하다' 싶고. 전부(진범, 권식 포함) 불안한 눈빛으로 문밖을 돌아본다.

S#47 — 정희네 앞 (밤)

제철이 계속 핸드폰을 귀에 대고, 정희, 유라와 함께 이쪽저쪽을 보고, 진범은 한쪽에서 담배 피고….

제철 (핸드폰을 내리며) 안 받아 계속.

진범은 그 말에 기분이 묘하고, 담배를 끄며 무리에 들어오고.

제철 (이쪽저쪽을 보다가) 이 새끼들…… 뭐 먹으러 갔지?
진범 이 정도면 어마어마한 건데.
제철 이거 백 퍼 참치야.
유라 내가 참치에 밀린 거예요? (불안한 눈빛) 진짜루 참치에 밀린 거였으면 좋겠다….
제철 나쁜 상상하지 마라. 셋 다 무슨 일은 안 생긴다. (말은 그렇게 하지만 본인도 불안하고)

그때 권식이 씩씩대며 오고.

권식 사무실 앞에 차 있어. 차 대놓고 어디 가서 술 처먹는 거야, 새끼들.
진범 세상에 사고가 차 사고만 있냐?
권식 그럼? 셋이 걸어가다가 사고 난다고? 셋 다? (말도 안 되는 소리) / (제철에게) 걔네 저번에 전화 안 받을 때도 참치였지?
제철 (맞고)
권식 (들어가며) 개쉐이들… 셋이 숨어서 처먹고. (돌아보며) 야. 내일 우리끼리 참치 먹으러 가자. 여기 있는 사람만.

제철과 진범이 권식을 따라 들어가는데, 정희와 유라는 선뜻 들어가지 못하고 미적미적….

S#48 ― 정희네 (밤)

정희는 걱정하는 유라 앞에 술을 놔주고

정희	걱정 마. 이 동네 불행은 내가 다 아도 치고 있어서 딴 인간들한테 갈 불행이 없어.
제철	그래서 우리가 이 모양 이 꼴이냐?
정희	내 덕에 그나마 이 정돈 줄 알아요. 내가 이 동네 뜨면, 진짜 난리 난다.
	내가 님들 불쌍해서 이 동네를 못 떠요.
제철	(부은) 고맙다….
유라	(술잔만 만지작거리자)
정희	걱정 말라니까. / 좋다. 인심 썼다. 내가, 내일, 구속될게. 한동네에서 큰 사고
	두 개는 안 나.
모두	(황당한)
정희	진짜로. 뉴스에 내 이름 떠도 놀라지마.
유라	뭘로 구속되게요?
정희	…불 지를 거야.
모두	!
정희	언젠가 불 지르러 가야지 가야지 했는데. 내가 내일로 앞당겨 사고 쳐준다. 내일
	아침 일찍 나가서 사고 칠게, 내일 오후면 넌 기훈이랑 깔깔깔 신나게 놀 거야.

유라는 '뭔 소린가' 싶지만, 남자들은 뭔가 감이 오는 불길한 표정.

S#49 ― 민가 커피숍 근처 (밤)

커피숍에서 나와 차로 가는 준영과 뒤따르는 재만.

재만	걱정하지 마세요. 대표님이 사셔야 저도 사는데… 목숨 걸고 마크하겠습니다. /

대표님이랑 다이렉트로 얘기하니까 편하고 좋네요. 윤 상무 그 인간은 정확히 얘기는 안 하고 뭐 그렇게 숨기는 게 많은지….

준영　(차 문을 열기 전) 부탁해요.

재만　넵. 걱정 마십쇼.

준영　(차에 오르면)

재만　들어가십쇼.

재만이 떠나는 차를 보고는, 자기 차로 가며 핸드폰에 전화번호를 검색하고…

재만　아 나 씨… 기집애 하나 잘못 꽂아서 진짜….

S#50 — 영광대부 건물 앞 (밤)

재만이 차에서 내려 힘들게 건물로 올라가고.

S#51 — 영광대부 사무실 (밤)

재만이 광일에게 얘기 전하고, 종수는 등지고 서서 커피 타고.

재만　이지안 걔 수족처럼 부려먹는 놈 하나 있다는데. 컴퓨터도 잘하는 놈일 거라는데. 누구냐?

광일　… (빙긋이 보기만)

재만　그렇게 보지 말고. 표정이 그게 뭐냐. 광일아, 좀 도와주라. 내가 그 회사에 꼬라박은 돈이 얼만데, 그 인간이 대표이사 연임 못 하면 나 그 돈 그냥 다 날리는 거야. (혼잣말처럼) 이 기집애가 겁대가리 없이 어디 어른들 판에 껴가지고… 잡아 죽여야지 진짜…. / 내가 크게 보답한다 진짜. 내가 그년 아작 내줄게. 그 새끼 먼저 잡고. 그년 죽여줄게. 어?

광일　(종수에게) 누군지 알어?

종수　(어깨 으쓱해 보이는 능청)

재만 내가 지금 경찰 인맥 동원하고 그럴 시간이 없다고. 당장 잡아야 된다고.

(긁적이며) 아… 미치겠네 진짜….

S#52 ── 술집 골방 (밤)

민가를 음식점으로 개조한 술집 골방 느낌. 여전히 말없이 밑반찬에 술잔만 기울이고. 기훈도 침통하고 잠잠하고.

상훈 제수씬 뭐래?

동훈 …

상훈 제수씨가 용서해달라고 하면, 용서해줘야 되는 거야.

동훈 …

기훈 시댁이 알아버렸으면 끝난 거야.

상훈 달래. 괜찮다고 무조건 달래.

기훈 형이 왜 달래? 형이 죄졌어?

상훈 그럼 안 살아?

기훈 …형 병나. 배우자 바람 펴서 속 썩은 사람들 중에 병 걸린 사람 많대.

상/기 (조용히 울컥하고)

기훈 그냥 헤어져.

상훈 헤어진다고 병 안 나? …병은 이미 났어. 전치 사십팔 주는 이미 나왔어.

기훈 끝난 거지 그게 씨이.

상훈 추스르면 돼. 괜찮아. 안 죽어.

동훈 …

상훈 제수씨… 없는 집에 시집와서 고생 많았다…. 장남이 변변치 못해서… 맨날 니네가 뒤치다꺼리 다 하고… / 이게 다… 나 때문인 거 같아서… 마음이 안 좋다….

동훈 (미치겠고) 이게 왜 또 형 때문이야?

그때 아주머니가 음식을 들고 들어오자 다들 조용히 마음을 눌러두는데, 놓이는 음식을 보자 좀 부실하다 싶은데, 아니나 다를까…

기훈	아주머니.
동훈	하지 마라.
기훈	(그래도) 저희 멀리서 왔어요.
아줌마	(눈치 없이) 어디서 왔는데?
기훈	궁금해요? 난 음식이 왜 이런지 궁금하네?
동훈	박기훈.
기훈	나는 먹어요. 나는 상관없는데!
동훈	(OL) 이럴 거면 집에 가 새꺄!

상훈은 죄송하다며 아주머니를 내보내고 문 닫고.

동훈	괜찮다 괜찮다 해줘도 모자랄 판에. 그래도 살까 말까 하는 판에. 왜 더 지랄야? 내가 이럴까 봐, 이럴까 봐… (말 못 한 거야) 안 그래도 힘든데 사방 천지 나보고 한숨짓고 울어댈 인간들 생각에… (말 못 한 거야) / 왜 나보다 더 날뛰어? 니가 나보다 더 괴로워? 넌 내가 다 들러 엎고 깽판을 쳐야 속이 시원하지?
기훈	어!
동훈	!
기훈	그렇게라도 형이 실컷 울었으면 좋겠어. 엉엉 콧물 눈물 질질 짜면서 울었으면 좋겠어. 안 그러는 형이… 너무 마음 아파. 속을 까뒤집지 못하는 형이… 너무 마음 아파. 꾹꾹 눌러대다가 형 병나 죽을까 봐!
동훈	!
기훈	그래. 병 걸려 뒈져라 씨이. (술잔을 기울이고)
동훈	(보다가 일어나 기훈을 잡아끌고) 그래. 가자. 울러 가자. 어디로 갈까? 가서 울자.
기훈	(뿌리치며) 울 데가 없어서 못 우냐?

동훈이 기훈을 보다가 그냥 그 자리에 앉고. 착잡하고 잠잠해지는 마음… 가만있는 동훈…. 긴 한숨을 내쉬는데… 눈물이 터질 것 같은 상황…. 상훈은 동훈이 행여 울까 봐 기훈을 노려보게 되고….

S#53 ── 지안 집 (밤)

이어폰을 끼고 안타까운 마음으로 듣고 있는 지안….

S#54 ── 술집 골방 (밤)

동훈이 울음을 참으며 담담히 말한다.

동훈　　아부지가 맨날 하던 말… 아무것도 아니다… 아무것도 아니다….
　　　　그 말을 나한테 해줄 사람이 없어. 그래서 내가 나한테 해. 아무것도 아니다…
　　　　아무것도 아니다….

기훈　　…

상훈　　미안하다….

S#55 ── 지안 집 (밤)

이어폰을 꽂고 있는 지안의 얼굴 위로,

[INS] 10화 32신: 동훈이 지안에게 "아무것도 아냐. 니가 아무것도 아니라고 생각하면 아무것도 아냐."

S#56 ── 술집 화장실 앞 정도 + 동훈 집 서재 (밤)

상훈이 만취해서 비틀거리며 통화 중.

상훈　　제수씨, 걱정 마세요. 동훈이 우리랑 같이 있어요. 제수씨… (꾸벅)
　　　　죄송합니다. (울컥) 너무 죄송합니다.

윤희　　… (눈물 나고)

상훈　　혼자 고생하시고… 진짜… 진짜 죄송합니다. / 전요, 제 동생이 이 얘기를 아무한테도 안 했다는 게, 혼자 마음 아팠다는 게, 그게 너무 슬픕니다.
그만큼 제수씨를 사랑한다는 거죠. 우리 동훈이가 그런 놈입니다.

윤희   … (참담한 눈물)

S#57 — 술집 앞 정도 + 유라 집 (밤)

기훈이 벽 잡고 통화 중.

기훈   오늘! 한 남자의 영혼이 파괴됐고. 내 마음도 찢어지고.
유라   지금 연기하는 거예요?
기훈   연기였으면 좋겠다, 나도. 내가 이렇게 가슴 아픈 연기를 잘하는 놈이었으면
          좋겠다… 이게 다 영화였으면 좋겠다….
유라   뭐 땜에 그러는데요? 뭐 때문에 내 전화도 안 받고.
기훈   …
유라   왜 말을 못해요?
기훈   말 못 해… 죽었다 깨어나도 말 못 해….
유라   지금 이 타이밍에 나보다 소중한 게 있구나… 그렇구나….
기훈   그렇게 얘기하지 말고!
유라   확 죽여버릴까 보다!

유라는 기훈이 써준 쪽지를 전투적으로 펼쳐 보며

유라   야이 개자식아!

컷 넘어가면 기훈의 멍한 얼굴. 유라의 리얼한 욕이 계속되고 있는 느낌. 점점 멀멀해지면
서 뜨악하는 기훈의 얼굴.

유라   (종이는 안 보고, 포스 있는 무서운 얼굴로) 알아들었냐 새꺄!
기훈   … (멍하게 있다가) 브라보. 멋지다, 최유라.
유라   … (본래 덤덤한 톤) 내일 봐요. (전화를 끊고)

Episode 13

기훈은 전화를 끊고 비틀거리기만….

S#58 ─ 술집 골방 + 지안 집 (밤)

#혼자 앉아 있는 동훈. 핸드폰이 옆에 있고.
#지안은 핸드폰을 들고 문자를 할까 말까 망설이는 듯.

S#59 ─ PC방 (밤)

기범은 게임하다가 형사(박 상무와 상대하던) 두 명이 들어와 장내를 훑고 다니는 걸 보고. 이 상황을 감지해 자연스러움을 가장하며 일어나고. 형사가 전화를 거는데, 나가는 기범의 핸드폰이 울리고, 기범이 냅다 뛰기 시작. 이를 달려 쫓는 형사.

S#60 ─ 거리 일각 + 지안 집 (밤)

기범이 죽어라 달리고, 형사 두 명도 죽어라 쫓아 달리고. 기범은 달리면서 전화하고.

기범   야. 잡혔어. 튀어.

그리고 핸드폰을 던져버리고는 달리고.

#전화를 끊은 지안은 조용히 철렁하고.

형사들을 피해 계속 달리는 기범.

S#61 ─ 기범 거처 (밤)

거칠게 문짝 뜯어지는 소리. 문이 열리면 광일과 종수가 들어오고. 광일이 눈으로 방 안을 훑어보고… 종수는 컴퓨터 본체를 챙기기 시작. 광일은 여기저기를 뒤지고….

S#62 ── 기범 거처 앞 (밤)

차에 컴퓨터 본체 두세 개를 싣고, 봉지에 담은 서류 등을 들고, 급히 차에 올라타 달리는 광일과 종수. 그렇게 광일과 종수의 차가 사라지면, 뒤늦게 경광등을 단 형사 차량이 와서 서고. 형사 두 명(재만 쪽에서 붙인 다른 형사)이 내려서 기범의 거처로.

S#63 ── 기범 거처 (밤)

형사들이 들어와서 보면 이미 난장판이 된 공간. 허탕 친 분위기.

S#64 ── 거리 일각 (밤)

기범을 놓친 형사들, 기범이 핸드폰을 버렸던 장소로 와서 찾기 시작하고.

형사1　분명히 뭐 버렸는데….

S#65 ── 달리는 택시 안 + 지안 집 (밤)

#상훈은 앞좌석, 동훈과 기훈은 뒷좌석에 앉아 있고. 동훈이 착잡한 눈빛으로 창밖을 보는데
#지안은 마지막 인사를 해야 할 것 같은 느낌에 핸드폰을 들고
#문자 착신음에 동훈이 핸드폰을 보면, 지안의 문자.
[내일 인터뷰 잘하세요.]
이어 들어오는 문자.
[아무것도 아녜요.]
#그 문자를 보내고 가만히 있는 지안.
#그리고 그 문자에 출렁이는 동훈의 마음. 기훈이 이지안이라는 이름을 힐끗 보고는 창밖

Episode 13

을 보고. 지안은 답을 기다리는데, 동훈은 그냥 핸드폰을 내리고 밖을 본다. 그렇게 창밖을
바라보다 혼잣말처럼…

동훈　　고맙다….

#이어폰을 꽂고 그 소리를 들은 지안.

기훈　　…그럼 들리냐?
동훈　　…
기훈　　문자해. 고맙다고.
동훈　　…
기훈　　왜? 내외해?

#이어폰을 꽂고 있는 지안 위로, 다음 신의 동훈 대사가 선행되고…

S#66 ── 동네 일각 (새벽, 동 틀 무렵)

동이 터오기 시작하고, 지쳐 걷는 삼 형제 모습 위로

동훈　　(E) 죽고 싶은 와중에, 죽지 마라, 당신 괜찮은 사람이다, 파이팅해라…
　　　　그렇게 응원해주는 사람이 있다는 것만으로… (멈춰서 긴 숨을 내쉬고, ON)
　　　　숨이 쉬어져….

동훈은 울컥하는 걸 참고, 지안에게 새삼 고맙고. 상훈과 기훈도 왠지 덩달아 숙연해지고.

#지안의 눈에선 후룩 눈물이 떨어지고.

동훈　　(다시 걷다가) 이런 말을 누구한테 해? 어떻게 볼지 뻔히 아는데.
기훈　　…뭐, 그렇다고 고맙다는 말도 못 해? 죽지 않고 버티게 해주는데,
　　　　고맙다는 말도 못 해? 해. 해도 돼. 그 정도는.

동훈　　… (걷다가 조금 가뿐한 마음으로) 고맙다. 옆에 있어줘서.

동훈은 그 말을 하며 아주 편한 얼굴이 되는데,

#지안은 동훈의 그 말에 거의 쓰러지겠다. 도망가야 하는데 가지 말라고 하는 격.

S#67 ─ 동훈 집 (새벽)

윤희는 서재 소파에 누워 있다가 도어락 풀리는 소리에 조용히 눈이 떠지고. 조심스레 현관문이 열리고 닫히는 소리. 가만히 있는 윤희.

S#68 ─ 동훈 집 안방 (새벽)

동훈이 옷을 갈아입고 욕실로 들어가고. 이어서 물소리가 들린다.

S#69 ─ 지안 집 앞 (푸른 아침)

배낭을 메고 하늘을 보는 지안. 그렇게 서 있다가 걸어간다.

S#70 ─ 정희네 앞 (아침)

정희가 단정하고 곱게 차려입고 나와 문을 잠그고… 어딘가로 간다. 주머니에 손 넣고 가다가 꺼내면 손에 들린 라이터. 칙, 한번 불을 켜보고. 다시 라이터를 넣고 주머니에 손 넣고 간다. 담담하고 부드러운 표정과 발걸음.

S#71 ─ 산사 외경 (낮)

법당이 보이고. 법회가 시작되었는지 조심스레 법당 문을 열고 들어가는 누군가.

S#72 — 법당 (낮)

조용한 법당. 대중이 앉아 있고, 겸덕은 가사를 갖춰 입고 단상에 가부좌를 튼 채 앉아 시선을 내리고 고요하게 있고. 앞에 앉은 스님이 죽비를 세 번 치자, 겸덕은 시선을 들고 고요히 대중을 본다. 따뜻한 시선.

겸덕   (미소) 날이 춥죠?

조용….

겸덕   추운 날… 우리 여기 왜 왔어요?

조용…. 앞에 앉은 사람을 가림막 삼아 몸을 가리고 앉아 있는 정희.

겸덕   마음공부하러 왔죠. 근데 마음을 왜 공부해요? 다들 마음 있잖아요.
    근데 그걸 왜 공부해요?

조용….

겸덕   (미소가 가시고, 차분하며 진지해진다) 세상 사람들은 밖에 있는 것이 내 마음을
    불편하게 하고, 밖에 있는 것이 내 마음을 즐겁게 한다고 생각합니다.
    우리 불자들은 이게 망상이라는 걸 인정하고, 여기 온 겁니다.
    '(가슴을 가리키며) 내심, (밖을 가리키며) 외경…' 내 속에 있는 걸 밖에서 본다….
    이게 진짜라는 걸 인정하고 이 자리에 앉아 있는 겁니다.

#산사의 이런저런 풍경, 그리고 정희의 표정에 겸덕의 법문이 얹히며

겸덕   인간은 다 열망하는 걸 보게 돼 있습니다. 내 속에서 보고 싶은 걸
    밖에서 찾아서 봅니다. / 내 마음이 좋으면, 밖에 싫은 게 하나도 없어요.
    (잠시 쉬고) 제가 옛날에 마음이 아주 죽겠어서, 봉음사 토굴에 가서

삼 일 밤낮 기도하는데… 그때 저도 처음 경험했는데, 그냥 마음이 풀렸어요…. 싫은 게 하나도 없어요. 염소 새끼도 이뻐서 한참 쳐다보고, 풀때기도 이쁘고… 그냥 다 이뻐요. 싫은 게 없어요.

겸덕이 대중을 그윽하게 보다가 합장한다.

겸덕   성불하십쇼.

대중들도 같이 합장하는데, 골난 얼굴로 합장도 안 하고 있는 정희의 얼굴 위로, 죽비 소리 세 번. 가만히 앉아 있는 정희 컷에서, 일어나는 사람들… 앞에 가림막 역할을 하던 사람도 일어나고… 나가는 스님의 옷자락도 보이고… 얼추 사람들이 빠져나간 분위기…. 정희도 일어나야겠다 싶어 시선을 드는데, 겸덕이 법문하던 그 자리에 그냥 앉아서 자신을 보고 있다!

정희   !
겸덕   !

S#73 ― 산사 일각 (낮)

마주 서 있는 겸덕과 정희.

정희   나 온몸이 아파. 안 아픈 데가 없어. 아침에 눈 떠지는 게 싫고,
          눈뜨면 눈물부터 나. 니가 오면 안 아플 거 같애. 그니까 와. 그만 와.
겸덕   …
정희   그만 와. 나, 혼자 늙어 죽기 싫어.
겸덕   …밥 먹자. 가자. (공양간 쪽으로 가려는데)
정희   (욱 열이 뻗치고, 서러워 꽥) 염소 새끼도 사랑하고 풀때기도 사랑하면서,
          나는 왜 안 사랑해?
겸덕   !
정희   너 여기서 득도 못 해. 나같이 지랄 맞은 여편네랑 살아봐야 득도하지,
          이런 산골에 처박혀서 득도 못 해. 내려와. 여기 확 다 불 질러버리기 전에 내려와!

정희는 울면서 허위허위 가고… 겸덕은 그냥 보고 있고….

S#74 — 공양간 (낮)

마음이 무거워 눈앞의 밥상에 손이 안 가는 겸덕. 그런 겸덕의 얼굴 위로

[INS] 법회 중 사람들을 보며 "내 마음이 좋으면, 밖에 싫은 게 하나도 없어요." 그러다가 순간 잠잠해지는 겸덕. 사람들 사이에 있는 누군가의 무릎 끝… 어깨 끝…. '정희다' 싶은! 그렇게 멈춰서 가려진 어깨와 무릎을 보았던!

그 생각에 멈춰 있는 겸덕. 힘들게 합장하고 수저를 든다.

S#75 — 돌아오는 버스 안 (낮)

정희가 자리에 앉아 눈물을 철철 흘리고.

S#76 — 사무실 (낮)

지안의 자리는 비어 있고, 동훈이 걱정스러운 얼굴로 수화기를 든 채령을 보고 있다. 채령이 수화기를 들고 있다가 놓으며

채령   안 받아요.
동훈   (!) 오늘 월차 낸다는 얘기 없었어?
채령   없었어요. 파견직들이 그렇죠 뭐.
동훈   (그 말이 거슬리고) 한 번 더 해봐.

채령은 짜증 나는 듯 동작이 멈춰지고. 송 과장이 그걸 간파하고.

송 과장   제가 전화해볼게요. (동훈을 밖으로 몰며) 신경 쓰지 마시고 들어가세요. 늦었어요.

동훈은 어쩔 수 없이 밀려 나가며 자켓 단추를 여미고.

S#77 ─ 회의실 (낮)

동훈이 상석에 앉아 있고, 임원진들도 테이블에 둘러 앉아 있고. 윤 상무는 동훈의 옆에 서서 질문하고.

윤 상무 입사해서 쭉 설계만 십몇 년 하다가 작년에 안전진단으로 밀려났는데,

정 상무 (빡 돌고) 밀려나…

윤 상무 왜 본인이 안전진단으로 밀려났다고 생각해?

정 상무 그거 내가 말해줘요? 여기서 그 이유 모르는 사람 있어요?

윤 상무 조용히 해요. 내 질문 시간에 끼어들지 마요. / 왜 밀려났다고 생각해요?

동훈 제가 상무님께 여쭤보고 싶습니다. 왜 저를 안전진단으로 보내셨는지.

윤 상무 !

동훈 물론 현재 안전진단 일도 재밌습니다. 설계를 많이 해봐서, 도면만 봐도
어디가 부실할지 감이 오고….

윤 상무 (OL) 재미로만 일해? 실적으로 말해줘야지. 세 개 팀 중에 건수 제일 적어.

동훈 네 명이 하고 있습니다. 다른 팀 최소 아홉 명입니다.

윤 상무 왜 설계에서 안전진단으로 밀려났는지 말해줄게 잘 들어.
설계 때 지은 건물 중에, 문제 있는 건물이 한둘이 아냐. 봐.

동훈 뒤에 있는 프로젝터 스크린에 11화 8신에 나왔던 건물이 뜨고.

윤 상무 이거 자네가 설계했지?

동훈 네.

윤 상무 이거 툭하면 흔들리는데, 입주자들이 손님 떨어질까 봐 쉬쉬거리는 중이라는데,
언제까지 막을 수 있을 거 같애? 이러다 언론에 빵 터지면 우리 회사 이미지
말아먹는 거 순간이야. 설계를 어떻게 했길래 건물이 흔들리냐고.

동훈 흔들리는 게 아니고 공진 현상입니다.

모두 !

동훈 보통 건물은 보행가진과 율동가진으로 바닥 구조가 공진하는 것을 피하기 위해
    각 3헤르츠와 5헤르츠의 최소고유진동수로 설계를 합니다. 쉽게 설명하면…

윤 상무 뭘 쉽게 설명해? 여기 그거 모르는 사람도 있어?

동훈 여기 구조기술사 아닌 분도 계시고, 경영 쪽이신 분들도 계시니까…

윤 상무 다 알아들어! 이 회삿밥 몇 년을 먹었는데!

최 상무 (애매하게 손 들고) 전… 재무 쪽이라… 이해가 딸려서….

정 상무 자네도 딸릴 텐데.

윤 상무 !

정 상무 자격증 없지 않나.

윤 상무 ! (부르르 떨리는)

동훈 제가 본 건물을 설계할 때는 많은 사람들이 일 초에 다섯 번 빠른 리듬으로
    뛰어야만 공진이 발생하는 5헤르츠에 맞춰서 설계했지만, 시공 과정에서
    변경이 있었고, 그래서 애초 설계와 달리 2헤르츠로 시공되면서 진동에
    취약할 수밖에 없게 됐습니다. 그런 와중에 거기에 스포츠센터가 들어오면서,
    많은 사람들이 같이 뛰면서 공진 현상이 발생한 겁니다.

윤 상무 사람 몇 명 뛰었다고 이 큰 건물이 흔들리는 게 말이 돼?

동훈 흔한 경우는 아니지만 종종 있는 일입니다.

정 상무 오륙 년 전에 테크노 사건 몰라요?

윤 상무 댁이 박동훈 변호인이야?

정 상무 공격을 하려면 기술 공부 좀 하고 오시던가요!

윤 상무 야!

최 상무 (진짜 걱정되는) 건물이 흔들리면 이거 큰 문제 아냐?

동훈 단순히 공진 현상이기 때문에, 옥상에 진동제어장치 설치하면 됩니다.
    애초에 문제가 불거졌을 때, 진동제어장치 설치를 적극 권유했지만,
    아직까지 받아들여지지 않고 있는 상황입니다.

이 상무 그럼 이 건물에 문제가 있다는 거 알고 있었다는 거네?

동훈 전 제가 설계한 건물은 매년 한 번씩 개인적으로 돌아보고 있습니다.

열 받은 윤 상무가 얼른 다음 화면을 띄우고, 스크린에 아파트 단지 사진이 뜨고.

윤 상무 그럼 진단은 어떻게 했는지 보자고. 이 아파트 단지 또 C 등급 줬다매?
　　　　　재건축할 수 있게 D 등급 줄 수도 있잖아!

동훈　　구조기술사는 정치적으로 판단하지 않습니다. 오로지 역학적 계산하에
　　　　　구조적으로만 판단합니다.

윤 상무 대한민국에서 집은 자산 개념이 세단 거 몰라? 집 한 채 하나 달랑 갖고 있는
　　　　　국민이 태반인데, 집으로 재산 못 불리면 어디서 불리냐고.

동훈　　그건 경제학자나 부동산업자의 개념이지, 구조기술사의 개념은 아닙니다.

윤 상무 자꾸 이런 식으로 하면 누가 우리한테 일을 맡기냐고? 그런 건 생각 안 하나?

정 상무 그러다가 사고 나면 누가 책임지라고요? 그런 건 생각 안 하나?

윤 상무 댁한테 안 물었어요! 좀 닥쳐요!

⟨ *Cut to* ⟩

프로젝터 스크린에 지안 얼굴이 떠 있고… 동훈은 지안 생각에 마음이 안 좋은데….

윤 상무 원칙대로 하는 사람이, 이런 앤 왜 뽑았을까? 이력서가 깨-끗해. (화면에 다가가며)
　　　　　여기 보여요, 여기? 달리기. 나 이력서에 달리기 쓰는 애 처음 봐.
　　　　　아무것도 없는 애란 얘기야. 이런 앨 왜 뽑았어? 스펙 좋은 애 다 제껴두고?

동훈　　그동안 파견직들 보면 스펙 좋은 친구들은 이직률이 높아서, 경영 지원에
　　　　　필요한 정도의 업무 능력을 갖춘 사람이 오랫동안 저희 팀을 지원해주는 게
　　　　　맞다고 생각했습니다. 그래서 이지안 씨 뽑았고, 이지안 씬… 사교성은 없지만
　　　　　영민하고… 무슨 일을 해도 생색내지 않고… 좋은 사람입니다.

#배낭을 메고 서서 이어폰 꽂은 채 듣고 있는 지안.

윤 상무 (비웃고) 내가요, 이런 짓까진 안 하려고 했는데, 애 이력서가 하도 이상해서,
　　　　　좀 뒷조사 좀 했습니다. 놀라지 마세요들. 애! 살인 전과 있는 앱니다.
　　　　　사람을 죽였다고요!

모두 술렁이는 분위기. 동훈은 그대로 가만, 지안도 가만. 결국 터질 것이 터지고야 말았
구나 싶은.

윤 상무	(동훈에게) 이건 몰랐지? 그래서 웬만하면 깔끔한 이력서, 살아온 날이 얼추
	보이는 이력서 뽑는 거야. 이렇게 아무것도 없고 느낌 쌔한 이력서 뽑는 게 아니고!
동훈	살인 아닙니다. 정당방위 무혐의로 풀려났습니다.
모두	!
윤 상무	(어랍쇼? 옳다구나 싶은) 알고 있었다는 말이네? 알면서 계속 이런 앨 회사에
	다니게 둔 거야? 어? 사람 죽인 애를?
동훈	누구라도 죽일 법한 상황이었습니다. 상무님이라도 죽였고, 저라도 죽였습니다.
	그래서 법이 그 아이한테 죄가 없다고 판결을 내렸는데. 왜, 왜 이 자리에서
	이지안 씨가 또 판결을 받아야 되는지 모르겠습니다. 이런 일 당하지 말라고,
	전과 조회에도 잡히지 않게, 어떻게든 법이 그 아일 보호해주려고 하는데,
	왜 그 보호망까지 뚫어가면서 한 인간의 과거를 붙들고 늘어지십니까-?
	내가 내 과거를 잊고 싶어 하는 만큼, 다른 사람의 과거도 잊어주려고 하는 게
	인간 아닙니까?
윤 상무	여기 회사야!
동훈	회사는 기계들이 다니는 뎁니까? 인간이 다니는 뎁니다!

윤 상무와 동훈의 시선이 왔다 갔다….

S#78 —— 회사 복도 (낮)

인터뷰를 마치고 복잡한 마음으로 걸어오는 동훈.

S#79 —— 사무실 (낮)

동훈이 들어오며 지안의 자리를 보고. 송 과장, 김 대리, 형규는 동훈을 맞으며

송 과장	잘하셨어요?
동훈	이지안 씬?
송 과장	…계속 안 받아요. 신호는 가는데.

동훈　　!

김 대리　별일 없을 거예요. 걱정하지 마세요. 인터뷰는 잘하셨어요?

동훈은 대답 없이 자리로 가 앉고. 일행들은 뭔가 심상치 않음을 감지하고 자리에 앉고. 동훈이 지안의 자리를 한 번 보고는 아무 생각 없이 아래 서랍을 열었다가 그대로 굳는다. 보면, 서랍 안에 어떤 봉투가 있다. 꺼내서 열어보면, 들어 있는 슬리퍼! 그걸 가만히 보고 있는 동훈. 뭔가 느낌이 안 좋다. 이별 선물 같은 느낌. 황망한 얼굴로 일어나 나가는 동훈의 모습에서 엔딩.

Episode

14

프로젝터 스크린에 지안의 얼굴(이력서)이 떠 있고, 동훈은 지안 생각에 마음이 안 좋은데

윤 상무   이력서가 깨-끗해. (화면에 다가가며) 여기 보여요, 여기? 달리기. 나 이력서에
       달리기 쓰는 애 처음 봐. 아무것도 없는 애란 얘기야. 이런 앨 왜 뽑았어?
       스펙 좋은 애 다 제껴두고?

동훈   그동안 파견직들 보면 스펙 좋은 친구들은 이직률이 높아서, 경영 지원에
       필요한 정도의 업무능력을 갖춘 사람이 오랫동안 저희 팀을 지원해주는 게
       맞다고 생각했습니다. 그래서 이지안 씨 뽑았고, 이지안 씬…
       사교성은 없지만 영민하고… 무슨 일을 해도 생색내지 않고… 좋은 사람입니다.

윤 상무   (비웃고) 내가요, 이런 짓까진 안 하려고 했는데, 애 이력서가 하도 이상해서,
       좀 뒷조사 좀 했습니다. 놀라지 마세요들. 애! 살인전과 있는 앱니다.
       사람을 죽였다고요!

모두 술렁이는 분위기. 동훈은 그대로 가만. 터질 것이 터지고야 말았구나 싶은.

윤 상무   (동훈에게) 이건 몰랐지? 그래서 웬만하면 깔끔한 이력서, 살아온 날이 얼추
       보이는 이력서 뽑는 거야. 이렇게 아무것도 없고 느낌 쎄한 애 뽑는 게 아니고!

동훈   살인 아닙니다. 정당방위로 무혐의 판결받았습니다.

모두   !

윤 상무   (어랍쇼? 옳다구나 싶은) 알고 있었다는 말이네? 알면서 계속 이런 앨 회사에
       다니게 둔 거야? 어? 사람 죽인 애를?

동훈   누구라도 죽일 법한 상황이었습니다. 상무님이라도 죽였고, 저라도 죽였습니다.
       그래서 법이 그 아이한테 죄가 없다고 판결을 내렸는데. 왜, 왜 이 자리에서
       이지안 씨가 또 판결을 받아야 되는지 모르겠습니다. 이런 일 당하지 말라고,
       전과 조회에도 잡히지 않게, 어떻게든 법이 그 아일 보호해주려고 하는데,
       왜 그 보호망까지 뚫어가면서 한 인간의 과거를 붙들고 늘어지십니까-?
       내가 내 과거를 잊고 싶어 하는 만큼, 다른 사람의 과거도 잊어주려고 하는 게
       인간 아닙니까?

윤 상무   여긴 회사야!

동훈   회사는 기계들이 다니는 뎁니까? 인간이 다니는 뎁니다!

S#2 ── 회사 복도 (낮)

인터뷰를 마치고 복잡한 마음으로 걸어오는 동훈.

S#3 ── 사무실 (낮)

동훈이 들어오며 지안의 자리를 보고. 송 과장, 김 대리, 형규가 동훈을 맞으며

송 과장   잘하셨어요?

동훈   이지안 씬?

송 과장   …계속 안 받아요. 신호는 가는데.

동훈   !

김 대리   별일 없을 거예요. 걱정하지 마세요. 인터뷰는 잘하셨어요?

동훈은 대답 없이 자리로 가 앉고. 일행들은 뭔가 심상치 않음을 감지하며 자리로 가고. 동훈이 지안의 자리를 한 번 보고는 아무 생각 없이 아래 서랍을 열었다가 그대로 굳는다. 보면, 서랍 안에 어떤 봉투가 있다. 꺼내서 열어보면, 들어 있는 슬리퍼! 그걸 가만히 보고 있는 동훈. 뭔가 느낌이 안 좋다. 이별 선물 같은 느낌. 황망한 얼굴로 일어나 나가는 동훈.

S#4 ── 사무실 일각 (낮)

굳은 얼굴, 숨도 쉬지 않는 듯한 얼굴로 핸드폰을 들고 있는 동훈. 신호음만 계속 가는데….

#황량한 지안의 집 대문.
#썰렁한 빈방.

핸드폰을 내리는 동훈. '어떻게 해야 되나.'

[INS] 12화: 지안 집 앞에서 지안을 보며 "동훈이 회사 직원인데, 여기 산대!"라고 외쳤던 상훈. "좋은 동네 사네"라고 했던 정희.

그 생각에 동훈이 정희에게 먼저 전화를 걸고.

S#5 ─ 정희네 (낮)

낮이지만 어두운 실내. 어디선가 진동으로 울리는 핸드폰 소리. 외출 시 입었던 옷차림 그대로 쪽방 앞에 앉아 있는 정희. 울리는 핸드폰을 쳐다보지도 않고 넋 놓은 사람처럼 가만히.

S#6 ─ 사무실 일각 + 상가 계단 (낮)

#동훈이 전화를 끊고. 어딘가로 다시 전화를 걸고.
#상훈과 기훈이 약품 바른 헝겊으로 계단의 알루미늄 미끄럼 방지 패드를 닦고. 상훈이 울리는 핸드폰을 받고.

상훈	(힘든) 어. 왜?
동훈	(목소리를 들으니 일하는 걸 알겠고) 일해?
상훈	어. 왜?
동훈	… (부탁하기 힘들겠다 싶고) 아냐.
상훈	왜?
동훈	아무것도 아냐. 일해. 끊어. (끊고)
상훈	(끊어진 핸드폰을 보고)
기훈	왜? (전날의 일이 있어 걱정되고)

#동훈은 가만 멈춰 있다가 급히 자리로.

Episode 14

S#7 —— 사무실 (낮)

동훈이 컴퓨터로 봉애의 **요양원을 검색한 뒤, 확인된 전화번호를 누르고. 신호음이 가고.

여자1   (F) 네. **요양원입니다.

동훈   수고하십니다. 실례하지만 이봉애 할머니 계신가요?

여자1   (F) 잠시만요. 돌려드릴게요.

다시 연결음이 들리고. 긴장하는 동훈.

여자2   (F) 네. **병동입니다.

동훈   저기 이봉애 할머니… 괜찮으신가 해서요.

S#8 —— 요양원 (낮)

#전화받고 있는 여직원.

여직원   (병실 표를 보고 생각하는 듯) 이봉애 할머니….

#'이봉애'라고 써진 침대 자리는 비어 있는데, 병실 한쪽 휠체어에 앉아 따뜻한 창밖 풍경을 보고 있는 봉애. 사람을 기다리는 것처럼 창가에 바짝 붙어 아래를 보고.

여직원   (F) 네 괜찮으세요. 식사도 잘 하시고….

S#9 —— 사무실 + 산사 (낮)

동훈   혹시 거기… 누구 안 와 있나요?

여직원   (F) 네?

동훈   거기 혹시 손녀분… 안 와 계신가요?

여직원 (F) 아무도 없는데… 누구 오신 분 없는데… 무슨 일 때문에 그러시는데요?

동훈 …예, 알겠습니다. 감사합니다.

전화를 끊고 가만히. 그때 송 과장이 동훈 책상 위에 있는 슬리퍼 옆에 인쇄물을 열 장 정도 놓으며

송 과장 내하력 평가 결과요. (슬리퍼를 보고) 새로 사셨어요?

동훈 … (슬리퍼를 보고)

송 과장은 답이 없는 동훈을 이상하게 보며 자리로 가고. 동훈은 슬리퍼를 도로 봉지에 넣으려다가 책상 아래 가지런히 놓는다. 그렇게 있는데… 울리는 핸드폰.

동훈 어.

겸덕 …뭐 하냐?

동훈 …일. 왜?

겸덕 …

동훈 …

S#10 — 요순 집 화장실 + 사무실 일각 (낮)

화장실 문이 열려 있고. 요순은 깔판 위에 앉아 손빨래하다가 핸드폰 벨소리가 울리자 부랴부랴 나와 전화받고.

요순 웬일이냐, 이 시간에.

동훈 엄마 정희네 갔다 오셨어요?

요순 갔다 왔지. 좀 전에. 왜? (사이) 정희 없던데. 목욕갔나 보지. 왜?

동훈 정희… 절에 갔었대요. 상원이한테.

요순 !

동훈 안 좋게 갔나 봐요. 한번 가보시라고요. 집에 들어왔나….

S#11 ─ 정희네 앞 (낮)

요순이 허위허위 정희네 와서 보면, 가게 문이 잠겼고. 열쇠로 문을 따서 들어가고.

S#12 ─ 정희네 (낮)

요순이 들어와서 보면, 홀에는 아무도 없고. 쪽방 쪽으로. 정희가 외투만 벗고 지쳐서 아무렇게나 누워 있다가 요순이 올라오는 소리에 힘들게 몸을 일으키고. 요순은 그런 정희를 보니 안쓰럽고.

요순	왜 그러고 있어. 장사 준비 안 하고.
정희	왔다 가신 거 같은데 왜 또 오셨어요?
요순	…밥 챙겨줄라고 왔지. 나와. 내려와, 밥 먹어.
정희	(맥 놓고 가만히)
요순	(보는)
정희	어쩜 이렇게 옷 입고 벗는 게 구찮을까요. 몸뚱아리 하나가 너무 구찮아.
요순	늙은이 앞에서 별소리 다 한다. 내려와.
정희	어머닌 안 힘드세요?
요순	왜 안 힘들어?
정희	짜증 안 나세요? 난 힘들면 다 때려 부수고 싶게 짜증 나던데.
요순	…
정희	(눈물 나겠다) 울고 싶어요, 진짜.
요순	… (보다가) 드나드는 손님 중에 아무나 하나 찍어서 혼자 좋아해.
	그놈 먹일 생각하면, 그놈 볼 생각하면, 힘은 들어도 짜증은 안 나.

그 말에 정희는 가만히 있다가 시뻘건 눈이 되고.

요순	…너도 참. 헤어진 지 이십 년이면 결혼을 해도 네댓 번은 했겠구만.
	어떻게 만나지도 못하는 놈을 여적 마음에서 못 놓고. (내려가며)
	조선 시대 같았으면 열녀문이라도 세워줬지.

정희　　(울컥) 그딴 문짝은 뭐에 쓰게요-? (결국 눈물이 흐르고)

요순　　(내려가며) 내려와. 밥 먹어.

정희　　…

S#13 ―― 사무실 (낮)

동훈은 겸덕과 통화 중.

동훈　　들어왔대. 걱정하지 마. (사이) 들어가.

S#14 ―― 절 산사 일각 (낮)

겸덕이 전화를 끊고 돌아서고.

S#15 ―― 사무실 (낮)

동훈이 가만있는 중에, 어디선가 놀라는 큰 소리.

채령　　(E) 진짜?

사람들이 다 채령 쪽을 보고. 채령 본인도 목소리가 너무 컸다 싶어 눈치 보이고. 목소리 낮춰 동료들과 하는 말.

채령　　진짜 죽였대 사람을? 애 그래서 안 나온 거야?

참담해지는 동훈. 그리고 동훈 옆 책상 아래 가지런히 놓여 있는 슬리퍼.

S#16 — 엘리베이터 안 (밤)

퇴근 복장으로 맥없이 서 있는 동훈. 그 옆에서 눈치만 보고 있는 송 과장, 김 대리, 형규.

송 과장   ··· (어렵게 입을 떼는) 진짜예요?
동훈   ···

S#17 — 회사 쓰레기 처리장 (밤)

동훈이 한쪽에 서 있고. 춘대는 지안의 얘기를 들은 듯 일손을 멈추고 멍한 얼굴.

동훈   전화도 계속 안 받고··· 혹시 알고 계신 거 없나 해서요.
춘대   (없다. 괜히 쓰레기만 건성으로 툭툭 치우고) 온다 간다 말하고 가는 애가 아니라···.
(다시 손동작이 멈춰진다. 심란하고. 뭘까···) 부장님은 짐작 가는 거 없으세요?
동훈   ···!

S#18 — 도로 일각 (밤)

준영과 재만이 각자의 차에서 내려 얘기하는 분위기.

재만   (애닳아 미치겠다) 싹 다 들고튀었어요. 담당 형사가 먼저 채 갔나 알아봤는데,
거기도 허탕 친 분위기에요.
준영   (!) 담당··· 형사라뇨?
재만   이지안 개랑 같이 일하던 놈이 꼬리가 잡혔어요.
준영   (왜?)
재만   그놈이 박 상무 술 먹이고 약 멕여서 동해다 던져놨대요. 중요 회의 펑크 내게.
그래서 물먹고 지방으로 쫓겨났대요. 그게 잡혀서 지금 죽기 살기로
도망 다니는 거 같은데···.
준영   !

재만　다 들고뛴 거 보니까, 잡혀도 혼자 죽진 않겠다 같은데…

준영　(미치겠고) 경찰에 잡히기 전에 무조건 먼저 잡아야 돼요!

S#19 — 달리는 준영의 차 안 (밤)

준영이 운전하며 2G폰으로 지안에게 전화하는데, 신호만 갈 뿐 전화를 받지 않고…. 열 받은 준영은 핸드폰을 옆 좌석에 던져버리고.

S#20 — 지안 집 앞 (밤)

#지안의 집으로 향하는 동훈.
#대문을 두드리나 인기척이 없고. 그런데 대문이 열리고. 동훈은 조심스럽게 안으로 들어가고.

S#21 — 지안 집 (밤)

어두운 실내. 밖에서 문 두드리는 소리.

동훈　(E) 이지안 씨, 이지안 씨. …아무도 안 계세요?

깔끔하게 정리된 방. 이불도 개어져 있고. 개수대 안에는 아무것도 없고. 선반에도 아무것도 없고.

S#22 — 지안 집 앞 (밤)

동훈이 여전히 지안 집 앞에 서 있고, '뭘까… 어디로 간 걸까…' 그렇게 있는데, 철용이 퇴근하는 듯 올라오다가 동훈을 보고

철용　형님.

동훈	!
철용	여긴 웬일이세요?
동훈	(무심히 내려가기 시작하며) 저 위에 옹벽에 금이 갔대서… 이제 퇴근해?
철용	네.
동훈	들어가라.
철용	네. 들어가세요.

어쩔 수 없이 터벅터벅 내려가는 동훈…. 철용은 가다가 이상한 듯 동훈을 돌아보고….

S#23 ─ 정희네 앞 (밤)

동훈이 굳은 얼굴로 터벅터벅 정희네 쪽으로.

S#24 ─ 정희네 (밤)

손님은 없고. 정희는 음악이 나오는 오디오 앞에 죽은 사람처럼 고개를 떨군 채 앉아 있고. 동훈은 핸드폰 하고 있는데 신호음만 계속 가고. 결국 핸드폰을 내리고 마는 동훈. 그때 정희가 숨이 터지듯 고개를 들고…

정희	언제까지 살아야 되나… 이렇게 언제까지 살아야 되니?
동훈	… (정희 얘기가 귀에 안 들어오고)
정희	가게 접을까 봐. …남들처럼 출퇴근하면 그래도 좀 사는 것 같이 살지 않을까…
동훈	…
정희	날 밝을 때쯤이면, 타닥타닥 사람들 발소리가 들려…. 이불 속에서 듣는 그 소리가 그렇게 쓸쓸할 수가 없다…. 나만 굴러가고 있지 않는 느낌… 그래서 가끔 새벽에 문 앞에 나가 앉아 있어. 나도 같이 굴러가는 것처럼 느끼고 싶어서….

[INS] 푸른 새벽녘, 정희네 앞. 정희는 가게 문 앞에 앉아 있고. 지나가는 몇몇 사람들을 보며 쓸쓸한 얼굴.

정희	오늘 새벽에 걔 봤다. 니네 회사 여직원.
동훈	! (그 말에 처음 정희를 보는)
정희	걔 괜찮더라… 안 가고 옆에 있어주더라…. 십 분 있어주다가 갔어.

[INS] 쪼그려 앉아 있는 정희 옆에 배낭을 메고 서 있는 지안.

정희	걔 회사 그만뒀다며?
동훈	…!
정희	이사 간다고. 새 직장 근처로.
동훈	…!
정희	이 동네가 참 좋았대….
동훈	…!
정희	근데… 그 말이… 니가 좋았다는 말로 들리더라….
동훈	…!

#거리: 배낭 메고 이어폰 끼고 있는 지안의 등짝. '내가 남긴 이별의 말을 어떻게 듣고 있을까 이 사람.'
#가만있던 동훈은 외면하듯, 설움을 참듯 창밖을 보고.

S#25 — 동네 일각 (밤)

어둠 속에서 핸드폰을 귀에 대고 있는 동훈의 모습 위로 계속되는 신호음.

소리	(E) 고객이 전화를 받지 않아…

동훈이 힘없이 핸드폰을 내려놓고. 그렇게 있다가 그냥 천천히 걸어가는 동훈. '아… 갔구나….' 헛헛하고 마음이 무너지는데 티 낼 수도 없고. 걷다가 멈춰 서서 괜히 나무 밑동이나 보고 있고. 볼 게 있어서 멈춰 있는 게 아니고, 마음이 정신을 못 차려 멈춰 있는. 그렇게 엄한 것을 보며 한참을 멈춰 있다가… 쓸쓸히 걷고… 그렇게 덤덤히 가는데… 그때 울리는 핸드폰. 액정을 보면 02로 시작하는 일반 전화번호. 거절을 누르고 다시 걷는데. 잠시 후 다

시 울리는 핸드폰. 또 02로 시작하는 같은 번호다. 뭔가 느낌이 오고.

동훈　　(받는) 네.

#공중전화 부스에 들어가 있는 지안.

지안　　핸드폰 고장 나서요.
동훈　　!
지안　　전화했었을까 봐요.
동훈　　…
지안　　이지안이에요.
동훈　　(퉁명) 알어. / 일찍도 전화한다.
지안　　…
동훈　　어디야?
지안　　…
동훈　　어디야?
지안　　강남이요. 새로 일하는 데요.
동훈　　…그만두면 그만둔다고 얘길해야 될 거 아냐.
지안　　…그만둔다고 하면 사람 죽인 애 송별회라도 해줄 건가?
동훈　　…!
지안　　무서워서라도 하루빨리 조용히 사라져주길 바랄텐데.
동훈　　… (미안하다. 나 때문에)
지안　　상관없어요. 어차피 오래 못 다닐 거 알았으니까. 한두 번 있는 일도 아니고.
동훈　　… (그 말이 마음 아프고) 센 줄 알았는데. 그런 거에 끄떡없을 줄 알았는데.
지안　　…지겨워서요. 나 보면서 신나할 인간들.

두 사람 말이 없다가…

동훈　　…미안하다.
지안　　아저씨가 왜요? 처음이었는데. 네 번 이상 잘해준 사람.

동훈　…

지안　나 같은 사람.

동훈　…!

지안　내가 좋아한 사람. (눈물 주룩)

동훈　…!

울지 말아야 한다는 심정으로 버티는 두 사람.

지안　난 이제 다시 태어나도 상관없어요. 또 태어날 수 있어. 괜찮아요.
　　　　(당신을 만날 수 있다면 이 거지 같은 인생 또 살 수 있다)

동훈　…!

서로 한참 말이 없다가…

지안　…우연히 만나면, 반갑게 아는 척하는 건가?

마음이 무너지는 동훈. '우린 이제 그렇게밖에 못 만나는 거구나.'

동훈　…음.

지안　…

동훈　…할머니 돌아가시면 전화해.

지안　…!

동훈　…전화해. 꼭.

두 사람, 한참 동안 말이 없고.

지안　끊을게요.

동훈　… (답을 못 하겠다)

지안은 동훈의 답을 기다리다가 포기하고 단호하게 수화기를 내려놓고. 동훈은 끊어진 핸

Episode 14

드폰을 귀에서 내리지 못하고. 그러다가 간신히 핸드폰을 내리고. 그렇게 맥없이 서 있고.

#이어폰을 끼고 있는 지안. 핸드폰이 고장 났다는 건 거짓말. 동훈의 발소리가 시작되길 기다리는 듯 가만히 있는 지안. 그러나 아직 발걸음을 떼지 못하는 동훈. 그렇게 서 있는 두 사람. 결국 울기 직전인 얼굴로 천천히 가는 동훈. 그런 동훈의 발자국 소리를 듣고 있는 지안.

S#26 ── 도심 일각 (밤)

인파 사이를 쓸쓸히 걸어가는 지안의 등짝. 사람들의 약속 장소인 듯 인파가 몰리는 곳으로 가, 그 틈에 서 있는 지안. 적당히 사람들 사이에 몸을 가리고 누군가 오기를 기다리고 있다. 다른 쪽에서 역시 응숭거리며 오는 기범. 서로를 알아봤으나 눈길도 주지 않고. 기범이 지안을 지나쳐 가면, 지안이 거리를 두고 기범을 따라가고.

S#27 ── 골목 일각 (밤)

비껴서 있는 지안과 기범.

기범   다 털렸어. 없어.

[INS] 컴퓨터 본체만 급히 빼간 듯, 어지럽혀져 있는 기범의 방.

기범   경찰에서 벌써 쓸어간 것 같애. 녹음 파일 들으면 알겠지. 누가 머리고,
         누가 타깃인지. 이제 도준영하고 박동훈하고 줄줄이 불려갈 거고.
지안   !
기범   일단 숨어 있어. 그 핸드폰 버리고 새로 개통해.
지안   … (그럼 더 이상 동훈의 목소리를 들을 수 없다) 당분간 돌아가는 상황 지켜보려면
         계속 도청해야 돼.
기범   거기 있는 프로그램 새 핸드폰으로 그대로 옮겨달라고 하면 돼.
지안   !

기범 바꿔. 빨리. (쪽지를 주며) 바꾸고 이리 전화해.

그때 코너를 돌아 남자들(일반 행인)이 오자 순간 흩어지는 지안과 기범.

S#28 ── 세운상가 (밤)

컴퓨터를 만지는 업자. 옆에서 보고 있는 광일과 종수.

업자 (클릭하면 동훈의 목소리가 나오는데) 이건 도청 파일이고… 핸드폰 도청한 거 같애. (클릭하면 준영과 지안의 대화가 나오는데) 이건 녹음 파일….

컴퓨터에서 흘러나오는 준영의 목소리. "직장 상사의 권위를 이용한 부적절한 관계로… 넌 따로 보상도 받을 수 있어. 강요에 의해 어쩔 수 없었다고 하면… 당장 자를 건 아니고. 그냥 사귀고만 있어. 천만 원이야." 가만히 듣고 있는 광일과 종수. 준영과 지안의 대화가 계속 이어지고.

종수 이 기집애… 이런 짓하고 있었네…. (준영의 목소리가 들리고) 이 인간 지금 똥줄 타고 있겠는데? 우리 얼마 불러야 되냐? 일억은 불러도 되지 않을까?

광일 !

S#29 ── 준영 집 (밤)

준영이 여전히 2G폰으로 전화 중이고. 신호음이 가다가,

소리 (E) 고객이 전화를 받지 않아 음성 사서함으로 넘어갑니다.

음성을 남기는 준영.

준영 너 내 말 잘 들어. …절대 잡히지 마. 너 여기서 잡히면 다 끝이야. 너, 나, 박동훈. 다 끝이야. …전화해. 만나서 얘기해.

그때 초인종이 울려서 인터폰을 보면, 화면에 보이는 지안.

준영 !

⟨ Cut to ⟩

지안이 무심히 왔다 갔다 하고… 준영은 그런 지안을 시선으로 쫓고…. 좀 전과 달리 여유로운 느낌의 준영….

준영 어떻게 할 거야?

지안 생각 중.

준영 뭘 생각해. 그냥 죽어라 도망 다녀야지. 꼭꼭 숨어 살아야지 별수 있어, 깜빵
    안 가려면? 난 죄 없어. 괜히 너한테 불륜 걸려서 협박당한 거고. 니가 맘대로
    박 상무 작업해놓고 나한테 와서 돈 달라고 한 거고. (의미 있게 빙긋이) 난 거절했고.

지안 !

준영 박동훈 도청도 니 맘대로 한 거잖아. 여기 내 죄가 어딨니? 불륜은 죄가 아냐.

지안 !

준영 녹음 파일로 협박할 생각 마. 그거 갖고 와서 돈 달라고 할 생각도 말고.
    너한테 복사본 없겠어?

지안 (멈칫, 이 인간한테 컴퓨터 없다!)

준영 (피식… 갸웃, 지안의 주머니 정도를 보며) 지금도 녹음하니?

지안 나도 잡힐 생각 없어요. 죽어라 도망 다닐 거야. 그쪽이 박동훈 손에…
    무사히 잘릴 때까지.

준영 !

지안 잘리고 나면, 나 잡으려고 하지도 않을 텐데 뭐. 이미 잘려 나간 인간 뭐 하러
    또 잡으려고 하겠어. 다 그쪽 잡으려고 하는 짓인데. 그래도 만에 하나,
    잡히면 어디까지 불어야 되나. 서로 말은 맞춰야 될 것 같아서.

준영 난 너한테 그냥 협박당한 거야.

지안 (OL) 박동훈 와이프하고 불륜은 모르는 걸로 하려고.

준영 !

지안 그냥 대표이사 재신임에 걸리적거리는 인간들 치우는 작업이었다는 걸로만.

준영　　　(지안을 한참 보다가) 왜, 박동훈 인생에 흠집 날까 봐? 공개적으로 개망신당할까 봐?

지안　　　…

준영　　　와… 니들 열렬히 사랑하는구나….

지안　　　…

준영　　　(지안을 한참 보다가) 됐다. 그냥 선배 와이프랑 놀아난 드럽고 치사한 놈 되고 말지,
　　　　　박동훈한테 흠집 하나도 안 나는 건, 아니꼬와 못 보겠다….

지안　　　!

준영　　　(어이없는 웃음) 너 그냥 열심히 도망 다녀야겠다….

싱크대 위 칼집에 꽂혀 있는 칼들. 그걸 무심히 보는 지안.

지안　　　희한한 게, 위기 상황에선, 가장 숨기고 싶은 내 치부가 가장 센 무기가 돼.

준영　　　?

지안　　　사람 죽인 년이란 거, 누가 알까 무서워 사람들이랑 말도 안 섞고 사는데,
　　　　　위기에 몰리면 그 말을 내가 먼저 꺼내.

준영　　　!

지안　　　한 번 죽인 년이 두 번 못 죽일까.

준영　　　!

지안　　　(떨리는 분노) 박동훈 건드리는 새끼들은 다 죽여버릴 거야.

준영　　　!

S#30 ―― 준영 집 근처 (밤)

준영의 집에서 나와, 선선한 얼굴로 걸어가는 지안.

S#31 ―― 세운상가 (밤)

광일 혼자 있고 컴퓨터에선 동훈과 지안의 목소리가 나온다. "나 그렇게 괜찮은 사람 아냐."
"괜찮은 사람이에요. 엄청. 좋은 사람이에요. 엄청." "한번 안아봐도 돼요? …힘내라고 한번 안

Episode 14

아주고 싶어서요." "힘 나. 고마워." 걸어가는 동훈의 발소리가 들리는데… 애써 피식 웃는 광일.

S#32 ─ 산사 풍경 (낮)

S#33 ─ 절 방 앞 (낮)

시중을 드는 햇중이 겸덕의 방 앞에 서 있고, 겸덕이 방에서 책을 빼내 툇마루에 내놓고. 또 책을 빼내 툇마루에 내놓고, 그 위에 마지막으로 핸드폰을 놓고 들어가려는데

햇중   얼마나요?
겸덕   몰라.

겸덕이 안으로 들어가 문을 닫고. 햇중이 자물쇠로 문을 걸어 잠근다. 열쇠와 겸덕의 핸드폰을 주머니에 넣고, 겸덕이 내놓은 책이며 짐을 안고 가는 햇중.

S#34 ─ 사무실 (낮)

산사처럼 나른하고 조용한 사무실. 동훈은 맥없이 자리에 앉아 있고, 동훈의 어깨 너머로 보이는 지안의 빈자리. 슬리퍼는 여전히 책상 아래 놓여 있고. 그렇게 있다가 힘없이 문자를 찍는 동훈의 모습 위로

동훈   (E) 칠사년생 올해 삼재냐?

S#35 ─ 절 방 + 사무실 (낮)

#햇중이 겸덕의 물건을 정리하다가 한편에서 울리는 겸덕의 핸드폰을 보고.
[동훈: 74년생 올해 삼재냐?]
눈으로만 문자를 보다가 핸드폰에 손가락을 올리는데.

14화

#답문을 보는 동훈.

[겸덕: 스님은 지금 정진 중이십니다.]

#햇중이 짐을 정리하다가 다시 울리는 핸드폰을 가서 보면,

[동훈: 잘났다.]

'어쩌지? 내가 쓴 건데.' 살짝 갈등에 멈춰 있는 햇중.

S#36 — 절 방 (낮)

벽을 보며 가부좌 틀고 앉아 있는 겸덕.

S#37 — 회사 로비 (낮)

회장이 굳은 얼굴로 들어오고. 준영과 왕 전무가 맞으나, 회장은 눈길도 주지 않고 엘리베이터 쪽으로.

S#38 — 왕 전무 방 (낮)

회장이 앉지 않으니 모두(임원진 포함)가 서 있고. 회장은 화난 얼굴로

회장	그래서? 결국 못 다니게 만든 거야?
모두	…
회장	왜 이래들. 임원씩이나 돼서. 왜 자꾸 하지 말라는 짓을 해? 내가 저번에 (지안 인터뷰 자리) 들어가서 주의 줬잖아. 그런 짓하지 말라고. 알아들었어야지.
모두	…
회장	이런 회사 누가 다니고 싶어? 임원들이 직원들 뒤나 캐고. 험담이나 하고. 누가 다니고 싶어?
모두	…
회장	찾아와. 그 친구 찾아와.
모두	!

준영	이미 소문 돈 이상, 그 친구도 계속 다니긴…
회장	(OL) 내가 사과라도 해야 될 거 아냐. 어디 취직이라도 시켜줘야 될 거 아냐.
모두	…
회장	마음이 쓰려서 잠이 와 이거.
왕 전무	꼭 찾겠습니다. 걱정 마십쇼.
준영	!
회장	(화난 김에) 상무 심사 결과는 왜 아직 못 내?
준영	!
회장	왜?
모두	…

S#39 — 회사 앞 (낮)

모두가 차에 오르는 회장에게 인사하고. 회장의 차가 떠나면

왕 전무	(임원들에게) 오늘 중으로 상무 인사 냅시다.
준영	그러시죠. (안으로)

다들 싸한 얼굴로 들어가고, 윤 상무가 준영의 뒤를 졸졸졸.

S#40 — 대표이사실 앞 (낮)

윤 상무가 죄인처럼 준영의 뒤를 졸졸 따라붙는데. 준영은 들어가려다가 쫓아 들어오려는 윤 상무의 가슴팍을 손으로 밀고.

준영	붙어 다니지 마요, 이제. 내가 시킨 일 같잖아 다.

비서들이 보기 민망해 시선을 피하고. 준영은 차갑게 들어가고. 윤 상무는 준영의 뒤에 대고 꾸벅… 그리고 가만….

S#41 ── 회사 회의실 (낮)

임원진들이 둘러 앉아 있고, 모 상무는 상석에 앉아 있고. 한쪽에는 기록하는 이가 있고.

모 상무 최도훈 부장을 상무이사로 선출하는 것에 찬성하시는 분은 거수로
    표명해주시기 바랍니다.

윤 상무와 다른 상무 하나만 손들고. 윤 상무는 손들지 않는 같은 편 상무들을 분노에 차서
바라보고. 그러나 윤 상무의 시선을 외면하며 끝내 손들지 않는 상무들.

모 상무 내려주시고. 다음은 박동훈 부장을 상무이사로 선출하는 것에 찬성하시는
    분은 거수로 표명해주시기 바랍니다.

그 외 모든 사람이 손을 든다. 모 상무 본인도 손든다. 침통하고 분에 겨운 윤 상무.

S#42 ── 대표이사실 (낮)

책상에 놓인 상무이사 선임 승인서를 보고 있는 준영. 성명란에 박동훈. 결국 서명하고 던
지듯 비서에게 주고. 비서가 이를 받아 들고 나가고. 준영은 가만….

S#43 ── 사무실 (다음 날, 낮)

동훈이 자리에 앉아 컴퓨터를 보고 있는데, 인트라넷으로 공고문이 뜬다.
[신임 상무이사. 박동훈.]
각자의 책상에 앉아 그걸 본 송 과장, 김 대리, 형규 등이 벌떡 일어나 환호하고. 여기저기
서 직원들이 "축하합니다" 하며 일어나고.
#윤 상무 방: 윤 상무는 밖에서 들리는 축하 소리를 들으며 침통하게 앉아 있고.

최 부장도 동훈에게 와 악수를 청하고. "축하드립니다" "수고하셨습니다" 등등. 그렇게 직

원들에게 둘러싸여 축하받는 동훈. 그 와중에도 지안의 빈자리가 눈에 들어오고….

S#44 — 요순 집 (낮)

요순이 바닥에 앉아 돋보기안경 쓰고 콩을 고르다가, 개선장군처럼 문을 확 열고 들어오는
기훈 때문에 기겁하며 놀라고. 뒤따라 들어오는 상훈.

기훈   엄마!
요순   (성질나) 왜!
기훈   작은형 상무 됐대요!
요순   … (눈이 번쩍) 됐대?
상훈   됐대요.

요순은 반갑고 놀라운 마음에 어구구 일어나려는데, 펴지지 않는 무릎 때문에 다시 주저앉
고… 상훈과 기훈이 손잡아 일으켜주면….

요순   아이고. 잘했다. 잘했다….

주인공도 없는데 서로 등 쓰다듬어주고 울고 웃고.

S#45 — 몽타주 (밤)

동훈은 지하철 안이고.

#변호사 사무실에 있는 윤희와 통화 중.

윤희   잘됐어. 축하해. 진짜 축하해….
동훈   정희네로 와. 다 같이 한잔하게.

14화

#부산 지사에 있는 박 상무와의 통화.

박 상무   축하한다.

동훈   죄송해요. 상무님이 나간 자리에….

박 상무   그런 소리 마. 딴 놈이 아니고 너라서 얼마나 다행인데.

동훈   …그건 어떻게 됐어요?

박 상무   (놓쳤지만) 걱정 마. 잡을 거야.

#동훈이 아들에게 문자(혹은 톡).

[아빠 상무 됐다.]

[상무가 뭔데?]

[승진했다고.]

[축하해. / 용돈 올려줘.]

피식… 거기에 뭐라고 답문을 찍는 듯.

⟨ Cut to ⟩

앉아서 가만히 핸드폰을 보는 동훈. 이지안 누르고, 지안에게 문자를 보낸다.

[상무 됐다. 고맙다.]

문자를 보내고 핸드폰을 주머니에 넣고 가만히….

S#46 ── 동네 역사 앞 (밤)

동훈이 역사를 빠져나와 핸드폰을 보는데,

[상무 됐다. 고맙다.]

자신이 보낸 메시지만 있고 아직 답이 없다. 망설이다가 전화를 거는데…

소리   (E) 지금 거신 전화는 없는 번호이오니 확인하고 다시 걸어주시기 바랍니다.

동훈   !

순간 모든 소리가 정지되고, 백지장이 되는 얼굴. 모든 것이 멈추는 느낌.

S#47 ── 택배 상하차장 (밤)

여자들이 배정된 소형 택배 포장 업무. 바닥엔 작은 택배 상자들이 가득하고, 큰 마대 자루에 소형 택배를 넣고 묶어서 레일로 미는 지안….

S#48 ── 정희네 (밤)

축제 분위기. 사람들이 바글바글 왁자하고, 요순과 애련, 정희는 주방에서 분주하게 음식 준비 중. 맞춰 온 편육 박스, 홍어무침 박스가 펼쳐져 있고, 요순은 가스레인지 위 들통에서 삶은 커다란 문어를 꺼내 도마 위에 놓고 썰고. 애련은 육회를 무치고, 정희는 분주히 접시에 음식을 담고. 상훈, 기훈, 유라는 접시를 테이블로 나르고. 동훈은 사람들 틈에 앉아서 축하받으며 연신 건배하는데, 시선은 자꾸 떨어지고 맥없이 미소만….

유라   (요순에게) 어머니 감독님이랑 닮으셨어요.

기훈   우리 엄마 그 말 되게 싫어해. (접시 들고 가고)

그때 윤희가 꽃다발을 들고 들어오자, 모든 남자들이 일제히 일어나 박수치며 환호성.

남자들   오-! / 사모님 오셨습니다-!

정희   (두 팔 벌려) 윤희다-! (윤희를 안고)

상/기   (두 손을 번쩍 들어 아주 반갑게) 우리 제수씨! / 형수!

동훈은 그런 상훈과 기훈을 보자 안쓰러운 마음에 또 시선이 내려가고. 윤희가 요순과 애련에게 인사하고 주방으로 가서, 요순에게 꽃다발을 안기고.

윤희   축하드려요, 어머니.

요순은 눈물이 핑 돌고. 동훈은 그런 윤희가 안쓰럽고 고맙고.

요순   (윤희 손잡고) 니가 애썼다.

윤희	저 한 거 없어요.
요순	내가 맨날 너만 보면 면목이 없어서 목이 쑤욱 들어갔는데… (잡은 손을 보며) 손이 이게 뭐니… (윤희의 머리칼을 넘겨주며) 목은 배배 꼬여 돌아가게 생겨갖고….
애련	(일하며 뚱) 어머니 제 목은요?
상훈	우리 애련인…
애련	(OL) 시끄러.

남자들이 윤희를 동훈이 있는 테이블로 끌고 가려하자, 요순은 윤희에게 그냥 테이블로 가 앉으라고 눈짓 손짓…. 무리들이 동훈의 옆자리를 비워주며, "이리 앉으세요" "수고하셨어 요 제수씨" "축하드립니다. 한잔 받으세요…" 등등. 다 같이 잔을 채우고, 주방에 있는 여 자들도 잔을 들고 건배! 윤희는 웃는데도 괜히 눈물이 날 것 같고…. 그때 전화받는 제철.

제철	어. (왜 이렇게 시끄러워?) 동훈이 상무 됐대. 동네잔치다. 얼른 와.
요순	(크게) 다 오라 그래.
제철	(통화) 술도 짝으로 나와 있다. 얼른 와. (끊으려다) 의자 갖구 와, 의자. 의자 없다. (전화를 끊고, 동훈에게) 저 위에 사는 그 여직원도 오라 그래.
윤희	?
정희	(안주 놓으며) 걔 회사 그만뒀어. 이사 갔어.

윤희의 표정. 상훈과 기훈의 표정.

제철	(갑갑한. 절망하며) 하… 동훈아…. 너도 똑같은 상사였니? 하… 넌 다를 줄 알았다.
진범	세상에 다른 상사가 어딨냐. / 그날 우리가 데려다주는 게 아녔어. 분명히 친구 만나서 욕했다. 그지 같은 인간들이 떼로 몰려서 데려다주는데 쪽팔렸다고.
권식	그렇다고 혼자 보내긴 뭐하잖냐. 그 외진 델.
애련	혼자 보내! 욕 처먹지 말고. 나 같아도 싫어. 술 취해갖고….
정희	안 그래. 걔 떠나면서 그랬어. 이 동네가 참 좋았다구.
진범	그럼 그렇게 말해야지 뭐….
제철	그날 느낌이, 우릴 그렇게 싫어하진 않았어.
정희	아저씨, 아저씰 싫어하지 않은 게 아니고, 동훈일 싫어하지 않은 거예요.

윤희	…
상/기	…
제철	우리도 싫어하지 않았어. 싫으면 그런 말도 안 해. 빨리 늙고 싶다구…
	빨리 우리 나이 되고 싶다구….

그 말에 동훈은 또 지안이 생각나 안쓰럽고. 그냥 술 마시고. 다시 술잔이 채워지고, 다 같이 건배!

S#49 — 택배 상하차장 휴게실 (밤)

지안이 한쪽 이어폰만 꽂은 채 테이블에 얼굴을 대고 엎드려 창밖을 본다. 축제의 소란을 들으며. 다른 테이블에 모여서 휴식을 취하던 사람들이 일어나 지나가며 지안의 테이블을 톡톡 치고. 휴식 시간 끝났다는 듯. 그래도 가만히 엎드려 있는 지안.

S#50 — 정희네 앞 (밤)

한쪽엔 윤희 차가 주차되어 있고. 요순을 배웅하는 삼 형제와 애련, 윤희, 유라, 제철.

여자들	조심히 들어가세요.
삼 형제	일찍 들어갈게요. / 쉬세요.

요순이 미소 짓고 동훈을 보다가 한 번 안고. 주변 사람들은 괜히 눈물 나서 조용해지고.

요순	(동훈에게서 떨어지고) 간다.
동훈	조심해서 가세요.

다들 인사하고, 요순의 뒷모습을 보고 있는데, 요순이 가는 방향 맞은편에서 오는 조기축구회 단체복 입은 무리들. 한 놈의 손엔 겹쳐진 둥근 플라스틱 의자가 들려 있고. 요순을 보고 꾸벅 인사하는 무리들. "안녕하세요!" 요순은 얼른 들어가 마시라는 손짓.

상훈	이제 오냐?
무리들	예, 형님. (동훈에게 꾸벅) 축하드립니다, 형님.
동훈	고맙다. 들어가.

여자들과 무리는 들어가고, 동훈이 습관적으로 지안의 집 쪽을 보며 제철을 쫓아 들어가려는데,

제철	그 여직원은 왜 그만둔 거야?

동훈이 그냥 미소 지어 보이며 들어가고. 기훈은 씁쓸한 마음에 담배를 꺼내고. 상훈은 좀 있다가… 조용히 따라 들어가고.

S#51 ─ 정희네 (밤)

사람이 더 많아졌고. 삼삼오오 모여 자기들끼리 얘기하는 분위기. 테이블에 앉은 애련이 윤희에게…

애련	서방님이 처음 동서 집에 데꾸 왔을 때… 좋은 냄새 나는 여리여리한 동서 보면서… 저 두 인간은 우리 후계동 인간들이랑은 다르게 살겠구나….
윤희	…
애련	결국 다르게 산다.
윤희	…
애련	승질나게 부러운데, 질투 나 죽겠는데. 오늘은 일단 축하해줄라고. 내일부터 나 엄청 골 부릴지 몰라. 밥 먹다가 눈 들어보면 내가 째려보고 있을지도 몰라.

그때 동훈이 화장실에서 나와 앉고. 약간 비틀거리는 느낌.

애련	(동훈을 보고 다정하게) 친구야.
상훈	또.
애련	어머니도 가셨는데 뭐? 동창한테 친구라고도 못 해?
기훈	(자리에 와 앉으며) 난 절대 동네 여자랑은 결혼 안 해. 족보 다 꼬여.

Episode 14

유라	(기훈에게, 놀라운) 두 분 동창이에요?
애련	(동훈에게) 친구야… (악수 청하며) 축하한다. 여자로선 동서를 질투하지만,
	친구로선 니가 자랑스럽다. / 어려서부터 진짜 양반이었는데. 난 이 인간
	와이프 되는 것보다, 니 형수 되는 게 더 좋았다.
모두	뭐야…
애련	우리 학교 때 인기투표하면 동훈이랑 상원이가 일이 위였어.

모두들 '상원이'라는 말에 정희를 의식하고. 주방에 있던 정희는 살짝 굳었다가 하던 동작
을 이어가고.

애련	물론 상원이가 일 위. 그건 인정해야 돼 너도. 그지?

상훈이 애련의 옆구리를 찌르는데, 애련은 상관없이 계속.

애련	상원인… 햐… 진짜 상남자였다. 잘생겼지, 공부 잘하지, 운동 잘하지.
	쫓아다니는 여자애들 진짜 많았었는데 쟤가 싹 다 정리한 거 아냐.
	정정희 여사께서. (상훈에게) 그만 좀 찔러라. 왜 그러니. 내가 지금 분위기
	만들잖니. '윤상원은 금기어가 아니다! 우리의 추억이다!'
동훈	…!
애련	아니 어떻게 이십칠 년을 한동네서 친하게 지내던 놈 이름을 금기어로
	만들어놔. (동훈에게) 서방님! 상원이랑 단짝이었잖아. 가뜩이나 쓸쓸한 인간이,
	이십칠 년 단짝 잃어버리고, 저 기집애가 단짝 이름도 금기어로 만들어놓는
	바람에 애기도 못 하고!
동훈	… (애써 피식)
애련	상원이 얘기 한마디도 못 하면, 서방님은 친구 한 명도 없는 사람인 거잖아.
동훈	(왜 그 말에 눈물이 터지려고 할까. 힘들게 억지로 미소로 버티는데…)
애련	(정희에게) 야! 친구가 울라구 그런다! 우리 서방님 운다!
동훈	(미치겠네 진짜. 여기서 눈물 터지면 안 되는데…)
윤희	(그런 동훈을 보자 눈물 나겠고…)

정희   나 때문에 여태 금기어였던 거야?

애련   몰랐니?

정희   동훈아, 힘들었니?

동훈   (웃는 얼굴로 대답도 못 하고)

정희   힘들었어? 단짝 얘기도 못 하게 해서?

동훈   어. (짧게 얘기하고 눈물 날까 얼른 웃는)

정희   미안하다… 몰랐네….

애련   너도 부르고 살아야 속병 풀려.

정희   좋다. 내가 오늘부로, 윤상원을 금기어에서 해금한다. 불러. 맘껏 불러.

권식   (용감하게) 진짜 불러?

정희   불러! 부르자! (잔을 들고) 윤상원은! 우리의 추억이다!

모두   (잔을 들고) 윤상원은! 우리의 추억이다!

상훈   한 번 더!

모두   윤상원은! 우리의 추억이다!

상훈   한 번 더!

모두   윤상원은! 우리의 추억이다!

동훈은 끝까지 잔을 들어 외치지 못한다. 그냥 멋쩍게 웃음을 연기하고. 윤희도 외치지 않고 그런 동훈을 안쓰럽게 보고. 모두들 건배하고 잔을 비우는데, 동훈이 웃으며 일어나 화장실로 가고.

제철   상원아-! 이제야 니 이름을 목 놓아 불러본다. 상원아-!

한쪽에서 그런 모습을 흐뭇하게 보던 유라가 기훈에게

유라   나 갑자기 감독님이랑 결혼하고 싶어졌어요. 재밌을 거 같애, 이 집구석.

기훈   어. 큰형수도 그렇게 결혼했어. 지금 별거 중이야.

윤희가 화장실 쪽을 본다. '이 사람, 울고 있는 걸까…' 화장실 문….

S#52 — 정희네 앞 (밤)

윤희는 차에 올라 있고, 차창 밖에서 삼 형제가 배웅하고.

윤희 먼저 들어갈게요.
상/기 조심해서 들어가세요.
동훈 (윤희에게) 금방 들어갈게.
상훈 제수씨. (머리 위로 하트를 그리며 앙증맞게 몸 기울이는) 사랑합니다.

윤희가 가면서 백미러로 보면, 상훈은 계속 하트를 그리고 있고, 동훈은 떠나는 윤희의 차를 보고 있고, 기훈은 그냥 정희네로 들어가고…

S#53 — 달리는 윤희 차 (밤)

운전하며 가는 윤희. 씁쓸한 눈물. 이 울타리를 박차고 나가고 싶었는데, 막상 끝이 보이니 안타깝다.

S#54 — 정희네 (밤)

#의외로 다정히 듀엣하는 상훈과 애련.
#정희도 노래하고.
#그 시각 겸덕은 방에서 정진 중이고.
#사람들에게 떠밀려서 어쩔 수 없이 마이크 잡은 동훈. 기교 없이 우렁차게 노래한다.
이승재의 「아득히 먼 곳」처럼 목청껏 부를 수 있는 노래로. 미소 지으며 아주 용감하게 노래하는데 왠지 슬퍼 보이는 동훈. 그런 동훈의 모습에 다음 신 지안의 모습이 겹친다.

S#55 — 몽타주 (밤)

#지안이 술 취하고 지저분한 남자들을 스치며 좁은 고시원 복도를 지나고.

#반 평짜리 좁은 고시원 공간에 믹스커피 두 봉을 타서 마시며 동훈의 노랫소리를 듣는다. 고개를 쳐들고 동훈의 노래를 듣고 있는 무표정한 얼굴에 굵은 눈물.

S#56 ─── 회사 외경 (다음 날, 낮)

S#57 ─── 박동훈 상무 방 (낮)

박 상무가 쓰던 방. 박동훈 상무라는 명패가 보이고. 축하 화분도 보이고. 왕 전무, 정 상무, 한 상무, 고 상무의 축하를 받으며 악수하는 동훈.

왕 전무 수고했어. 잘해보자고.
동훈   감사합니다.

#밖에서는 송 과장, 김 대리, 형규 등 직원들이 엄지를 치켜세우고. 소리 없는 박수를 쳐 보이고.

모두가 가고 혼자 있는 동훈. 커피 마시며 상무 방 밖의 사무실 풍경을 본다. 쓸쓸하게 비어 있는 동훈의 자리… 그리고 시선을 옮기면 역시 비어 있는 지안의 자리…. 동훈이 그 자리를 가만히 보는데… 그때 어떤 여자가 지안의 자리에 앉는다. 단정하고 깔끔한 이십 대 여자. 지안을 대신해서 온 듯. 동훈이 그쪽을 보다가 그냥 돌아서고 만다. 책상 아래에 가지런히 놓여 있는 슬리퍼를 본다. 신발을 벗고 슬리퍼를 신고 자리에 앉는다. 일에 열중하려는 듯 의자를 당겨 앉고….

S#58 ─── 경찰서 앞 (낮)

박 상무가 급히 차를 주차하고. 차에서 내려 건물로 종종종 뛰어가고.

Episode 14

S#59 ─ 경찰서 복도 (낮)

박 상무가 급히 들어오면, 형사1이 박 상무를 맞이하고.

박 상무   잡았어?

형사   PC방에 있는 거 아이피 추적으로 잡았어요. 게임에 미친놈들은 못 끊어요.

박 상무가 형사와 함께 취조실로.

S#60 ─ 경찰서 취조실 (낮)

취조실에 있는 기범. 그 앞에는 형사2.

기범   대리기사 중간에 가로챈 게 그게 그렇게 큰 죄예요? 에?

형사2   이거 납치 사건이야 임마. 너 지금 납치범으로 조사받는 거야.

기범   아니 어떻게 이게 납치예요? 그 양반이 동해 가자고 해서 동해 태워다줬는데,
           이게 어떻게 납치예요?

박 상무가 담당 형사와 함께 관찰실에서 취조 과정을 지켜보고 있고.

형사1   저놈 맞아요?

박 상무   모른다니까. 기억나는 게 하나도 없어.

다시 취조실.

기범   아니 PC방에 있는데, 옆에 앉은 대리기사가 회사랑 통화하는데,
           '동해다, 부르는 대로 준단다, 샤인 룸살롱이다, 그러냐, 알았다, 가겠다…'
           그러곤 안 가고 게임하는데, 그 사람 게임이 금방 끝날 게임이 아니었어요.
           그래서 내가 먼저… 아 달라는 대로 준다니까! (그래서 갔지!) 그리고 내가
           룸살롱 갔을 때 그 양반도 분! 명히 속초 가자고 했어요. 막 나한테…

'동훈아, 우리 빨리 해 뜨기 전에 속초 가서 전복 뚝배기에 소주 한잔하자, 이제 다 끝났다, 가자! 동훈아!' 내가 이름도 안 잊어버려. 동훈이.

그 말을 듣는 박 상무 얼굴 위로

[INS] 3화: 동훈과 그런 얘기를 했던 박 상무.

뭔가 촉이 오는 박 상무의 얼굴.

형사2 잘못한 게 없는데 왜 도망가? (13화에서 버린 핸드폰이 비닐봉지에 담겨 있고 이를 책상 위에 던지듯 두며) 핸드폰도 버리고!

기범 흘린 거라니까요! 버린 게 아니고!

형사2 (그 핸드폰을 꺼내 통화 목록 보며) 마지막으로 통화한 게… 지안?

박 상무 !

형사2 통화 시간대도 그날 도망가면서 한 거고… 누구야?

기범 그냥 친구예요!

박 상무 !

S#61 — 회사 일각 + 경찰서 관찰실 (낮)

정 상무가 핸드폰을 받는다.

정 상무 네. 상무님.

S#62 — 회사 일각 + 경찰서 관찰실 (낮)

박 상무 박동훈 부장이랑 소문 돌던 여자애 이름이 뭐지?

정 상무 이지안이요? 왜요?

박 상무 ! (맞구나…)

정 상무 걔 그만뒀는데…

박 상무 왜?

정 상무 그게… 얘기하자면 좀 긴데….

박 상무 걔 핸드폰 번호 불러봐. 이지안. 빨리. (핸드폰을 든 채로 형사1에게 기범을 가리키며 다급히) 쟤 마지막으로 통화한 번호 좀.

형사1이 취조실로 들어가 기범의 핸드폰에서 지안의 번호를 적고.

S#63 ── 사무실 + 경찰서 관찰실 (낮)

정 상무가 (박 상무와의 통화를 끊지 않은 상태로) 채령에게 가서 슬쩍

정 상무 이지안 핸드폰 번호, 혹시 아나?

채령 전화 안 되던데요.

정 상무 응?

채령 안 나와서 전화해봤는데, 없는 번호로 떠요. 바꿨겠죠 뭐.

정 상무 (통화) 없는 번호로 뜬다는데요.

박 상무 불러봐. 없는 번호 그거.

정 상무 통화 안 된다는데.

박 상무 불러보라고!

정 상무 (왜 성질이야. 없는 번호라는데. 채령에게) 그냥 그거 줘봐. 이지안 번호.

채령 (구시렁) 안 되는데… (하며 번호를 주고)

정 상무 (보면서 읽는) 공일공.

박 상무 (형사1이 적어준 메모를 보며) 어.

정 상무 ***에 ****.

박 상무는 가만. 메모 속의 번호와 일치한다.

S#64 — 회사 설계사무실 (낮)

최 부장과 나란히 서서 컴퓨터 속 설계 화면을 보고 있는 동훈.

동훈　　(브로슈어 들고) 내진철강재 쓰는 걸로 결정 난 거야?
최 부장　네. 건축주가 오케이 했어요.
동훈　　잘됐네. 미국은 대부분 내진철강재 쓰는데 우린 이제 시작이네….
최 부장　(동훈을 보며) 설계팀으로 다시 오신 거 환영합니다. (의미 있게) 상무님.
동훈　　(피식) 수고해. (나가고)

S#65 — 박동훈 상무 방 (낮)

담담하게 일하는 동훈. 그때 책상의 일반 전화가 울리고,

동훈　　네, 안전진단3… (하다가 그냥) 박동훈입니다.
박 상무　난데. 딴 사람한테 전화받는 척해. 소장님 부장님 아무거나 불러.

#책상 위에 있는 동훈의 핸드폰 컷.

동훈　　?
박 상무　얼른.
동훈　　…네, 소장님.
박 상무　점심 약속 있는 것처럼 조용히 나와… 핸드폰 들고.
동훈　　!

S#66 — 거리 일각 (낮)

덤덤한 척 걸어가나 바짝 긴장한 동훈.

박 상무 (E) 여기 도착하기 전에 조용히 핸드폰 꺼. 전원을 끄라고. 완전히.

동훈이 무심히 핸드폰을 꺼내서 전원을 끄고. 다시 간다. 한 건물로 들어간다. 그 건물 유리창에 '도청 감청 전문'이라고 쓴 간판이 보이고.

S#67 ─ 도청 전문가 사무실 (낮)

유리 칸막이 부스 안에서 동훈의 핸드폰을 만지고 있는 전문가. 칸막이 너머에서 그걸 보고 있는 동훈과 박 상무.

박 상무 그놈 하는 말이 너무 정확해. 한 번 들은 말은 그렇게 정확하게 옮길 수 없어.
　　　　　　도청해서 반복해서 듣고 알리바이 짠 거 아닌 이상. 확인해봤는데,
　　　　　　내 핸드폰은 도청 장치 없어.
동훈 …
박 상무 만약에 저기 니 핸드폰에서 도청 프로그램 발견 안 되면, 넌 이거 나한테
　　　　　　설명해야 돼. 그 얘기, 너랑 단둘이 있을 때 한 거니까. (시선도 주지 않는 서늘한 얼굴)
동훈 !

동훈의 핸드폰을 만지던 전문가가 핸드폰을 들고 일어나 입 모양으로 '있어요' 하면서 손가락으로 동그라미 사인을 보낸다.

동/박 !

동훈은 그대로 굳고. 박 상무가 이내 빠르게 손짓 발짓. '지우지 마. 살려놔' 하는 액션. 그러다가 급하게 아무 종이에 휘갈겨 글을 쓰고. 종이를 유리창에 붙여 보인다.
[도청 지우지 마. 살려놔.]
전문가는 의아한데, 박 상무는 입 모양으로 '그냥 둬. 살려놔.' 동훈은 여전히 멍한 얼굴…. 박 상무는 긴장이 풀린 듯 심호흡이 나오고. 퍼져 앉아 와이셔츠의 목 단추를 풀고. 멍하게 자신의 핸드폰을 보고 있는 동훈의 팔을 툭 친다. 미안하다는 제스처. 너는 아니었다는 제스처.

박 상무	그놈 핸드폰에서 누가 나왔는지 알아?
동훈	?
박 상무	이지안.
동훈	!
박 상무	잡히기 직전에 마지막으로 통화한 사람도 이지안이야.
동훈	!
박 상무	이지안이… 도준영 끄나풀이었던 거야.
동훈	!
박 상무	저 도청… 이지안이 심은 거야.
동훈	!

S#68 — 거리 일각 (낮)

황망한 얼굴로 길거리에 서 있는 동훈…. 손에는 핸드폰이 들려 있고… 차들이 달리는 소리, 경적 소리가 유난히 강하게 들린다. '이 모든 소리를 다 듣고 있다니….' 동훈은 후룩 떨리고… 이걸 어떻게 해야 되나 싶은데….

[INS] 도청 사무실, 박 상무: "도청되고 있다는 거, 알고 있다는 거 티 내지 마. 쫓기는 와중에 돌아가는 상황 파악하려고 계속 듣고 있을 거야."

손에 핸드폰을 들고 있는 동훈….

[INS] 도청 사무실, 박 상무: "이거 역으로 잘만 이용하면, 이것들 다 잡을 수 있어."

동훈의 얼굴에서…

[INS] 7화: "걔 안 왔어요? 춥게 입고 다니는 애. 이쁘게 생겨서." 그리고 잠시 후에 들어왔던 지안. 돌아봤던 동훈. 주인이 했던 말. "왔네. 이쁘게 생긴 애."

[INS] 13화: "아무것도 아니다. 그 말을 나한테 해줄 사람이 없어." 그리고 지안에게 온 문

Episode 14

자. '아무것도 아녜요.'

서 있는 동훈의 얼굴에서 다시… 치열했던 준영과의 싸움(7화), 윤희와의 싸움(12화) 등이 빠르게 흐르고… 그 모든 걸 다 들었다고 생각하니 수치스러워 미치겠는데, 그런 동훈의 괴로움에 종지부를 찍듯이…

[INS] 12화: "괜찮은 사람이에요. 엄청. 좋은 사람이에요. 엄청."

S#69 — 쇼핑센터 내 영화관 (밤)

영화가 상영 중이고, 사람들이 드문드문 앉아 있고. 동훈은 아직 충격이 가시지 않은 얼굴로 핸드폰을 들고 앉아 있다. 그렇게 있다가 핸드폰을 조심스럽게 좌석 밑(안 보이는 곳)에 둔다. 그리고 조용히 일어나 나간다.

S#70 — 쇼핑센터 내 영화관 근처 (밤)

동훈은 안내데스크 같은 곳으로 가서,

동훈　　죄송합니다만 전화 한 통화만 할 수 있을까요?

직원이 내선 전화를 내주면, 동훈은 버튼을 누르고.

동훈　　(통화) 나와. 넌 나와야 될 거다.

S#71 — 쇼핑센터 야외 주차장 건물 느낌 (밤)

동훈이 굳은 얼굴로 서 있고. 잠시 후 준영의 차가 들어오고. 둘의 시선이 부딪히고. 준영은 차 안에서 동훈을 보니 벌써 욕이 나오고. 주차를 위해 준영이 핸들을 트는데, 동훈이 차를 향해 뚜벅뚜벅 가서는, 준영이 차에서 내리기도 전에 준영의 뒷덜미를 잡아 내동댕이치고.

준영은 기분 더럽고, 열 받고. 옷매무새를 만지며 동훈에게서 멀어지는데…

동훈	이지안 데리고 무슨 짓했어? 똑바로 말해. 처음부터 끝까지 하나도 빼놓지 말고 똑바로 말해. 걔 데리고 무슨 짓했어?
준영	(동훈 쪽으로 홱 돌아서) 다 걔가 시작한 일이야! 걔한테 걸렸다고! 윤희랑 바람 피는 거!
동훈	!
준영	윤희랑 바람 피는 거 입 다물어주는 대신에, 선배도 박 상무도 다 잘라주겠다고 돈 내놓으라고! 그래서 박 상무도 지 맘대로 잘라버렸고!
동훈	!
준영	나도 엮인 거야, 걔한테. 내가 어디서 어떻게 굴러먹던 앤지도 모르는 그딴 애랑 그런 일하게 생겼어? (너무 억울해 터지는) 니가 뽑아놨잖아-! 그런 년 뽑아서 나도 드럽게 엮이고!
동훈	어딨어, 이지안! 어딨어-?
준영	내가 알어? / 절대 안 잡히겠대. 죽어라 도망 다니겠대. 잡히면 시작점을 불어야 되는데, 선배 인생 공개적으로 개망신당하는 건데, 선배가 제일 무서워하는 게 그건 거 걔가 아는데, 걔가 그걸 불어? (비웃) 나한테 와서 그러더라. 만에 하나 잡히더라도 불륜은 빼고 얘기하겠다고. 그렇게 입 맞추자고.
동훈	!
준영	그러니까 그냥 가만있으면 된다고! 선배 상무 됐잖아. 좀 있으면 나 자를 수 있잖아. 나 잘리면 다 끝이잖아!
동훈	!
준영	(욕 나오겠고) 여기서 누가 제일 피해자냐? 어? 나한테 돈 뜯어가놓고. 배신 때리고. 너한테 붙어먹고!

동훈이 뚜벅뚜벅 준영에게 가서 주먹을 날리고 멱살을 잡는데, 준영은 비웃으며

준영	나만 천박했지? 너는? 니들은-?

다시 주먹을 날리는 동훈의 모습이 슬로우가 되며.

[INS] 6화: 둘만의 술집에서 나눈 대화. "아무도 모르면 돼… 그럼 아무 일도 아냐…. 아무도 모르면… 아무 일도 아냐…."

그런 말을 한 자신을 후회하는 듯….

S#72 ── 쇼핑센터 내 영화관 근처 (밤)

떨리는 숨을 참으며 인파 속을 헤치고 영화관 쪽으로 가는 동훈.

S#73 ── 고시원 (밤)

지친 모습으로 들어와 가방을 던져놓고… 물을 끓이는 지안…. 물이 끓는 동안 이어폰을 핸드폰에 연결해 귀에 꽂고 가만….

S#74 ── 영화관 (밤)

영화가 클라이맥스인 듯 슬픈 분위기의 소리들. 동훈이 일어났던 빈자리. 그 자리에 다시 조용히 와 앉는 동훈. 동훈은 그렇게 가만히 앉아 있다가 숨을 고르고 핸드폰을 챙겨 든다. 핸드폰을 두 손으로 겹쳐 들고는… 코밑에 두고 가만. 핸드폰이 꼭 지안 같다. 자신의 소리를 듣고 있다고 생각하니 더 애틋하고… 그렇게 앉아 있다가…

동훈   이지안.

#그 소리에 조용히 자세를 고쳐 앉는 지안! '설마…'

동훈   이지안. …전화 줘.
지안   !

흐억, 숨이 터지기 직전인 지안. 역시 숨을 참으며 눈물이 떨어지기 직전인 동훈.
그런 둘의 모습에서 엔딩.

Episode

15

S#1 —— 영화관 (밤)

영화가 클라이맥스인 듯 슬픈 분위기의 소리들. 동훈이 일어났던 빈자리. 그 자리에 다시 조용히 돌아와 앉는 동훈. 그렇게 가만히 앉아 있다가 숨을 고르고 핸드폰을 챙겨 든다. 핸드폰을 두 손으로 겹쳐 들고는… 코밑에 두고 가만. 핸드폰이 꼭 지안 같다. 자신의 소리를 듣고 있다고 생각하니 더 애틋하고… 그렇게 앉아 있는 모습에서…

#쇼핑센터 주차장 (밤) – 회상: 동훈이 준영의 뒷덜미를 잡아채 내동댕이치고

동훈   이지안 데리고 무슨 짓했어?

준영   다 걔가 시작한 일이야! 걔한테 걸렸다고! 윤희랑 바람 피는 거!

동훈   !

준영   윤희랑 바람 피는 거 입 다물어주는 대신에, 선배도 박 상무도 다 잘라주겠다고 돈 내놓으라고! 그래서 박 상무도 지 맘대로 잘라버렸고!

동훈   !

준영   나도 엮인 거야, 걔한테. 내가 어디서 어떻게 굴러먹던 앤지도 모르는 그딴 애랑 그런 일하게 생겼어? (너무 억울해 터지는) 니가 뽑아놨잖아-! 그런 년 뽑아서 나도 드럽게 엮이고!

동훈   어딨어, 이지안! 어딨어-?

준영   내가 알어? 절대 안 잡히겠대. 죽어라 도망 다니겠대. 잡히면 시작점을 불어야되는데, 선배 인생 공개적으로 개망신당하는 건데, 선배가 제일 무서워하는 게 그건 거 걔가 아는데, 걔가 그걸 불어? (비웃는) 나한테 와서 그러더라. 만에 하나 잡히더라도 불륜은 빼고 얘기하겠다고. 그렇게 입 맞추자고.

동훈   !

준영   여기서 누가 제일 피해자냐? 어? 나한테 돈 뜯어가놓고, 배신 때리고, 너한테 붙어먹고!

동훈이 뚜벅뚜벅 준영에게 가서 주먹을 날리고 멱살을 잡는데, 준영은 비웃으며

#쇼핑센터 내 영화관 근처 (밤) – 회상: 떨리는 숨을 참으며 인파 속을 헤치고 영화관 쪽으로 가는 동훈.

[INS] 6화: "아무도 모르면 돼. 아무도 모르면, 아무 일도 아냐"라고 했던 동훈.

다시 영화관에 앉아 있는 동훈의 얼굴에서

[INS] 7화: "대신 죽여줄까요?"

[INS] 8화: "파이팅!"이라고 했던 지안.

자신을 전적으로 응원해줬던, 자신을 지켜줬던 지안에 대한 생각에 울컥. 그렇게 핸드폰을 꼭 쥐고 있다가…

동훈　　이지안.

#고시원: 그 소리에 조용히 자세를 고쳐 앉는 지안! '설마…'

동훈　　(E) 이지안.
지안　　!
동훈　　전화 줘.

흐억, 숨이 터지기 직전인 지안. 역시 숨을 참으며 눈물이 떨어지기 직전인 동훈. 간신히 떨리는 목소리를 가다듬고…

동훈　　다 들었어.
지안　　(헉!)
동훈　　너… (안타까움에 말을 잇지 못하는데)

지안	(긴장)
동훈	내 얘기 다 듣고 있는 거 알아.
지안	(귀에서 이어폰을 확 잡아 빼버리고!)
동훈	괜찮아… 전화 줘.

꼼짝도 못 하고 숨죽이고 있다가 급히 핸드폰을 챙겨 들고 밖으로 내달리는 지안.

S#2 — 공중전화 거리 일각 (밤)

지안이 내달려 공중전화로 뛰어 들어가고. 버튼을 누르면 신호음이 가는데…

(* 14화에서 지안이 동훈에게 전화 걸었던 곳과 같은 위치의 공중전화)

S#3 — PC방 + 공중전화 거리 일각 (밤)

PC방에서 게임하던 한 놈이 핸드폰을 받는다.

한 놈	여보세요.
지안	기범이 있어요?

지안이 14화에서 기범에게 받은 쪽지를 공중전화기에 대고 있다. 쪽지에는 한 놈의 핸드폰 번호가 적혀 있고.

한 놈	(수화기를 막으며, 낮게) 걔 어저께 형사들한테 잡혀갔어요.
지안	!
한 놈	꼭꼭 잘 숨어 있으래요. 너만 안 잡히면, 자기도 금방 풀려날 거라고.
지안	!

S#4 — 영화관 (밤)

영화가 끝나고… 다들 일어나 나가는데, 동훈은 핸드폰을 쥐고 앉아 있다. 전화가 오지 않았다. 사람들이 다 나가도 동훈은 일어나지 못하는데, 이젠 청소하는 사람이 들어오고…

S#5 — 영화관 입구 (밤)

핸드폰을 보며 전화가 오길 기다리고 서 있는 동훈…. 그러다가 문득 떠오르는 생각.

[INS] 14화, 지안과의 통화: "핸드폰 고장 나서요."

통화 목록을 검색한다. 지안에게 걸려왔던 02로 시작했던 일반 전화번호. 눌러본다.

소리　　(E) 지금 거신 전화는 수신이 불가한 번호입니다.
동훈　　!

[INS] 5화: "공중전화요. 발신만 가능하고, 수신은 불가능해요"라고 말했던 지안.

S#6 — 쇼핑센터 + 공중전화 거리 일각 (밤)

#동훈이 데스크에서 메모지와 펜을 빌려 핸드폰을 보며 02로 시작되는 그 번호를 적고, 핸드폰에 114를 눌러 통화 버튼을 누르며 간다.
#지안은 떨리는 가슴을 누르며 천천히 이어폰을 귀에 꽂고 도청 앱을 다시 작동시켜보는데,

동훈　　(통화) 실례합니다. 공중전화 위치 좀 알려고 하는데요. (메모 보며) 네, 번호가…

지안의 얼굴 위로, 번호를 부르는 동훈의 목소리….

동훈　　(E) 02-＊＊＊-＊＊＊＊

지안이 공중전화를 뒤돌아본다. 동훈이 말하는 번호와 일치하는 기기 번호!　.

S#7 ─ 공중전화 거리 일각 + 택시 안 (밤)

#동훈이 택시를 잡아타고. 달리는 택시.
#굳어 있던 지안은 천천히 발걸음을 떼고, 이어폰을 빼며 공중전화를 등지고 멀어진다.

S#8 ─ 고시원 + 거리 일각 (밤)

지안은 급히 배낭에 짐을 챙겨 넣어 나가고.

S#9 ─ 공중전화 거리 일각 + 지안의 거리 일각 (밤)

#뒤늦게 택시에서 내린 동훈이 공중전화로 와서 보고. 기기 번호를 확인해보면, 맞다! 주변을 둘러본다. '여기 어디 사는 걸까, 어디 있는 걸까.'
#지안이 배낭을 메고 도망치듯 빠르게 걸어가고. 그런 지안의 모습 위로

[INS] 15화 1신 동훈: "다 들었어."

무너지지 않으려고 굳은 얼굴로 가는 지안. 다시 "다 들었어." 하는 동훈.

[INS] 6화 동훈: "잘못했습니다. 잘못했습니다. 열 번 말해."

독기 품은 얼굴로 빠르게 걸어가는 지안. 다시 "잘못했습니다. 잘못했습니다. 열 번 말해 얼른" 하는 동훈. 그래도 굳은 얼굴로 빠르게 걸어가는 지안. 그러다가 순간 확 허리가 굽어지며…

지안　　(왈칵) 잘못했습니다… 잘못했습니다… 잘못했습니다… 잘못했습니다…

Episode 15

그렇게 마음 아프게 "잘못했습니다"를 말하는 지안…. 공중전화 주변을 배회하는 동훈….

S#10 — 동훈 집 거실, 주방 (밤)

도어락 풀리는 소리에 윤희가 현관을 보고. 동훈이 조용히 들어오고.

윤희 늦었네? 저녁은?
동훈 …먹었어.

동훈은 방으로 들어가지 못하고, 뭔가 할 말이 있는 듯 느릿느릿한 동작.

윤희 왜?
동훈 (주머니에서 꺼낸 핸드폰이 신경 쓰이고)
윤희 왜?
동훈 …아냐. 잘게. (방으로)
윤희 (뭔가 좀 이상하다 싶고)

S#11 — 동훈 집 침실 (밤)

동훈이 핸드폰을 한쪽에 놓고 보다가… 두고 밖으로 나가며 방문을 조용히 꼭 닫고…

S#12 — 동훈 집 서재 (밤)

윤희가 책상에 앉아 있는데, 동훈이 조용히 서재에 들어와 문을 닫고. 그런 동훈을 보는 윤희는 의아한 얼굴.

윤희 …!

동훈이 쉽게 입을 떼지 못한 채 문가 옆에 있는 의자에 앉고. 윤희는 '이혼을 말하려는 건가…'

윤희   괜찮아. 편하게 말해도 돼. 난 언제든 당신이 하자는 대로 할 거야.

동훈   …

윤희   …

동훈   이지안 알아?

윤희   !

윤희는 죄책감에 떨려 아무 말도 하지 못하고. 그런 윤희를 보자 동훈은 감이 온다.

윤희   … (진정하고) 어느 날 준영이가 이력서 한 장을 보내왔어. 알아봐달라고.
            나중에 알았어. 걔가 무슨 일을 하고 있는지.

동훈   …

윤희   준영이가 어떤 인간인지, 나한테 알려준 애가 걔야. 걔… 나 다시
            당신한테 돌려보내려고 했어.

동훈   …!

윤희   직감으로 알았어. 당신 좋아하고 있다는 거.

동훈   …

윤희   준영이랑 끝내고, 걔한테 회사 그만두라고 했어. 내 치부 다 알면서 당신
            옆에 있는 거… 불안하고 싫어서. 준영이가 주기로 한 돈 내가 주겠다고.
            걔… 거절했어. 자기 나가면… 준영이가 다른 사람 시켜서 당신 자를 거라고….

동훈   (아… 그랬구나…)

윤희   걔… 온몸으로 당신 막고 있었어.

동훈   (눈물 나겠다…)

윤희   난… 그게 더 죽고 싶게 괴로웠고. (눈물 나고)

동훈   …

윤희   그만뒀다는 여직원. 걔지?

동훈   …

윤희   …준영이가 자른 거야?

동훈   …도망 다니고 있어.

윤희   !

동훈   박 상무 일 때문에. 경찰에 쫓기고 있어.

윤희	(미치겠고… 눈물 나고….)
동훈	준영이 찾아갔었고. 죽어도 안 잡히겠다고, 끝까지 도망 다닐 거라고.
	잡히면… (말하기 어려운) 이 일이 왜 시작됐는지… 당신하고 준영이 일…
	다 말해야 되니까….
윤희	!
동훈	걔가 알아. 내가 제일 힘들어하는 게 뭔지… 우리 일… 아무도 모르길
	바라는 걸… 알아.

동훈은 말끝에 조용히 마음이 무너진다. 윤희가 의자에 앉아 있는 동훈 앞에 앉아

윤희	말하자… 여보, 그냥 다 말하자…. 계속 도망 다니게 할 순 없잖아.
	그냥 말하자, 여보.
동훈	…
윤희	(회환의 눈물) 미안해… 미안해…. 이렇게 만들어서 정말 미안해….
동훈	…

S#13 — 동훈 집 침실 (밤)

동훈의 핸드폰을 놓고 얘기하는 윤희. 한쪽에 앉아 있는 동훈.

윤희	이지안 씨. 저 강윤희예요. 얘기 들었어요. 같이 경찰서 가요. 도망 다니지 마요.
	내가 도와줄게요. 괜찮아요. 나랑 동훈 씨가 어떻게든 지안 씨 빼낼 거예요.
	걱정하지 말고 같이 경찰서 가요. 동훈 씨랑 나… 준영이하고 일,
	다 얘기하기로 했어요….
동훈	…
윤희	괜찮아요. 괜찮아요. 우린 정말 괜찮아요…. 미안해요 지안 씨… 전화 줘요…
	나한테든 동훈 씨한테든… 전화 줘요…. 이거 들으면 바로 전화 줘요….

동훈과 윤희는 말이 없고…

동훈	···안 들을 수도 있어.
윤희	···들을 거야. 나중에라도 들을 거야. 당신 목소리 들으면서 버텼을 거야···.
동훈	···

S#14 ─ 거리 일각 (밤)

빠르게 걸어가는 지안. 골목에서 갑자기 튀어나온 차에 부딪혀 대차게 나가떨어지는데, 다시 발딱 일어나 막 가는 지안. 당황한 운전자가 차에서 내려,

| 운전자 | 저기요! 저기요! |

지안이 뒤도 돌아보지 않고 빠르게 가고. 운전자는 지안을 잡으려고 종종종 뛰고. 지안이 잡히지 않으려고 더 빠르게 뛰고. 운전자는 달아나는 지안을 보다가 당황해 차로 가서 핸드폰을 꺼내고. 112를 누르고,

| 운전자 | 저기 사고가 났는데요··· 사람을 쳤는데요···. (지안이 사라진 쪽을 보는) |

#어느 골목: 빠르게 걸어 어둠 속으로 사라지는 지안.

S#15 ─ 정희네 앞 (밤)

제철, 정희, 유라가 서 있는데, 기훈이 운전하는 다마스가 와서 서고 정희는 좀 취한 듯.

유라	왔어요?
정희	늦었네. 뭐 하다 이제 와?
기훈	정산했어요. (유라에게) 타.
정희	왜. 한잔하고 가지.
기훈	데려다줘야 되는데 어떻게 마셔요.
제철	상훈인?

기훈	집에 갔어요.
제철	싸웠냐? 웬일로 술도 안 마시고 집에 갔대?
기훈	뭐 맨날 마시나 술을.
제철	(황당) 맨날 마셔놓고. 삼 형제 요즘 이상하다? 여기도 뜸하고.

셋이 또 어디 숨어서 좋은 거 먹냐? 동훈이 상무 됐겠다 법카 한도 세졌으니까

고급 술집으로 돌겠다?

기훈	작은형이 형 같은 줄 알아요. 함부로 법카 쓰게.
제철	근데 왜 안 와?
기훈	아 이틀 됐어요, 이틀.
제철	그니까. 이틀씩이나 되니까 이상하지.
기훈	갈게요. (유라에게) 타.
정희	니들, 나 배신 때리고 딴 데 뚫었다간, 삼 형제 쓰리 초상일 줄 알어!
모두	가. / 안녕히 계세요.
정희	내가 남자한테 두 번은 배신 안 당한다!

다마스가 떠나는데

제철	(정희 보며) 윤상원은 우리의 추억이다. (잊었어?)
정희	(억지로 두 팔 들고 우렁차게) 윤상원은 우리의 추억이다! (안으로)

S#16 ─ 달리는 다마스 (밤)

유라가 신기한 듯 뒤 칸을 넘겨보고, 기훈은 덤덤하게 운전하고.

유라	어떻게 여배우를 이런 차에 이렇게 아무렇지 않게 태울 수 있지?
	감독님은 진짜 너무 섹시하게 뻔뻔한 거 같애요.
기훈	웃지 말자.
유라	왜요?
기훈	요즘 우리 작은형이 슬프다. 형이 슬픈데 웃기 싫다. 자중하자.
유라	왜 슬퍼요? 승진해서 좋아하셨던 거 같은데.

기훈	그냥. 슬퍼. 그 인간이 슬프면, 진짜 슬픈 거야.
유라	형 많이 사랑하나 봐요.
기훈	아니. 절대. 네버. / 그냥. 작은형한테 길들여진 거야.
유라	?
기훈	어려선 이게 울 일인지 아닌지, 뭐 때문에 우는지 뭐 알아? 옆에 사람이 울면 같이 우는 거지. 큰형이 울면, 큰일 났나 보다, 덩달아 울어. 그러다가 작은형을 봐. 안 울어. '(안심) 음. 아무 일 아니구나.' / 큰형은 매일 울어. 툭하면 울어. 작은형을 봐. 안 울어. '음. 아무 일 아니구나.' / 근데 작은형이 운다? 대따 무서워. 철렁해. 큰일 났어. 피난 가야 돼. / 파블로프의 개 같은 거야. 자연 반사적 반응. 길들여졌어.
유라	사랑하네요.
기훈	안 사랑해.

S#17 ── 유라네 앞 (밤)

다마스가 집 앞에 와서 서자,

유라   내일 봐요.

하며 기훈의 어깨 위에 팔을 감아 뽀뽀하려는데, 기훈이 고개를 뒤로 빼고.

유라   ?
기훈   내가 오늘 우리 형의 슬픔에 동참하기 위해… 너랑 헤어져야겠다.
유라   (헐)
기훈   …삼 일만 헤어지자. (얼른) 이틀만. 그래. 뽀뽀는 하자.

기훈이 유라와 포옹하며 뽀뽀한다. 그렇게 있다가 떨어지고….

유라   (내리며) 갈게요.
기훈   들어가. (운전하며) 나는 나쁜 놈이야. 형은 슬픈데.

유라   (손 흔들며) 내일 봐요.

기훈   (손 흔들며) 어. / (운전하며) 형… 사랑해.

S#18 — 요순 집 앞 (밤)

상훈이 쓰레기봉투와 재활용 쓰레기를 들고 나오는데, 기훈의 다마스가 온다. 상훈이 쓰레기를 한편에 놓고 오면, 기훈은 차에서 내려 담배를 빼 물고.

상훈   …그 여자애는 왜 그만뒀대?

기훈   그 인간이 뭐 물어보면 속 시원히 대답하는 인간이야.

밤바람이 불어온다. 마음들이 안 좋다.

상훈   기다려. 형이 니들한테 꿈같은 이 박 삼 일을 선물할게.

기훈   (뭔 소린가 싶은)

상훈   내가, 쫄딱 망하고 생각한 게, 죽어라 아등바등 산 거 같은데, 뭐 남는 게 없어.
       죽어라 먹고 싼 기억밖에. 죽어라 일해서 죽어라 먹고 쌌어.

기훈   또. 그만 좀 해라, 먹고 싼 얘기. 지겹다.

상훈   나도 지겨워서. 내 인생에 그거밖에 없다는 게. 그래서 '어떻게든 돈 모아서,
       어떻게든 하고 싶은 거 하자! 박상훈 인생 반세기를 정리하는,
       진짜 기똥찬 순간, 박아 넣자!' 뭐 할까 생각하는데… 일 초의 망설임도 없이…
       그 장면이 떠오르더라…. (행복하게 잠잠해지는) 난… 우리 삼 형제…
       홍콩 영화 보러 다닐 때가 제일 좋았던 거 같애…. 홍콩 영화 같은 한 장면이
       무슨 로망처럼 가슴에 새겨져 있어….

다음 인서트 컷에 맞춰 상훈의 말이 얹히고

[INS] 검정 슈트에 검은 선글라스를 끼고, 누구는 주머니에 손 넣고, 누구는 다리 꼬고 앉아 있는 등 홍콩 영화 주인공처럼 각기 폼을 잡는 셋. 그 차림으로 검은 세단을 타고 가는 삼 형제. 누군가는 창밖으로 손을 뻗어 바람을 맞고.

15화

상훈   (E) 우리 셋이 똑같이 블랙 슈트 맞춰 입고, 검은 라이방 끼고, 검은 세단 몰고,

             비싼 호텔에 묵으면서… 홍콩 영화 주인공처럼 딱 이 박 삼 일!

상훈   벌써부터 설레지 않냐? 블랙 슈트에 검은 라이방… / 차는 렌트할 거고.

             옷하고 라이방은 그래도 명품으로 하자. 인생에 명품 한 번은 입어봐야지.

             호텔도 좋은 데로 하고. 쫌만 기다려. 아주 깔끔하고 멋지게, 이 박 삼 일에

             천만 원! 내가 쏜다!

기훈   그래서 방바닥에 돈 깔았냐?

상훈   !

기훈   이 인간하고 뭘 도모하면 안 돼. 지만 비밀이지, 남들 다 알어. (들어가고)

상훈   …

S#19 ── 요순 집 거실, 주방 (밤)

요순이 화장실에서 빤 걸레를 털며 나오고, 그때 기훈이 들어오며

기훈   다녀왔습니다. (요순이 나온 화장실로 들어가고)

요순   (들어오는 상훈에게 걸레를 던져주며) 방 닦어.

상훈   (걸레를 들고 방으로)

S#20 ── 요순 집 형제 방 (밤)

상훈이 장판을 들어서 가득 정렬된 오만 원권을 주섬주섬 챙기는데, 요순이 갠 빨래를 들
고 들어와 그런 상훈을 보고는 아무렇지 않게 움직이고. 상훈이 흠칫 놀라서는 애매하게
요순을 보는데,

요순   언제 꺼내나 했다. / 돈을 왜 걷다 놔? 통장에 안 넣구!

상훈   제가… 신용 불량자라… 통장을 못 만들어서.

요순   기훈이보고 만들어달라고 하면 되지!

상훈   걔가 쓸까 봐….

요순	에우…
상훈	이게 또 까는 맛이 있어요.

요순이 나가면, 상훈은 돈을 마저 챙기고.

S#21 — 경찰서 외경 (다음 날, 낮)

S#22 — 경찰서 (낮)

동훈이 접견 신청서를 쓰고. 담당자에게 내밀고. 자신의 핸드폰을 담당자에게 맡기고.

S#23 — 경찰서 접견실 (낮)

동훈이 앉아 있는데, 기범이 맞은편에서 경관과 함께 들어오고. 기범은 동훈을 알아봤지만 이내 모르는 척. 경관이 대화 내용을 받아 적는 자리로 가서 앉고.

기범	누구세요?
동훈	(펜 들고 있는 경관이 신경 쓰이고) 이지안, 어딨어?
기범	누구신데요?
동훈	알잖아. 누군지. 박동훈.
기범	!
동훈	(경관이 신경 쓰여) 나가면, 이지안한테 전해. 괜찮다고.
기범	!
동훈	나한테 전화하라고. 아무것도 아니라고. 진짜로. 진짜로.

S#24 — 음식점 룸 (낮)

왕 전무, 박 상무, 정 상무, 한 상무, 고 상무가 있고. 모두 황당하고 분한 얼굴들.

정 상무   와… 진짜 생각지도 못했네요. 파견직을 뿌락지로 쓸 줄은. 와… 도청까지….

한 상무   (핸드폰 들고, 긴장) 우리 이거 다 확인해봐야 되는 거 아녜요? 우리 것도 도청하고
          있을지 어떻게 알아요? / 무서워서 살겠나 이거… 말로만 듣던 도청이지….

정 상무   (갸웃) 근데 이게 앞뒤가 안 맞는 게, 도준영 뿌락지면 박동훈 인터뷰 때
          그렇게 잘해주면 안 되는 거 아녜요? 회장님 개 말에 완전 감동받으셔서
          박동훈으로 쐐기 박는 분위기였는데.

왕/박   … (잠잠)

정 상무   아니, 저도 처음엔 이상했어요. 여직원이랑 차 한 잔도 안 마시는 인간이
          드럽게 꼬였다, 이거 혹시 파보면 저쪽에서 붙인 여자애 아닌가, (그러다가)
          에이 붙여도 어느 정도 말이 되는 애를 붙이겠지, 그렇게 형편없는 애를
          붙일까…. / 아니 도준영 뿌락지면 계속 그대로 쭉 스캔들로 몰고 갔어야죠.
          인터뷰 때 보면 아무리 봐도 박동훈 편이었는데. 진짜 박동훈 존경하는 거
          같았는데.

왕 전무와 박 상무가 껄끄러운 얼굴로 가만히 있는 걸 보자, 정 상무도 이상한 느낌이 오고.

정 상무   (에이) 설마. 적을 사랑한 스파이도 아니고.

그런데 두 사람의 표정을 보니 그런 분위기. 조용히 '헤엑?' 하는 정 상무 표정.

왕 전무   박동훈 부장은 그 여자에 대해서 어떤 감정이야?

박 상무   …아무것도 몰랐으니까요.

왕 전무   …그래서?

박 상무   … (애매하다)

S#25 ── 음식점 입구 (낮)

동훈이 들어와 카운터 직원에게 핸드폰을 맡기며

동훈   충전 좀 할 수 있을까요?

직원　　네.

직원이 동훈의 핸드폰을 받아 들고. 동훈은 직원이 충전기에 핸드폰을 꽂는 것까지 보고 룸 쪽으로.

S#26 ─ 음식점 룸 (낮)

동훈이 들어오자 모두가 말하다가 멈추고 긴장하며 본다. 정 상무가 자기 핸드폰 들어 보이며 입 모양으로 '핸드폰?'

동훈　　충전 맡겼습니다.

그 말에 안심하며 풀어지는 사람들.

정 상무　(동훈에게) 놀랬지? 진짜 황당했겠다. 도청이 말이 되냐고, 도청이.

왕 전무　계속 늘을 거야. 사태 추이 지켜보려고. 그러니까 도청당하고 있는 건 모른 척해. 티 내지 마. 잘만 짜면 역으로 이용해서 걔랑 도준영이랑 다 잡을 수 있어.

한 상무　근데 이게 또 애매한 게 걔가 도준영 배신 때린 거잖아요. 도준영이랑 둘이 한편이어야 뭔가 정보를 흘려서 같이 잡을 텐데, 이제 둘이 만날 일 없지 않아요?

왕 전무　(동훈에게) 자네한테 연락 오나?

모두　　(동훈을 눈여겨보고)

동훈　　아뇨.

왕 전무　진짜 안 와?

동훈　　네.

왕 전무　그럼 도준영이 걔한테 독박 씌우는 것처럼 흘려. 지 혼자 박동훈 부장 좋아서 박 상무 잘라버리고 그 자리에 박동훈 앉혔다….

동훈　　!

왕 전무　그렇게 몰아붙여서 박동훈 상무 해임하고 잘라버리려고 한다…. 그럼 자네가 몰리게 생겼는데 나타나겠지.

동훈　　!

왕 전무 (박 상무에게) 핸드폰 옆에 두고, 그렇게 분위기 흘려. (동훈을 보며)

나타나게 해야 돼. 도망 다니다가 괜히 도준영 쪽에 잡히면 어떻게 될지 몰라.

동훈 !

S#27 ― 음식점 입구 (낮)

왕 전무, 정 상무, 한 상무, 고 상무가 나가며, 충전 중인 동훈의 핸드폰을 멸시하듯 보고. 이내 정 상무가 얼른 다시 들어와

정 상무 아… 계산. (직원에게 카드를 주고는 동훈의 핸드폰을 의식하는)

S#28 ― 음식점 룸 (낮)

동훈과 박 상무가 남아 있고.

박 상무 가 핸드폰 갖구 와. 넌 가만히 듣고만 있어. 내가 알아서 다 말할 테니까.

괜히 말하다가 꼬여서 작전인 거 눈치채면 다 끝장이야. 핸드폰 갖구 와.

동훈 … (가만)

박 상무 왜. 싫어?

동훈 저… 이지안 씨랑 친했어요.

박 상무 그래서?

동훈 좀 시간을 주시면, 제가 이지안 씨 설득해서 경찰서 데리고 갈게요.

박 상무 개랑 연락 안 된대매. 근데 어떻게 설득해?

동훈 …

박 상무 동훈아, 걘 죄를 졌어. 막판에 니 쪽으로 틀었든 어쨌든, 죄를 졌어.

동훈 …

박 상무 좀 있으면 도준영 재신임 투표야. 그 새끼 그냥 재신임에 물먹어서 조용히

물러나는 꼴, 난 못 봐. 난 그 드러운 꼴 다 당하고, 그 새낀 그냥 조용히

나가는 거 보라고? 너도 그 자식 그렇게 물러나게 하면 안 되는 거 아니냐?

깜빵에 보내야 되는 거 아니냐?

동훈 !

박 상무 칼을 꽂아야 될 땐 좀 꽂자! 동훈아!

동훈 …

S#29 ── 음식점 입구 (낮)

박 상무가 열 받아 룸에서 나오더니 동훈의 핸드폰 있는 곳을 지나쳐 나가고. 동훈은 뒤늦게 룸에서 나와 계산대에서 직원에게

동훈 제 핸드폰 좀…

직원 (핸드폰을 주고)

동훈 감사합니다.

동훈은 마치 지안을 챙기듯 핸드폰을 받아 들고는 가만.

S#30 ── 경찰서 앞 (낮)

기범이 경찰서에서 나오고, 형사1은 그런 기범을 뒤쫓아 나오며

형사1 멀리 가지 마라. 금방 또 부를 거니까.

기범 (가며 호기롭게) 네에!

기범이 종종종 달려가고, 형사1은 그런 기범을 보다가 들어가고.

S#31 ── 기범의 거리 일각 + 춘대 고물상 컨테이너 (낮)

#기범이 공중전화에서 전화를 걸고는 한 번 벨이 울리게 하고 끊고.
#방바닥에 놓인 지안의 핸드폰. 그렇게 한 번 울리고 끊고. 어딘지는 모르겠는데, 어둡고

허름한 구석에 이불만 대충 무릎에 얹고 앉아 떨리는 눈으로 핸드폰을 보는 지안. 열나고 힘든 얼굴. 전날의 사고에다 심정적으로도 무너져 상태가 좋지 못하다. 간신히 숨만 쉬는 듯.

#기범이 다시 전화를 걸어 한 번 벨이 울리면 끊고.

#역시 똑같은 번호로 한 번 울리고 끊기는 핸드폰을 보는 지안.

#기범은 이번에는 신호음이 계속 가도록 둔다.

#그제야 전화받는 지안.

지안	어.
기범	박동훈 찾아왔었어.
지안	!
기범	너보고 전화 달래는데… 박동훈은 어디까지 아는 거야? 사람들 우리 일 어디까지 알어?
지안	… (나도) 몰라.
기범	박동훈한테 사람들이 뭐라고 하는지 들었을 거 아냐?
지안	…안 들어.
기범	왜 안 들어? 들어야지! 지금 이 상황에 그걸 안 듣고 있으면 어떡해?
지안	…박동훈이 알아. 내가 도청하는 거. (떨리고)
기범	이…씨. 이거 어떻게 돌아가는 판인 거야.
지안	…
기범	박동훈은 자기 도청하는 거 아는데, 경찰은 왜 아무것도 몰라?
지안	…
기범	경찰에 내 컴퓨터 없어. 대리기사 가로챈 거라고 우길 때, 컴퓨터 있었으면 거기서 도준영 녹음 파일 들었으면 다 알 거 아냐. 어떻게 생긴 일인지. 아무 말도 안 해. 박동훈 도청한 것도 얘기 안 해. 아무것도 몰라. 컴퓨터 없는 거야. 도준영 쪽에서 가져간 거야.

지안의 얼굴 위로

[INS] 14화 준영: "녹음 파일로 협박할 생각 마. 그거 갖고 와서 돈 달라고 할 생각도 말고."

지안	도준영 쪽도 없어.
기범	확실해?
지안	…
기범	그럼 누가 가져간 거야 씨이. / 너 핸드폰에 도준영 녹음한 건 있지?
지안	…없어. 다 지웠어.
기범	(미치겠고) 그걸 다 지우면 어떡해? / 일단 있어봐. 그거 없으면 우리 완전 독박이야.
지안	… (전화를 끊고, 떨리는 멍한 얼굴)

S#32 ── 고물상 앞 (낮)

춘대가 약봉지와 죽을 사 들고 조용히 급한 얼굴로 컨테이너 쪽으로.

S#33 ── 고물상 컨테이너 (낮)

지안이 맥없이 앉아 있다가 갑자기 문이 열리자 확 놀라고. 이내 춘대임을 알고는 안심하고.

⟨ Cut to ⟩

춘대가 쟁반에 죽과 물을 내주고, 약봉지도 가져오는데.

춘대	먹어.

지안은 음식을 쳐다보지도 않고. 춘대가 지안의 이마에 손을 대보는데, 지안은 고개를 치우고.

춘대	먹고 병원 가자.
지안	(가늘게 흔들리는 머리)
춘대	병원 가.
지안	… (초점 없는 눈빛)

S#34 — 영광대부 사무실 (낮)

광일은 헤드폰을 쓰고 컴퓨터 앞에 앉아 녹음 파일을 듣고. 비웃음, 경멸, 분노… 그런 것
들이 뒤섞여 낮게 욕이 나온다.

광일   미, 친, 년…

종수는 자신의 책상 모니터 화면에 뜬 삼안이앤씨 홈페이지 속 대표이사 준영의 사진을 보
고 있고. 광일에게도 보이게끔 모니터를 돌려놔주며

종수   야, 이놈 맞지?
광일   (들으며… 묘한 비웃음)
종수   (빙긋이) 재밌냐? 둘이… 뭔 짓해? 그런 거 혼자 듣지 마라.

종수가 화면에 뜬 대표이사실 전화번호를 메모하는데, 광일은 점점 웅크리며 슬픔과 분노
에 떨리는 얼굴….

지안   (E) 착했던 애예요. 나한테 잘해줬었고. 걔네 아버지가 나 때리면 말리다가
           대신 맞고. / 그땐… 눈빛이 지금 같지 않았어요…. / 걘… 날 좋아했던
           기억 때문에 괴롭고, 난… 걔가 착했던 기억 때문에 괴롭고.

광일의 일그러지는 얼굴….

동훈   (E) 어른 하나 잘못 만나서… 둘 다 고생이다….

S#35 —— 회사 엘리베이터 앞 (낮)

동훈이 퇴근 차림으로 엘리베이터 앞으로 가는데, 엘리베이터에서 내리는 준영. 동훈은 쳐다보지도 않고 지나치는데

준영   개 연락 안 오죠?
동훈   (보는)
준영   혹시나 연락 와도 잘 숨어 있으라고 해요. 선배 인생 개망신시키지 말고.
동훈   넌 입 좀 닥쳐라.
준영   !
동훈   나 개망신당할 거고! 너도 당할 거니까! 준비하고 있어. (엘리베이터에 오르고)
준영   !

S#36 —— 동훈과 지안의 단골 술집 (밤)

동훈이 혼자 맥주를 놓고 앉아 테이블에 있는 핸드폰을 보고 있고. 그렇게 있다가…

동훈   괜찮아. 도망 다닐 일 아냐. 정리하면 돼. 정리할 수 있어. 그러니까 전화해.

주인이 그런 동훈을 힐끗거리며 컵을 닦고. 울리지 않는 동훈의 핸드폰. 동훈은 얼굴을 쓸어내렸다가… 미치겠고….

S#37 —— 지안 집 근처 (밤)

덤덤한 얼굴을 하고 지안이 살던 집으로 올라가는 동훈.

S#38 —— 지안 집 앞 (밤)

올라오다가 황망한 얼굴로 멈춰 서는 동훈. 시선을 따라가 보면, 주인이 지안의 짐들을 밖

⟨Cut to⟩

발아래 짐을 내려다보는 동훈. 너무나 초라한 살림들. 그게 또 이렇게 길바닥에. 주인은 그
런 동훈에게 변명하듯이

주인　　어쩔 수 없어요 우리도. 연락도 안 되고. (짐을 마저 빼러 안으로)

동훈은 마음 아프게 짐을 내려다보다가 화난 사람처럼 한쪽을 향해 크게

동훈　　철용아! 문철용!

⟨Cut to⟩

동훈이 철용과 함께 지안의 짐을 챙겨 들고 가고.

S#39 — 철용 집 일각 (밤)

철용의 집으로 보이는 한곳에 짐을 잘 쌓고, 철용은 고맙게도 짐을 비닐로 꼭꼭 덮어주고.
그걸 보는 동훈.

동훈　　금방 가지러 올게.
철용　　천천히 오셔도 돼요.
동훈　　(돌아서고)
철용　　가세요, 형님.

S#40 — 지안 집 근처 (밤)

동훈이 핸드폰을 가까이 들고… 그 핸드폰을 보며…

동훈   (화난 듯) 짐도 못 챙기고… 어디서 어떻게 먹고 자냐? / 이젠 안 듣냐?
진짜 안 듣냐? (화나고 억울하고) 왜 안 들어? 왜?

핸드폰을 내리고. '어떻게 해야 되나…' 암담하다. 그때 동훈의 핸드폰이 울리고. 지안인가
싶어 얼른 보는데, 모르는 핸드폰 번호.

동훈   네.

그리고 가만히. 그렇게 몇 초 있다가,

S#41 ─ 동네 일각 (밤)

막 달리는 동훈의 뒤통수… 마구잡이로 막 달린다….

S#42 ─ 고물상 앞 (밤)

춘대가 핸드폰을 내리고. 컨테이너를 돌아보고.

S#43 ─ 몽타주 (밤)

#여전히 달리는 동훈….
#어느 타이밍에 어디서 택시를 잡아타고…
#택시 안에서도 조마조마하여 긴장하는 동훈의 얼굴….

S#44 ─ 고물상 앞 (밤)

동훈이 택시에서 내리면, 춘대가 앉아 있다가 일어나고. 두 사람 시선이 마주치고. 천천히
컨테이너 쪽으로 가는 동훈. 문고리를 잡고. 확 열지 못하고 천천히 여는데…

고개를 틀고 앉아 있는 지안. 그런 지안을 보는 동훈. 지안은 문소리에 춘대라고 생각하고
천천히 돌아봤다가 동훈을 보고! 흐억! 놀라서 겁먹은 강아지처럼 구석으로 더 바짝 붙었
다가, 이내 죄책감에 어깃장을 놓으며 비웃는 얼굴이 되고.

지안	사람만 죽인 줄 알았지? 별짓 다 했지? 더 할 수 있었는데.
동훈	!
지안	그러게 누가 네 번 이상 잘해주래-?
동훈	!
지안	바보같이 아무한테나 잘해주고. 그러니까 당하고 살지.

동훈은 참담한 심정으로 그런 지안을 보다가 앞에 가 앉는다.

동훈	고마워… 고마워….
지안	!
동훈	그지 같은 내 인생 다 듣고도… 내 편 들어줘서… 고마워….
지안	…!
동훈	(마음이 무너지고) …고마워.
지안	… (공격적이었던 얼굴이 감동과 서글픈 얼굴로 바뀌고)
동훈	… (단호하게) 나 이제 죽었다 깨어나도 행복해야겠다. 너, 나 불쌍해서
	마음 아파하는 꼴 못 보겠고! 난, 그런 너… 불쌍해서 못 살겠다.
	너처럼 어린 애가… 어떻게… 나 같은 어른이 불쌍해서… (말을 잇지 못하고)
	나 그거 마음 아파서 못 살겠다….
지안	…
동훈	(다시) 내가 행복하게 사는 꼴 보여주지 못하면, 너 계속 나 때문에
	마음 아파할 거고! 나 때문에 마음 아파하는 너 생각하면… 나도 마음 아파
	못 살 거고. / (단호) 그러니까 봐. 어. 봐. 내가 어떻게 행복하게 사나 봐.
	꼭 봐. / 다 아무것도 아냐. 쪽팔린 거, 인생 망가졌다고 사람들이 수군대는 거,
	다 아무것도 아냐. 행복하게 살 수 있어. 나 안 망가져. 행복할 거야.

지안	…
동훈	행복할게.
지안	(서러운) 아저씨가 정말 행복했으면 했어요.
동훈	어. 행복할게.

고개 숙이고 우는 지안을 안쓰럽고 아픈 마음으로 보는 동훈.

S#46 ─ 컨테이너 앞 (밤)

춘대가 안에서 새어 나오는 소리를 다 들은 듯… 조용히 있고…

S#47 ─ 병원 (밤)

#지안이 침대에 앉아 천천히 팔을 들면… 의사가 반깁스를 해주고…
#문밖에서 그런 지안을 보다가 돌아서는 동훈.

S#48 ─ 병원 + 동훈 집 거실, 주방 (밤)

통화하는 동훈.

동훈	찾았어. …이지안.

안도의 숨을 쉬며 앉는 윤희.

윤희	어디야?
동훈	병원.
윤희	어디 아파?
동훈	좀.
윤희	… (마음 다잡고) 수사 협조만 잘하면 집행유예야. 주범도 아니고 종범이고,

못해도 공동정범이야. 박 상무한테 처벌불원서만 받아내면 백 프로 집행유예야.

걱정 말라고 해. 내가 어떻게든 빼낼 거니까.

동훈 ···고마워.

윤희 ···나 때문에 시작된 일이야. 빚 갚고 싶어.

동훈 ···

S#49 ─ 병원 (밤)

반깁스하고 링겔을 맞으며 침대에 앉아 있는 지안. 그 옆에 앉아 있는 동훈.

동훈 내가 먼저, 회사 가서, 대충 상황 정리하고, 그리고 할머니 보러 가자.

할머니 보고, (어렵게) 그리고 같이 경찰서 가자. 걱정하지 마. 집사람이

도와줄 거야. 사실대로 다 말하고 정리하면 돼. / ···도준영 얘기, 다 해도 돼.

괜찮아. 나도 집사람도··· 다 말하기로 했어.

지안 ! (동훈을 보는)

동훈 안 들었어? 핸드폰에 대고 집사람이 다 말했는데.

지안 ···어떻게 듣지. 내가 몰래 듣는 거 다 아는데.

동훈 ···

지안 ···진짜, 내가 안 미운가?

동훈 ···사람 알아버리면, 그 사람 알아버리면, 그 사람이 무슨 짓을 해도 상관없어.

··· 내가 널 알아.

지안 ···!

두 사람, 말이 없다가···

지안 아저씨 소리··· 다 좋았어요. 아저씨 말··· 생각··· 발소리··· 다···

동훈 ···!

지안 사람이 뭔지··· 처음 본 거 같았어요···.

동훈 ···!

그렇게 있는 두 사람의 모습에서.

S#50 ── 정희네 앞 (새벽)

정희가 또 쓸쓸히 나와 앉아 있다. 쪼그려 앉아서 분주히 지나가는 사람들의 발소리를 듣고 있고. 팔에 얼굴을 파묻고, 눈물 날 것 같은 쓸쓸함으로 앉아 있는데, 택시가 와서 정희네 앞에 서고… 뭔가 싶어 보는데, 거기에서 내리는 동훈과 지안. 쳐다보는 양쪽.

S#51 ── 정희네 (새벽)

정희가 신나서 지안의 배낭을 들고 먼저 들어오고. 이어서 들어오는 동훈과 지안.

정희	내가 오늘 손님 맞으려고 나가 앉아 있었나 보다.
동훈	며칠만 부탁할게. 오래 안 걸려.
정희	오래 걸렸으면 좋겠다. (지안에게) 올라와. (배낭 들고 뛰어 올라가며) 신난다, 동거인 생겼다~
동훈	(지안에게) 며칠 쉬어. 밖엔 나가지 말고.
지안	…
동훈	괜찮아. 쉬어. …갈게. (이 층에 대고) 간다!
정희	(E) 가!
지안	(이어폰이 꽂힌 핸드폰을 보이며, '도청') 이거… 이제 지울게요.
동훈	…음. (나가고)
지안	…

S#52 ── 정희네 쪽방 + 동네 일각 (새벽)

지안이 씻은 듯 젖은 머리칼과 편안한 옷차림으로, 처음으로 누워보는 사람처럼 천천히 눕고. 정희는 지안의 맞은편 이불 속으로 들어가 누워 지안을 본다.

Episode 15

정희   나도 잘 못 잤는데, 우리 더 자자. 누가 있으니까, 안심하고 잘 거 같애….

그렇게 따뜻한 시선으로 지안을 보는데, 지안은 시선에 있는 (이어폰이 꽂힌) 핸드폰을 보다가 들어서 귀에 꽂는다.

#혼자 걸어가는 동훈. 그런 동훈의 발소리를 듣는 지안. 그렇게 있다가… 도청 프로그램 삭제를 터치하자 '삭제'와 '취소'가 뜬다.
#여전히 걸어가는 동훈의 발소리. 결국… '삭제'를 누르는 지안.
#가고 있는 동훈의 뒷모습에 더 이상 발소리가 들리지(없히지) 않는다.
#편안하게 시선이 내려가는 지안. 눈물이 흐른다. 정희가 그런 지안을 빙긋이 보고,

정희   왜 울어?
지안   …

#걸어가는 동훈의 뒷모습에 발소리가 없었다가… 다시 힘차게 생긴다.

S#53 — 절 (다음 날, 낮)

조용한 산사의 풍경. 그리고 자물쇠로 잠겨 있는 겸덕의 방문. 햇중이 소반에 간단한 아침상을 담아 오고. 조용히 자물쇠를 따고, 소리 나지 않게 문을 여는데, 문 쪽으로 가부좌를 틀고 앉아 비니를 눌러쓰는 겸덕. 햇중을 보며 환하게 웃어 보이고.

햇중   … (합장을 하고) 끝나셨어요?
겸덕   … (미소로 보는)

햇중이 아침상을 방 안에 넣어주고 가고. 겸덕은 툇마루에 나와 앉아 평온한 얼굴로 풍경과 하늘을 본다.

S#54 — 선글라스 매장 (낮)

허름한 복장에 검은 선글라스를 끼고 있는 상훈과 기훈. 나름 비장미를 뿜어보는데, 느낌은 이상하고. 상훈이 선글라스의 가격을 확인하고는 '오…' 놀라운.

기훈 형수한테 걸리면 죽는 거 알지?
상훈 죽기 전에 해치워야 돼.
기훈 난 말린 거다. 엄청 말렸다. (상훈이 집은 선글라스 내려놓고) 이런 거 사지 말고,
          이런 거 사야 된다고, 무지 말리는 거다 지금.

S#55 — 자동차 매장 (낮)

고급 세단들이 서 있고. 기웃대며 둘러보는 상훈과 기훈. 직원이 정중한 자세로 두 사람 옆에 있고

상훈 이런 건 얼마나 해요?
직원 *천*백입니다.
상훈 (애매한 미소) 하루에… 렌트…할 건데….

S#56 — 고급 한정식집 느낌의 식당 (낮)

동훈과 회장이 마주 앉아 식사하는 모습이 창밖으로 보이고. 식사가 거의 끝나갈 무렵, 동훈이 정중하고 조심스럽게 뭔가를 말하기 시작하는 듯. 회장은 차를 마시며 동훈의 말을 덤덤히 듣는 듯.

S#57 — 식당 (낮)

마주 앉아 있는 동훈과 회장….

회장 이렇게 다 말하기 쉽지 않았을 텐데… 고생했어.

동훈	…
회장	근데… 자네 집사람하고 도 대표 일, 모르진 않았어.
동훈	!
회장	캠핑장에 왔었을 때, 뭔가 있는 거 같아서, 알아봤었어.
동훈	!
회장	자네가 건디고 싶어 하는 것 같길래… 그냥 두자 싶었지. 자네 생각이 더 중요하니까.
동훈	… (조용히 감동)
회장	잘 건디고 있는 거 같아서 용하다 싶으면서도… 저 속이 오죽 썩어나고 있을까… 고생했어.
동훈	…
회장	참 비싼 직원이야. 밥 한번 먹자고 그렇게 졸랐더니, 밥 한번 먹고 빠이빠이 하자네. / 그만두는 건 좀 시간을 두고 생각해보자고.
동훈	도준영 대표하고 저희 부부 때문에 생긴 일입니다. 저도 같이 나가는 게 맞다고 생각합니다. 그리고 제 자리는 원래 박동운 상무님 자리였으니까 박동운 상무님이 복귀하시는 게…
회장	나도 자네가 아까워서 그래. 급하게 결정할 거 없잖아. 박동운 상무하고는 내가 만나서 얘기해볼게. 복귀시킨다고. 그리고 이지안은 선처해달라고 해야지 뭐.
동훈	감사합니다.

S#58 — 식당 앞 (낮)

회장이 식당에서 나오고, 동훈은 쫓아가는데

회장	식사는 어땠어?
동훈	맛있었습니다.
회장	뭐. 별로 먹지도 못하더만. / 이지안 그 친구는 벌 다 받고 나오면 나한테 전화하라고 해. (멈춰서) 꼭. 그냥 하는 말 아냐. (다시 가고)
동훈	감사합니다.
회장	빛을 봤으면 끝까지 봐야지. 환하게. 보다 말아서야 쓰나.
동훈	…

떠나는 회장의 차에 대고 목례하는 동훈.

S#59 — 영광대부 사무실 (낮)

광일이 지안에게 전화하는데,

소리   (E) 지금 거신 번호는 없는 번호입니다. 다시 한 번 확인하시고…
광일   !

광일이 빠르게 핸드폰으로 삼안이앤씨를 검색하고.

S#60 — 사무실 + 영광대부 사무실 (낮)

울리는 전화를 받는 채령.

채령   네. 삼안이앤씨입니다.
광일   이지안 씨 좀 부탁합니다.
채령   (갈잖은) 이지안 씨 그만뒀는데요.
광일   ! (이런 씨이)

전화를 끊고 급히 나가는 광일.

S#61 — 정희네 앞 (낮)

#거리 일각: 빠르게 운전해 가는 광일.
#그렇게 정희네 앞을 쌩 지나가는 광일의 차.

S#62 — 정희네 (낮)

테이블에는 두 사람 밥상이 차려져 있고. 요순은 가방을 들고 정희에게 밀려 나가며

요순　　(낮게) 남자야?
정희　　네에.
요순　　잘했다. (신난 얼굴로 밀려 나가고)
정희　　가세요, 어머니.

정희가 위층으로 올라가고.

S#63 — 정희네 쪽방 (낮)

지안은 이제 일어난 듯 편안한 얼굴로 이불 속에 앉아서 창 쪽을 보고. 정희가 올라와서

정희　　일어났네. 내려와. 씻고 밥 먹자.

지안이 일어나 한 손으로 이불을 개고, 방 정리.

S#64 — 지안 집 (낮)

광일이 지안 집에 쳐들어와서 보고. 짐이 싹 빠진 지안의 집 안을 씩씩대며 둘러보는 광일.
'이년 봐라…'

S#65 — 대표이사실 + 영광대부 사무실 (낮)

준영이 울리는 사내 전화를 받고.

준영　　네.

아무 소리가 없다.

준영   여보세요.

혹시 '이지안?' 싶은데, 이어 전화기 너머에서 들리는 자신의 목소리.

준영   (E) 박동훈 괜찮지 않나? / 많이들 좋아했는데. 희한해. 그런 인간을
       왜 좋아하나 몰라…. / 진짜로 사겨볼 마음 없어?
준영   !

S#66 ── 영광대부 사무실 + 대표이사실 (낮)

컴퓨터 스피커에 핸드폰을 대고 있는 종수.

지안   (E) 지금… 나랑…
준영   (E) 직장 상사의 권위를 이용한 부적절한 관계로… 넌 따로 보상도
       받을 수 있어. 강요에 의해 어쩔 수 없었다고 하면…
준영   !
종수   (핸드폰을 귀에 대고, 통화) 얼마 줄래요? 녹음 파일 어마어마하던데.
       박동훈 도청한 것도 다 있고. 일억 준비해놔요. 다시 전화할게요.
준영   누구야 너?
종수   누군진 알아서 뭐 하시게. 아저씨 누구랑 일하는지 아는데, 지금은 그놈한테
       연락하면 안 돼요. 홍재만 그 인간보단 우리가 나을 거야. 그 인간은 이거 가져가면
       댁한테 삼억 불러. 싸잖아 일억? 경찰이든 홍재만이든, 누구한테든 연락하는 순간,
       이 파일, 바로 경찰서로 갑니다. 다시 전화할게요. 돈 준비해놔요. (끊고)
준영   여보세요. 여보세요.

준영은 혼이 나간 사람처럼 전화기를 내려놓고.

S#67 ── 사무실 (낮)

동훈은 부장 자리에 앉아서 지안의 자리를 잠잠히 보고. 송 과장이 그런 동훈을 보다가…

송 과장 농땡이 부리지 말고 얼른 가서 일해요.
동훈 …이 자리가 좋았던 것 같애.
송 과장 (좀 있으면) 제 자립니다. 탐내지 마시고요.

준영이 당황한 채 대표이사실에서 확 나오고. 비서는 벌떡 일어나 뭔가 심상치 않음을 감지하고. 준영은 동훈이 부장 자리에 있는 걸 모르고 상무 방 쪽으로 향하고. 유리창 너머로 보이는 동훈의 방은 비었고. '어떻게 해야 되나.' 뒤에서 그런 준영을 보는 동훈. '저놈이 왜 저러나.' 준영이 돌아서다가 부장 자리에 앉아 있는 동훈을 보고는 흠칫. 대놓고 물어볼 수도 없고, 우물쭈물 동훈을 보다가 다시 대표이사실로. 모두들 '왜 저래?' 하는 분위기.

S#68 ── 정희네 앞 (밤)

상훈과 기훈이 오고, 맞은편에선 제철, 진범, 권식이 오고.

제철 (골난 얼굴로 어깃장) 여, 오랜만이다 친구.
상훈 삼 일만이다. 오랜만은.
제철 삼 일 동안 딴 데 어디서 먹었어?
상훈 딴 데 안 갔다. 좀 믿어줘라 제발.
제철 니들이 술을 걸러? 개가 똥을 거르지.
상훈 오늘 내가 마시는 거 봐. 걸렀나 안 걸렀나. 술술 들어갈 거다.

무리들이 정희네로 들어가고.

S#69 ── 정희네 (밤)

무리들이 몰려 들어왔다가 순간 동작 정지. 지안이 정희와 같이 주방 쪽에서 한 손으로 일을 보고 있다.

제철　(손으로 가리키며) 어! 어-! 맞죠? 동훈이 회사 직원!

상훈과 기훈이 동시에 핸드폰을 꺼내 동훈에게 전화하고.

S#70 ── 동네 일각 + 정희네 (밤)

동훈이 울리는 핸드폰을 보면⋯ 기훈.

동훈　(받고) 어.

기훈은 내가 이겼다는 느낌으로 주먹 불끈. 상훈의 얼굴 위로, "(E) 고객이 통화 중이라⋯" 상훈은 안타까워하며 핸드폰을 내리고.

기훈　(상훈을 보며 통화, 낮게) 걔 왔어. 정희 누나네.
동훈　알어.
기훈　(김새는) 어떻게 알어?
동훈　놀러 온다고 전화 왔었어.
기훈　(심드렁) 알았어. 와. (끊고) 안대.
제철　(지안에게) 난 그만뒀다길래, 그날 우리가 데려다준 게 실렌 줄 알고,
　　　　아 되게 싫었나 보다, 그래서 이 동네 떴나⋯ 팔은 왜 그래요?
지안　넘어졌어요.
제철　우리 그날 실례하고 그런 거 없죠?
진범　그만 물어봐라. 몇 번째냐. 진짜 실례다.
제철　아니 신경 쓰였어. 우리 말 많았잖아 그날, 취해서. 여긴 어쩐 일이에요?
　　　　딴 데 취직하셨다면서요?

Episode 15

정희	지나가는 거 내가 붙잡았어. 댁들이 반가워할 거 같아서.
제철	반갑지 그럼. 어디로 이사 갔어요?
지안	강남이요.
제철	(고개 젖혀가며) 와, 강남. 성공하셨네. 축하해요.

S#71 — 동네 일각 (밤)

동훈이 걸어가는데, 뒤에서 막 달려와 동훈을 지나치는 유라. 쳐다보지도 않고 인사.

유라 안녕하세요.

동훈은 '왜 저렇게 달리나' 싶고.

S#72 — 정희네 (밤)

다들 앉아 왁자하게 마시는데, 유라가 급히 들어와 서로 인사하고는 헉헉대며 기훈 옆에 앉고.

유라	(헥헥) 사거리부터 뛰어왔어요.
상훈	왜 뛰어왔어요?
유라	(기훈을 사랑스럽게 보며) 보고 싶어서요.
모두	(왁자하던 분위기가 조용해진다.)
기훈	…분위기 좀 깨지 마라. 좀.
유라	(지안을 보고) 어? 뉴페네.
제철	동훈이 회사 직원이었고, 저 윗동네 살았고, 이제 우리 패거리.
	(지안에게 건배 제의) 한잔해요.

다 같이 건배하는데, 유라가 생글생글 웃으며 지안을 빤히 보고. 지안은 그런 유라의 시선이 부담스럽고.

유라	화장 안 한 여자 진짜 간만이다. 어떤 스타일인지 알 것 같애. 이쁜데, 자기가 이쁜 줄 모르는 애들. 안타까운데, 통쾌해. (엉덩이 빼서 일어나며, 노래하듯) 영원히 몰라라~
지안	(미친년… 하는 눈빛)
정희	쟤 좀 다시 구겨놔야겠다.
기훈	내가 사랑을 너무 줬어.
유라	(잔을 가져와 앉으며, 지안에게) 너 내 동생할래? 나 옷 진짜 많은데. 다 비싼 거야.
기훈	몇 살인 줄 알고 너래?
유라	백 퍼 나보다 어려요. / 그지? 난 서른**. 넌?
지안	삼만 살.
모두	(뭐래? 하는 분위기)
정희	(눈이 밝아지며) 니가 삼만 살이구나? (건배 제의) 반갑다 얘. 난 사만 살.
기훈	뭐래…

그때 동훈이 들어오고. 지안은 동훈을 보고. 모두들 반갑게 인사하고.

제철	야야야. 지나가는 거 정희가 한잔하라고 붙잡았대. 그래도 우리 동훈이가 아주 나쁜 상사는 아니었다, 그지? 직원이 상사 단골 술집도 오고. 내가 다 감동적이다 야.
동훈	(앉으며 지안에게) 오랜만이다.
지안	…
진범	동훈이 상무 된 건 아나?
지안	네.
제철	그래도 알긴 아네. 전 직장 상사 사장이 되든 회장이 되든 관심도 없을 텐데.
동훈	얘가 만들었어, 나 상무.
지안	!
모두	?
제철	또 뭔 소리야. 오늘 뭐 다 암호 쓰는 날이야. 삼만 살 사만 살….

동훈과 지안이 서로 피식 웃고. 다 같이 건배하며 왁자하게 마시는 분위기.

S#73 — 정희네 앞 (밤)

동훈과 지안, 먼저 나와 있고

동훈 내일 할머니한테 갔다가, (어렵게) 같이 경찰서 가자.
지안 …
동훈 걱정 마. 잘 해결될 거야.

그때 상훈, 기훈, 제철, 진범, 유라가 나오고. 제철은 많이 취했다.

제철 아, 나 오늘 기분 진짜 좋다. 그날 내가 오바했었나, 되게 걱정했었는데…
        (지안에게) 고마워요. 와줘서. 또 봐요.
기훈 오바야. 뭘 또 봐.
제철 오바야?

정희가 옷을 챙겨 입고 나와 문을 잠그자

상훈 넌 왜 또 나와?
정희 오늘 이 친구(지안) 집에서 자기로 했어.
제철 오… 벌써 그런 사이? 정희 좋겠네. 친구 생겨서.
정희 음 좋아. 가자.
상훈 오… 오늘 정희 강남 진입하는 거야?

"잘 가." "가." 흩어지는 무리들. 제철은 기어이 지안에게 "또 봐요!"라고 힘주어 말하고 가고.

S#74 —— 동네 일각 (밤)

#동훈, 상훈, 기훈, 정희, 유라, 지안이 같이 가다가 갈림길에서 기훈과 유라가 빠지며

유라   안녕히 가세요.

모두   가. / (지안은 힐끗 보고 만다)

유라   (지안에게) 다음에 내가 옷 많-이 갖다 줄게. 길이는 알아서 줄여 입어.

기훈은 그런 유라 때문에 미치겠고. 지안은 '저건 미친년이다' 싶은 눈빛이고. 그렇게 헤어지는 무리들.

#동훈, 상훈, 정희, 지안이 같이 가다가 갈림길에서부터는 정희와 지안 둘이 같이 가고.

정/지   갈게. / (고개 숙여 인사하고)

동훈   가.

상훈   가요. (보다가) 또 놀러 와요! (손 흔들고)

정희와 지안이 가는 걸 보는 삼 형제. 그러다가 돌아서는데… 동훈이 나란히 가는 정희와 지안을 힐끗 돌아보면, 정희가 지안의 팔짱을 낀다. 다정하게 가는 정희와 지안. 그렇게 가는 두 사람을 보고 가는 동훈.

S#75 ── 정희네 (밤)

정희의 깔깔거리는 웃음소리와 함께 다시 가게 문이 열리고. 어둠 속에서 불이 켜지고. 정희가 지안의 팔짱을 끼고는 종종종 위층으로 뛰어 올라가고.

S#76 ── 정희네 쪽방 (밤)

스탠드만 켜진 어두운 방. 각자의 이불이 펴져 있고. 정희가 이불 속에 있는데, 지안은 창문 쪽을 보고 있다. 잠잠한 분위기.

지안   다시 태어나면… 이 동네에서 태어나고 싶어요….
정희   그래… 우리 다음 생에 또 보자… 으… 생각만 해도 좋다….

그렇게 있는 두 사람….

S#77 ── 동네 일각 (밤)

혼자 걸어가는 동훈. 그렇게 걸어가다가 스스로에게 다짐하듯 낮게,

동훈   행복하자….

쪽방에 앉아 있는 지안과, 그렇게 걸어가는 동훈의 모습에서 엔딩.

Episode

16

S#1 — 요양원 1층 야외 정원 정도 (낮)

잘잘한 꽃잎들이 바람에 후루룩 떨어져 날리고… 봉애는 지안(반깁스 풀었고)과 함께 따뜻한
시선으로 그런 풍경을 보다가…

봉애   (수화) 꽃잎이 떨어질 때 어떤 소리가 나?
지안   …!

봉애가 답을 기다리는 듯 지안을 보고. 지안은 그런 봉애를 보다가

지안   (수화) 좋은 소리….

봉애는 편한 얼굴로 풍경을 보다가…

봉애   (수화) 마음이 편하고 좋다… / 태어나 처음으로 좋아….

지안이 봉애에게 간식을 건네고. 봉애는 먹다가 지안에게도 건네고. 그런 두 사람을 멀리
서 보고 있는 동훈…. 봉애는 멀리 있는 동훈을 미소로 보며 지안에게 뭐라 뭐라 수화하는
데, 지안이 동훈을 힐끗 한 번 보고(수화 내용은 S#42에서). 동훈은 자기 얘기를 하는 게 분명
하기에 멋쩍어 자리를 피하고.

S#2 — 요양원 안내데스크 (낮)

동훈이 안내 데스크로 가서…

동훈   이봉애 할머님 보호자 연락처 하나 더 남기려고 하는데요.
         (괜히) 손녀분이 제때 통화가 안 될 수 있어서요.
직원   (종이를 내밀고) 여기 아래에 적어주세요.

동훈은 보호자란 '이지안' 아래에 제 이름과 핸드폰 번호를 적고.

Episode 16

S#3 —— 요양원 근처 달리는 동훈의 차량 (낮)

동훈이 운전하고 지안은 뒷좌석에 앉아 편한 얼굴로 풍경을 보고. 지안이 운전하는 동훈의 손과 뒤통수를 가만히 보다가

지안　　운전하니까 다른 사람 같네.
동훈　　다른 사람이야.
지안　　(피식. 창밖을 보고)
동훈　　아까 할머니 뭐라고 그러신 거야? 나보고 뭐라고 하시는 것 같던데.
지안　　… (창밖 보며) 아저씨한테 고맙다고요.

S#4 —— 경찰서 앞 (낮)

윤희가 건물 앞에서 기다리고. 동훈의 차가 들어오는 걸 보고. 거기서 내리는 동훈과 지안.

동훈　　친구(기범)는?
지안　　내일 올 거예요.

동훈은 지안과 같이 윤희에게 걸어가고. 지안은 똑바로 윤희를 쳐다보지 않는데, 그런 지안을 보는 윤희의 시선. 지안은 가까이 마주 서서도 윤희를 보지 않고….

동훈　　들어가.
지안　　…

윤희가 지안의 등을 감싸 안으며 안으로 들어가고. 완전히 들어갈 때까지 보고 있는 동훈. 그렇게 둘이 사라져도 쉽게 발을 떼지 못하고.

S#5 ─ 경찰서 조사실 (낮)

윤희와 지안이 앉아 있고…

윤희	자수한 거고, 수사에 적극 협조한다고 했으니까, 걱정 안 해도 돼.
지안	…
윤희	미안해. …고맙고.
지안	…
윤희	…
지안	왜 다 나한테 고맙대지. 나 같으면 미울 텐데.
윤희	…안 미워. 고마워.
지안	…난 아줌마 되게 미워했는데.
윤희	…
지안	(보는) …부러웠고.
윤희	… (뭔가 울컥)

S#6 ─ 동네 일각 (낮)

동훈이 걸어오다가 한곳을 보고 멈춰 서고. 미소가 번지고. 보면, 거기에 서 있는 겸덕.

S#7 ─ 동네 꽃집 앞 (낮)

겸덕이 꽃집 앞에 있고. 잠시 후, 동훈이 꽃집에서 꽃다발을 들고 나오고.

겸덕	웬 꽃?
동훈	빈손은 그렇잖아.

천천히 걸어가는 동훈과 겸덕.

Episode 16

동훈   정희가 가서 뭐랬는데?

겸덕   불 질러버린대.

동훈   무서워서 왔냐?

겸덕   (피식) 이 동네를 걷기 싫었어. 내가 죄진 것 같은 동네.

동훈   …

겸덕   부모 형제 기대 저버리고, 친구 애인 다 버리고, 내가 배신하고 떠난 동네.

동훈   …

겸덕   서울 왔다가도 이 근처만 지나가면 마음이 안 좋아서 괜히 돌아갔어.

        생각나면 잘라버리고, 생각나면 잘라버리고…. / 생각을 잘라낼 게 아니고…

        죄책감을 잘라냈어야 하는데… 뭘 잘라내야 되는 지도 모르고…. (피식)

        머리만 자른 거지 뭐.

그때 한 노파가 장 본 물건을 담아서 밀며 오는데, 동훈과 겸덕이 노파에게 꾸벅 인사. 노파
가 반갑게 동훈의 인사를 받다가 뒤늦게 겸덕을 알아보고 눈이 번쩍.

노파   아이고, 이게 누구야. 상원이 아냐.

겸덕   안녕하세요. 잘 지내셨어요?

노파   (반가워 겸덕의 손을 잡고 어쩔 줄 몰라 하고) 아이고야… 여전히 잘생겼다….

        아이고 아까워라…. 이 얼굴 우리 아들이나 주고 가지….

겸덕   (미소) 제철이 형은 잘 지내시고요?

노파   (말 말라는 눈짓 손짓) 맨날 술… 엎어진 김에 쉬어 간대. 맨날 엎어져….

겸덕   (미소)

⟨ Cut to ⟩

노파가 공손히 겸덕에게 합장하고, 겸덕도 노파에게 공손히 합장하고. 그렇게 노파와 헤
어지고…

#다시 동훈과 겸덕이 걸으면서…

동훈   너 절로 들어갈 때, 나 안심했었다. (피식) '한 놈 제꼈군.'

겸덕   (같이 피식)

동훈   너 때문에 내가 만년 이 등이었잖아. / 옛날에 너 머리 깎는 거 보고 있는데,

[INS] 이십 대 청년 시절 겸덕의 삭발식. 한쪽에서 바라보는 동훈.

동훈   (E) 갑자기 그런 생각이 들더라. '나 이 새끼한테 지겠다… 백 프로 지겠다….'

동훈   너 머리 깎는 거 보고, 갑자기 무서워져서, 막 내려와서, 정신없이 열심히
        살았는데… (피식) 졌어. 백 프로.

겸덕   이기고 지고가 어딨다고. 다 각자 자기 인생이지.

두 사람, 말없이 걷다가…

동훈   세상 제일 불쌍한 어떤 애가 있는데, 걘… 내가 세상 제일 불쌍하대.

겸덕   …

동훈   잘못 살았어… 졌어….

겸덕   … (피식) 이제 이겨.

동훈   … (피식)

S#9 — 정희네 앞 (낮)

동훈과 겸덕이 정희네 앞에서 멈춰 서고. 동훈이 겸덕에게 꽃다발을 내밀고. 겸덕이 이를
계면쩍어하며 받아 들고.

동훈   간다.

동훈이 가고. 겸덕은 정희네를 보고 서 있고.

손님은 아무도 없고. 콧노래 부르며 주방에서 일하던 정희는 문소리에 "어서 오세요" 하고는 계속 일하는데, 사람 소리가 들리지 않자 누군가 싶어 목을 빼고 문 쪽을 봤다가, 꽃다발을 들고 있는 겸덕을 보고! 겸덕은 미소 지으며 꽃다발을 바에 놓고, 대충 자리를 잡고 앉아 주위를 둘러보고. 그러는 동안에도 정희는 가만히 겸덕을 보고 있고. 겸덕이 정희를 미소로 보자

정희　　(혼잣말처럼) 미쳤나 봐.

⟨ Cut to ⟩

정희가 겸덕에게 차를 내주며 앉고. 겸덕은 빙긋이 정희를 보고.

정희　　청년으로 떠났다가 중년으로 오셨네.
겸덕　　…

겸덕은 편한 얼굴로 환하게 문 쪽을 자꾸 돌아보고…

정희　　뭘 그렇게 봐?
겸덕　　여길 왜 못 왔나… 한 시간 반이면 오는 데를… 이십 년 가까이 왜 못 왔나….
정희　　…
겸덕　　마음에 걸리는 게 있어서 못 왔던 거 같애. (편한 얼굴로 정희를 보고)
정희　　… (무슨 말인지 알아듣고) 이제 걸리는 게 없니?
겸덕　　… (그저 미소)
정희　　…나 니 마음에 '걸려라, 걸려라' 하는 심정으로 괴롭게 살았는데….
　　　　나 이제 무슨 짓을 해도 니 마음에 안 걸리는 거니?
겸덕　　… (그저 미소)
정희　　그럼 나 이제 무슨 낙으로 사니?
겸덕　　…행복하게. 편하게.
정희　　…

S#11 — 요순 집 (밤)

동훈이 요순 집에서 저녁을 먹은 듯 식탁에 앉아서 TV를 넘겨다보고. 상훈과 기훈은 소파에 앉아 낄낄대며 TV를 보고. 요순이 동훈에게 차를 내어주며, 봉투를 동훈 앞으로 슬쩍 밀어 넣고는 넣어두라고 눈짓 손짓.

요순 (입 모양) '옷 사 입어.' (봉투를 동훈 손 밑으로 더 밀고)

기훈 (TV만 보면서) 또 뭐 쑈한다….

동/요 (봉투를 챙겨 넣고 / 못 들은 척 돌아서서 딴짓하고)

기훈 다 보여요. 내가 이렇게 TV를 보고 있어도…

(시선 범위 가리키듯 손바닥으로 동훈 쪽 가리키며) 시선은 백팔십 도를 훑어.

요순 (어깃장) 옷 사 입으라고 돈 좀 넣었다. 윗자리에 앉았는데 옷이 똑같으면 쓰냐?

기훈 근데 왜 그런 걸 몰래 줘요? 우리가 뭐 말려요?

요순 … (등지고 일만)

기훈 맨-날 작은형만.

상훈 (동훈에게) 블랙 슈트는 사지 마. 내가 사줄 거야.

요순이 동훈 앞에 간식거리를 내놓는데…

동훈 (미소) 엄마도 내가 불쌍해요?

요순 … (뭔가 들킨 얼굴) 누가 그래?

동훈 (미소)

요순 (뭔가 마음이 아린 듯, 변명하듯) 말 없는 놈… 그냥 더 신경 쓰이는 거지….

뭔가 쓸쓸한 분위기의 동훈이 TV를 넘겨다보고, 상훈은 집에 가지 않는 동훈이 신경 쓰이고. '윤희랑 뭔 일 있나….'

상훈 (괜히 다가가 식탁 위 간식 집어 먹으며) 왜 집에 안 가고.

동훈 (핸드폰 만지며) 지석이 엄마 전화 기다려.

상훈 (그 말에 안심되면서도 또 뭔 일인가 싶고) 왜.

Episode 16

동훈   …

S#12 ── 경찰서 외경 (낮)

S#13 ── 경찰서 조사실 (낮)

지안, 윤희, 형사1이 있고…

지안   그 2G폰으론 한 사람하고만 통화하는지 한 번호밖에 없었어요.

　　　　근데 그 번호가, 박동훈 부장 핸드폰엔… 집사람이라고 떴어요.

윤희   …!

지안   그래서 알았어요. 왜 박동훈 부장 잘라내려고 했는지.

윤희   …!

지안   한 사람당 천만 원씩 받기로 하고, 박동운 상무하고, 박동훈 부장…

　　　　둘 다 잘라주기로 했어요.

⟨Cut to⟩

준영의 조사실. 준영, 변호사, 형사1이 있고. 준영은 여유롭게 응대한다.

준영   (비웃듯) 와서 그러더라고요. 왜 박동훈 자르려고 하는지 다 알았다고.

　　　　협박하는 거죠. 돈 달라고. 내가 안 주니까 그러더라고요.

　　　　그럼 박동운 상무하고 박동훈 부장 둘 다 잘라주겠다고. 천만 원씩 달라고.

　　　　콧방귀도 안 꼈어요. 지가 뭐 어떻게… 근데 나중에 박 상무 자기가

　　　　물먹인 거라고 돈 달라고 하는데… 철렁했죠. 아… 얘 진짜 무서운 애구나…

　　　　잘못 엮이면 큰일 나겠구나. 돈 주면 나도 엮이겠구나… 안 줬죠.

형사1   왜 그때 신고 안 했어요? 박동운 상무 억울하게 당한 거 다 알았으면서.

준영   나도 지은 죄가 있으니까. 내 입으로 먼저 불륜 얘기하긴 그렇잖아요.

⟨ Cut to ⟩

지안 조사실.

형사1   술 마신 다음 날 박동운 상무한테 중요한 약속 있는 건 어떻게 알았어?

지안   박동훈 부장하고 얘기하는 거 들었어요.

형사1   어떻게?

지안   …

형사1   다 아니까 그냥 말해. 확인차 묻는 거니까.

지안   박동훈 부장 핸드폰에… 도청 프로그램 깔았어요.

형사1   도준영이 시켰어?

⟨ Cut to ⟩

준영 조사실.

준영   (어이없는 듯 웃는) 미쳤어요 제가 시키게? 도청이 뭐 일반인이
       알기나 하는 거예요? 할 수나 있다고 생각하는 거예요 그게? 다 걔 혼자
       한 짓이에요. 박동훈 도청한 거 들려주면서, 쫌 있으면 너 다 들통난다…
       협박하고!

형사1   박동훈 계속 도청하라고 시켰다는데…

준영   뭐 하려요?

형사1   감시하라고. 그리고 접근해서 사내에서 스캔들 내라고도 했고.

준영   (어이없는 듯 웃는) 걔요… 내가 시킨 게 아니고요….
       걔가, 진짜로 좋아해요 박동훈을. 물어봐요, 긴가 아닌가.

S#14 — 경찰서 일각 (낮)

형사1, 윤희, 준영의 변호사가 있고

형사1   (윤희에게) 도준영이 관련됐다는 증거가 없잖아요. 돈도 현금으로 받았다고 하고,
       지시한 녹음 파일도 도난당했다고 하고.

윤희	이지안하고 통화한 2G폰 통화 내역, 문자 내역 조사 의뢰해놨으니까…
변호사	(OL) 그런 핸드폰 자체가 없다니깐!
윤희	있어요! 제가 알아요!
변호사	(OL) 아까부터 뭘 자꾸 안다고…
윤희	… (답답하고)
형사1	그냥 대질심문하죠.

S#15 — 경찰서 조사실 (다음 날, 조사 2일차)

지안과 윤희가 앉아 있는데,

윤희	(미안하지만) 도준영이랑 대질 심문할 거야.
지안	…
윤희	근데 핸드폰에 있던 녹음 파일은 왜 지웠어?
지안	…아줌마 얘기도 있으니까.
윤희	!
지안	…아저씨가 제일 힘들어하는 얘기.

형사가 들어오면, 뒤이어 준영과 변호사가 들어오고. 준영이 같잖다는 듯이 지안을 보다가 윤희를 보며

준영	참… 재밌게들 사셔? 응?
윤/지	(준영에게 시선을 안 주고)
준영	너 솔직히 말해봐. 내가 니가 박 상무한테 무슨 짓을 했는지 알았어, 몰랐어?
	니가 다 사고 쳐놓고 나한테 와서 이렇게 했다고 돈 달라고 해놓고.
	내가 알았어, 몰랐어?
지안	몰랐지.
준영	들었죠. 몰랐다니깐.
지안	방법을 지시할 만큼 배포가 있는 것도 아니고.
	기껏해야 하청 업체한테 돈 뜯어내서 뇌물 먹이는 방법밖엔 생각해내지

못하는 인간이었으니까.

준영　너… 아무 말이나 막 한다?

지안　…

준영　내가 너한테 뭘 그렇게 잘못했냐? / 돈 필요해서 접근해놓고…
　　　내 뒤봐주는 양, 지 맘대로 박동훈 도청하면서… (빙긋이) 혼자 좋아하고.

지/윤　!

준영　너 지금 니가 좋아하는 박동훈 힘들게 했다고 나한테 이러는 거 아냐?
　　　내 말이 틀려? 너 좋아하잖아, 박동훈. 그지?

지안은 그 말에 조용히 서늘한 얼굴이 되고

지안　근데요… '좋아하지, 좋아하지' 그러면서… 왜 비웃어요?

준영　!

지안　(피식) 자기가 사람 좋아할 때 되게 치사한가 보지?

준/윤　!

지안　(보며) 사람이 사람 좋아하는 게 뭔지는 아나?

준영　! (허)

윤희　!

S#16 ── 경찰서 조사실 앞 (낮)

준영이 열 받은 상태로 조사실에서 나오며 변호사에게

준영　이지안 무고, 협박, 명예훼손 고소할 수 있는 건 다 해요!

열린 문틈으로 보이는 윤희와 지안. 무거운 분위기.

S#17 — 사무실 (낮)

준영이 열 받은 얼굴로 씩씩대며 들어오고. 동훈은 서서 서류를 보다가 지나가는 준영을 보고. '저놈 똥줄 탔군.'

S#18 — 대표이사실 (낮)

씩씩대며 들어오는 준영의 얼굴 위로, 종수의 통화 "얼마 줄래요? 녹음 파일이 어마어마하던데. 일억 준비해봐요. 다시 전화할게요." 준영은 서랍에서 쇼핑백을 꺼내 안에 든 돈뭉치를 확인하고. 도로 둘둘 말아서 서랍에 넣고. 그러고는 다시 나가서,

준영   (비서에게) 나한테 전화 온 거 없었나?

비서가 메모를 주고, 준영은 메모를 빠르게 훑고.

준영   이거 말고 없었어?
비서   없었는데요. 그게 단데요.
준영   (대표이사실로 들어간다)

S#19 — 대표이사실 (낮)

준영은 미치겠다. 재만에게 전화하려다가… 종수 말이 떠오르고. "누구랑 일하는지 아는데, 누구한테든 연락하는 순간, 이 파일, 바로 경찰서로 갑니다."

S#20 — 경찰서 조사실 (낮)

윤희가 한쪽에 서 있고, 지안은 자리에 가만히 앉아 있고.

윤희   나 벌주는 거니?

지안	…
윤희	…
지안	왜 바람 폈어요?
윤희	!
지안	그냥 궁금해서요. 아저씨 같은 남자를 두고 왜.
윤희	백 가지, 천 가지 이유를 댈 수도 있어.
지안	!
윤희	그중에 진짜 이유가 있는진 모르겠지만.
지안	…

S#21 — 박동훈 상무 방 (밤)

모든 이가 퇴근한 어두운 사무실. 동훈의 방에만 불이 켜져 있고. 동훈이 책상에 앉아서 커피를 마시며 일하다가 전화를 기다리는 듯 핸드폰을 보고. 그때 진동으로 울리는 핸드폰. 액정을 보면 집사람이다. 얼른 받고,

동훈　(일어나 통화) 어. 어디야? 어떻게 됐어?

S#22 — 달리는 윤희 차 + 박동훈 상무 방 (밤)

윤희는 운전 중이고. 뒷좌석엔 지안이 앉아 있고.

윤희	(통화) 지금 끝나고 가는 중. 당신은?
동훈	사무실.
지안	…
동훈	(어렵게) 어떻게 돼가?
윤희	…녹음 파일만 있으면 쉽게 끝나는 건데. 컴퓨터를 도난당했대. 준영이가 가져간 줄 알고 찾아갔었는데 준영이한테도 없는 눈치였고.
동훈	…

윤희	(얼른) 괜찮아. 2G폰 문자 내역만 복구하면 돼. 박 상무 만난 건 어떻게 됐어?
동훈	처벌불원서 써주시기로 했어.
윤희	잘 됐네. 다 와가. 집에 가서 얘기하자. (전화를 끊고) 들었지?
	박 상무님이 처벌불원서 써주시기로 했으니까 걱정 안 해도 돼.

뒷좌석에서 가만히 있던 지안…

지안	아저씨가 자주 했던 말 중에 그 말이 제일 따뜻했던 거 같아요. …'뭐 사 가?'
윤희	!
지안	집에 들어가기 전에 아줌마한테 전화해서 하던 말….

[INS] 1화 56신, 9화 23신 중 동훈: "뭐 사 가?"

윤희는 가만히 운전만 하고… 창밖을 보는 지안….

S#23 — 정희네 앞 (밤)

상훈, 기훈, 제철, 진범, 권식이 인사하며 가고. 정희는 배웅하고. 정희는 들어가지 않고 가게 앞을 배회하고. 잠시 후, 윤희의 차가 오자 반색하는 정희. 거기에서 지안이 내리고.

윤희	갈게요.
정희	어, 조심해서 들어가.

지안이 윤희에게 목례하고. 윤희도 가벼운 미소로 인사하고. 윤희의 차가 떠나는 걸 보고 정희는 지안을 데리고 가게로.

#혼자 운전해 돌아가는 윤희 표정 잠깐.

S#24 ─ 정희네 쪽방 (밤)

각자 이불 깔며 잘 준비하는 정희와 지안.

지안   왜 안 물어봐요? 아저씨 아줌마랑 뭐 하고 다니는지?

정희   난 그냥 니가 오기만 하면 돼. 와서 좋아….

지안   (가만히 있다가 말없이 수화로만) 감사합니다.

정희   (뜻을 가늠해본다. 똑같이 해보며) 감사합니다?

지안   (미소로 끄덕)

정희   철용이네 니 짐 있다며? 내일 이리 가져오라고 할까?

지안   …나중에 집 얻으면 그리 옮길게요.

정희   …왜? 나랑 같이 살기 싫어?

지안   …내가 여기 있으면, 아저씨 여기 못 와요. (보며 쓸쓸한 미소) 저 여기 있는 동안,
        아저씨 한 번도 안 왔잖아요. (그냥 다시 아무렇지 않게 움직이고)

정희   … (그런 지안이 안됐고)

#상무 방 불을 끄고 나오는 동훈. 어두운 사무실을 나가는 동훈. 엘리베이터 앞에 서 있는
쓸쓸한 얼굴. 엘리베이터에 오르고.

S#25 ─ 영광대부 사무실 (밤)

광일이 컴퓨터 녹음 파일을 유에스비에 저장하고. 책상엔 그런 유에스비가 수북하고. 한편
에 멀리 떨어져서 대치 분위기인 것처럼 그런 광일을 보는 종수. 뭔가 반목이 생긴 분위기.

종수   이지안 자수해서 그 새끼 똥줄 탔어. 이억 달래도 준다고!

그래도 광일은 종수를 보면서 계속 유에스비를 빼서 던져놓고 또 다른 유에스비를 꽂고.

종수   야!

S#26 ─ 정희네 외경 (다음 날, 아침)

S#27 ─ 정희네 쪽방 (낮)

#지안이 엎드려 걸레질하는데,
#정희가 젖은 빨래가 든 통을 들고 계단을 올라가고.
#정희가 빨래 통을 안으로 넣어주며,

정희   여기. 널구 내려와. 밥 먹자.
지안   네.

정희가 내려가고, 지안은 한편에 있던 건조대를 펴서 빨래를 너는데 그때 핸드폰이 울리고.

지안   (얼른 가서 받고) 네.
여자   (F. 조심스런) 저기… 이봉애 할머님… 보호자 맞으시죠?
지안   (뭔가 벌써 불길하고) 네… 그런데요?
여자   (F) 저기…
지안   … (가만히 듣는데 떨리는 눈동자)

S#28 ─ 박동훈 상무 방 (낮)

동훈이 책상에 앉아 일하고 있는데, 앞에선 후루룩후루룩 마시는 소리. 그 소리에 노려보 듯 앞을 보면, 송 과장, 김 대리, 형규가 누구는 앉아서, 누구는 서서 커피를 마시고 있다.

동훈   여기가 커피숍이야?

셋은 동훈을 힐끗 한 번 보고 그냥 커피만 마시고. 동훈이 계속 노려보자

송 과장   비벼댈 구석 없는 새끼들이 잠시 온기 찾아 들어왔습니다. 좀만 있다 나갈게요.

김 대리   되게 비싸게 구네.

셋이 그렇게 버티고 있는데, 그때 동훈의 핸드폰이 울리고. 액정을 보면 이지안. 동훈은 웬일인가 싶고.

동훈   (받고) 어.

S#29 ─ 정희네 쪽방 + 박동훈 상무 방 (낮)

지안   … (말을 못하고)
동훈   (!) 왜?
지안   … (말을 못하고)
동훈   (!) 여보세요?
지안   …할머니. 돌아가셨대요.
동훈   !
지안   …

S#30 ─ 병원 영안실 (낮)

굳은 얼굴로 멀찍이 떨어져 흰 천이 덮인 침대를 외면하고 서 있는 지안. 그런 지안 옆에 서 있는 동훈. 직원이 그 흰 천을 젖히는 순간, 지안은 휙 천장으로 시선을 돌리며 한 발 뒤로 물러나고. 동훈은 봉애가 보이지 않도록 얼른 지안의 앞을 막고 서고.

동훈   (안됐고, 마음 아픈) 괜찮아. 내가 먼저 볼게.
지안   (떨리는 눈빛)
동훈   내가 먼저 볼게.

동훈이 침상으로 다가가 봉애를 가만히 내려다보고. 그러는 동안 지안은 여전히 천장을 보고 있고. 명복을 빌듯 가만히 내려다보는 동훈. 그렇게 있다가 지안에게 온다.

동훈   (마음이 아프지만) 괜찮아. 봐도 돼. 똑같으셔.

지안   (그래도 회피하는 눈빛)

동훈   괜찮아.

동훈이 지안의 양팔을 잡아 봉애에게 데리고 가려 하는데, 엉뚱한 방향으로 가며 갑자기 울음을 터트리는 지안. 결국 바닥에 엎드려 울고. 동훈은 마음이 아프고. 그래도 지안을 일으켜 봉애에게 데리고 가고. 지안은 봉애를 보고는 억장이 무너지고. 봉애를 안고. 그렇게 있다가

지안   할머니. (수화) 나 할머니 있어서 행복했어. 고마워. 나 만나줘서 고마워.

　　　　내 할머니 돼줘서 고마워. (끌어안고 있다가, 수화) 또 만나자.

　　　　응? 우리 또 만나자.

지안은 봉애의 얼굴을 보며 울고. 동훈은 아프게 바라보고.

S#31 ── 장례식장 (낮)

봉애의 영정 사진이 있고. 그 앞에서 정희가 상복을 입은 지안을 꽉 끌어안아주고. 그런 두 사람을 보는 삼 형제(검은 양복). 상훈의 시선에 국화가 별로 없는 썰렁한 영정 주변이 눈에 들어오고. 상훈이 조용히 나가서 보면, 썰렁한 장례식 홀이 눈에 들어오고. 복도에 나와보면, 화환이 하나도 없고. 그게 마음이 아프고. 뭔가 결심한 듯 전화하는 상훈.

상훈   엄마. 주방으로 가봐요. 얼른.

S#32 ── 요순 집 주방 + 장례식장 일각 (낮)

요순이 통화하며 의자 위에 올라가 싱크대 위 칸을 열고,

상훈   싱크대 맨 위에 찬합 있는데요.

요순   (찬합에 손이 닿지 않고, 성질나는) 돈을 왜 이딴 데 두고. (까치발 들고 간신히

찬합을 꺼내는데)

상훈　(퍼뜩) 아니다 아니다, 거기 아니다. 옮겼다. 엄마, 방으로 방으로.

요순　(어금니를 꽉 깨물고 의자에서 내려와 찬합을 탁! 놓고) 쌍놈의 시키⋯

상훈　얼른 방으로 가봐요. 옷장에, 옷장.

S#33 — 요순 집 형제 방 + 장례식 일각 (낮)

요순이 옷장을 열어 옷들을 뒤적이는데

상훈　겨울 잠바요. 조기축구회 패딩, 긴 거, 엉덩이 덮는 거, 군청색⋯.

요순　(그 옷을 찾아 뒤적이며 성질나) 기훈이한테 당장 통장 만들어달라 그래!

상훈　드라이해서 비닐에 씌운 거요. 거기 주머니.

요순　(비닐 들춰서 주머니에 손을 넣으면 돈 봉투가 나오고) 있어!

상훈　그거 얼른 은행 가서 기훈이 통장으로 부쳐주세요. 지금 바로. 빨리.

요순　에우⋯ 끊어! (돈 봉투 들고 나가고)

S#34 — 화환 전문 꽃집 (낮)

장례식 화환을 내가는 직원들이 보이고. 상훈은 직원 앞에 서서 통화 중.

상훈　조기축구회 명단 좀 사진 찍어 보내봐. 빨리.

⟨Cut to⟩

박동훈, 박상훈, 박기훈 이름이 새겨진 화환이 먼저 나가고. 직원이 상훈의 핸드폰에 뜬 조기축구회 명단을 봐가며 화환 리본에 이름을 쓰고. 문철용, 이제철, 고진범, 임권식⋯ 등등의 이름이 쓰인 화환이 나가고. 기훈이 돈을 찾고 들어와 상훈에게 넘기고.

상훈　(봉투를 열어보며, 직원에게) 그럼 얼마예요?

직원　(계산을 해보고)

S#35 —— 장례식장 (밤)

영정 주변에 국화가 채워지고. 그걸 보는 지안. 장례식장 복도에 하나씩 깔리기 시작하는 화환. 결국 복도 끝까지 가득 차고. 그걸 뿌듯하게 바라보는 상훈. 제철, 진범, 권식(검은 양복)이 먼저 계단을 올라와 복도로 들어오고. 이어서 조기축구회 복장(어두운 색)으로 들어오는 무리들. 그러다가 철용이 화환 리본을 발견하고,

철용 어? 내 이름!
한 놈 어? 나두.

무리들은 자기 이름으로 된 화환에 의아하고 신기하고. 제철, 진범, 권식은 왜 그런지 알기에 의아하지 않고. 장례식장 쪽으로.

S#36 —— 장례식장 영정 앞 (밤)

#삼 형제가 입구에 서 있고. 제철, 권식, 진범 셋이 맨 앞에 서서 조기축구회원들과 떼로 영정에 절하고. 그걸 보는 지안. 동훈과 시선이 좀 닿고. 이어서 무리들과 맞절하는 지안.
#입구에는 동훈만 서 있고, 송 과장, 김 대리, 형규가 영정 앞으로 다가와 서는데. 채령이 뒤늦게 뻘쭘하게 들어와 입구에 가방을 놓고 셋 옆에 서고. 함께 영정에 절하고.
#역시 입구에 동훈만 서 있는데. 윤희와 기범이 영정에 절하고. 윤희는 지안에게 다가가 안아준다. 윤희가 지안에게서 떨어지고 나면, 지안이 기범을 보고.

지안 어떻게 돼가?
기범 또 오래서 아줌마랑 지금 경찰서 들어가려고. …힘내라.
지안 …

S#37 —— 장례식장 복도 (밤)

윤희가 기범을 앞장세워 가고, 배웅하는 동훈.

동훈 가. (어렵게) 난 다 끝내고 갈게.

윤희 그래야지. 같이 있어줄 사람도 없는데. 다 하고 와. (가고)

동훈 …

기범이 윤희와 가다가 순간 돌아서서 동훈에게 꾸벅.

기범 고맙습니다.

동훈 !

S#38 ─ 장례식장 홀 (밤)

많은 사람이 홀에 앉아 있고. 정희가 분주히 음식을 나르고. 동훈이 들어와 상훈이 앉은 테이블에 다가가 서서

동훈 (슬쩍) 형 쓴 돈, 내가 줄게.

상훈 노노노. (한 손으로 가슴을 쓸며) 이 감동을 훼손하지 마라. 나 오십 년 살면서 내가 이렇게 좋아본 적이 없다. 날 막 안아주고 싶어. 내가 너무 좋아.

제철 너 내일부터 그지야.

상훈 그지여도 돼. 니가 이 맛을 아냐 임마.

동훈이 피식 웃으며 직원들 있는 곳으로 이동해 앉고. 송 과장이 소주를 흔들어 팔꿈치로 소주병 밑을 치자

동훈 술집 왔지?

송 과장이 눈치 보며 조심스럽게 잔들을 채워주고. 김 대리, 형규와 조심스럽게 잔을 부딪히는데

동훈 그래. '짠' 하고. 건배하고. 원샷도 해.

송 과장 죄송합니다. 습관 들려서….

동훈이 벌건 눈으로 술을 마시는데, 송 과장, 김 대리, 형규, 채령이 기훈 옆에 앉은 유라
를 힐끗거리며

송 과장 (슬쩍) 맞죠? 최유라?

동훈 (그냥 눈으로 잡고 말고)

송 과장 동생분 능력자시네요.

채령 동생분 뭐 하세요?

동훈 (그게 중요하지도 않고, 대답하고 싶지도 않은데)

기훈 왜 또 대답 못 해?

동훈 (강한 눈빛. 지금 그게 중요해?)

기훈 청소합니다!

송/채 !

유라 (얼른 상냥하게) 잠깐 하는 거예요!

기훈 누가 잠깐 하는 거래?

유라 (천장 보며 살짝 뻘쭘한 얼굴)

분위기가 좀 어색해졌고. 동훈은 답답한 마음에 술을 들이켜고. 지안 쪽을 돌아보고 있는
데. 그때 지나가는 정희에게

동훈 쟤 밥 먹었어?

정희 (가며) 괜찮아. 한 끼 굶어도 돼.

동훈은 다시 지안 쪽을 봤다가 시선을 돌리고 마는데, 그때 누군가를 발견하고 벌떡 일어
나고. 보면, 춘대가 들어오고 있다.

S#39 — 장례식장 영정 앞 (밤)

춘대가 영정에 절을 하고. 그리고 지안을 가만히 보고. 안아주지도 못하고 그저 안쓰럽게
보기만. 지안도 가만히 보기만. 그러다가 춘대가 홀에 있는 많은 사람을 돌아보고. 그 무리
를 끌어왔을 법한 동훈과 시선이 닿고.

16화

춘대   복 있으시다. 할머니가 복이 있으셔.

춘대와 지안이 영정 사진 속 봉애를 보고…

S#40 ── 장례식장 주차장 (밤)

이동식 간이 골대를 놓고 공 차고 있는 무리들. 한쪽에 정희, 지안, 유라가 같이 앉아 있고. 그렇게 앉아서 축구 경기를 본다. (송 과장, 김 대리, 형규는 없고)

S#41 ── 장례식장 일 층 건물 입구쯤 (밤)

밖에서 축구하는 소리가 들리고. 동훈과 기훈은 각기 핸드폰으로 화장터를 알아보는 중.

기훈   네. 알겠습니다. (전화를 끊고, 메모한 다른 번호를 보며 버튼을 누르고)
동훈   수고하십니다. 내일모레 화장할 수 있나 해서요. (듣다가)
       네. 내일모레요. 네. (됐다는 듯 기훈에게 손을 들면, 기훈이 핸드폰을 내리고) 예….
기훈   (먼저 나가고)

S#42 ── 장례식장 주차장 (밤)

누군가 골을 넣고. 그 팀이 신나라 하다가 순간 아차 싶고. 골 세리머니를 다르게 하기로 했는지 두 손 모으고 명복을 비는 그런 액션으로 하는데, 지안은 그걸 보고 피식. 정희와 유라도 피식. 그때 기훈이 건물 쪽에서 나오자 유라는 총총거리며 기훈을 따라가고. 정희가 지안과 단둘이 남겨지자

정희   설엔 어디 가?
지안   …
정희   나도 갈 데 없는데. 우리 일 년에 두 번만 만날래? 설하고 추석?
지안   … (그렁그렁한 미소) 좋아요.

정희   신난다! 인생 숙제 끝! 설하고 추석에 만날 사람만 있으면 인생 숙젠 끝난 거야.

그때 동훈이 건물 쪽에서 나오고, 정희는 일어나 운동장 아래로 가고…

동훈   화장터 **로 가기로 했어. 납골당은 형이 좋은 데 잡아놨대. 그리 가자.

지안   왜 이렇게 잘해줘요? …엄청 잘해주고 '자 이제 그만…' 그러려고 그러시나.

동훈   말 참… (싸가지 없이) / 내가 한 거 아냐. 형이 한 거야. 다.

지안   (왜? 하는 시선)

동훈   그냥 둬. 저 인간 착한 짓 안 했어서 좀 해도 돼.

지안   …

동훈   들어가. 할머니 혼자 계시잖아.

지안   …할머니 돌아가시면 전화하라는 말. 진짜 든든했었어요.

동훈   …

가만히 있는 두 사람…. 그때 어느새 무리에 들어가 공 차던 기훈이 공을 집어 들고 동훈에게

기훈   들어와!

동훈   (지안에게) 들어가.

동훈이 무리로 들어가고. 다시 게임이 시작되는데,

유라   박기훈 파이팅!

기훈은 창피해서 미치겠고… 동훈도 합류해서 공을 차는데, 그 모습에서 슬로우가 되면서… 동훈을 보는 지안의 얼굴에서…

#1신의 회상 장면, 봉애가 멀리 있는 동훈을 보며

봉애   (수화) 참 좋은 인연이다. / 귀한 인연이고.

지안   … (동훈을 보고)

봉애   (수화) 가만히 보면 / 모든 인연이 다 / 신기하고 / 귀해.

#장례식장 주차장. 지안은 그런 생각에 모두를 본다. 동훈, 상훈, 기훈, 정희…. 다시 동훈이 뛰는 모습에서

봉애   (단호한 표정으로, 수화) 갚아야 돼. / 행복하게 살아. / 그게 갚는 거야.

지안   (다부지게 고개를 끄덕)

#장례식장 주차장. 그런 생각들을 떠올리며 공 차는 동훈을 바라보는 지안의 모습에서.

S#43 ── 도심 일각 (다음 날, 낮)

준영이 애태우며 재만과 함께 있고.

재만   전화한 그놈, 목소리가 어땠는데요?

준영   (생각하며) 이삼십 대 젊은 남자 목소리였어요.

가만히 있는 재만의 얼굴 위로

[INS] 13화: 광일과 대화하던 재만. "컴퓨터도 잘하는 놈일 거라는데. 누구냐? 광일아. 좀 도와주라."

재만   (감이 오고) 아나씨…

S#44 ── 영광대부 사무실 + 영광대부 건물 앞 (낮)

광일이 짬뽕을 먹고 있고, 다 먹은 종수는 일어나 창문 열고 담배를 물고는 불붙이려는데, 주차장에 한 차가 빠르게 들어와 광일의 차 옆에 바짝 댄다. 차 문을 열 수 없을 정도. 종수가 그걸 보다가

종수   야! 차를 그렇게 바짝 대면…

하는데 다른 한 차도 광일의 차 옆에 그렇게 대고. '뭔가 이상한데.' 차에서 건장한 남자들이 내리고. 그 차에서 내리는 재만. 종수와 재만의 눈이 마주치고. 남자들이 건물로 뛰고 (한 차에 두 명씩. 재만 외 세 명).

종수   야씨. 홍재만 떴어. (급히 본체 전선을 뽑고)
광일   !

광일이 급하게 유에스비를 일수 가방으로 쓸어 담는데, '영광대부' 명함 전단지 한 장이 쓸려 들어가고. 종수에게서 본체까지 뺏어 들고 살짝 비켜서서 문을 열자마자 한 놈이 들어온다. 그놈을 발로 차 뭉개고. 이어 들어오려던 놈들이 약간 주춤거리다가 혹 들어오고. 종수와 광일이 그들을 상대하다가 광일은 얼른 나가고.

S#45 — 영광대부 사무실 복도 (낮)

광일이 복도에 혼자 있는 재만과 맞닥뜨리고. 둘의 간단한 싸움. 한 손을 쓰지 못하는 와중에도 절대 밀리지 않는 광일. 재만에게 일격을 날리고, 몸싸움 중에 떨어뜨린 일수 가방을 챙긴 뒤 빠르게 가며

광일   너한텐 안 뺏겨 새꺄!

이어서 사무실에서 남자 셋이 나오고, 종수가 쫓아 나와 엉겨 붙어서 더 싸우고. 하지만 결국 재만과 남자 셋이 빠르게 광일을 따라가고.

S#46 — 영광대부 건물 앞 (낮)

광일이 밖으로 나와서 차들이 그렇게 주차된 걸 보고는 그냥 뛰고. 잠시 후에 남자 셋과 재만이 나와서 따라 뛰고.

S#47 ── 도심 일각 (낮)

광일이 재만 일당의 추격을 피해 컴퓨터 본체를 옆구리에 끼고 담벼락을 돌고. 바짝 추격하는 건 아니고, 눈에 보이지 않는 근거리에서 서로 찾는 느낌. 그렇게 광일이 재만 일당을 피해 빠르게 골목골목을 도는데, 어느 순간부터 담벼락을 돌아 나온 광일의 옆구리에 컴퓨터 본체와 일수 가방이 없다! 중간에 어디 숨겼는지. 어쨌든. 광일은 뒤를 살피며 급히 도망치고. 재만 일당은 광일의 꼬리를 보고 급히 달리고. 역시 급히 내달리는 광일. 그렇게 달리다가 또 어느 순간 재만 일당은 놓쳤다 싶어 두리번두리번… 급히 잰걸음으로 가는 광일의 모습에서.

S#48 ── 납골당 밖 (낮)

장례 버스에서 사람들이 내리고. 동훈이 먼저 내리면, 지안이 유골함을 들고 이어서 내리고. 다들 내려서 건물 쪽으로.

S#49 ── 납골당 안 (낮)

봉애의 유골함(사기로 된)에 이마를 맞대고 있는 지안. 동훈이 지안을 도와 유골함을 제 위치에 넣고. 유리 칸막이를 닫고. 봉애의 유골함이 있는 그 유리막에 이마를 대고 가만히 있는 지안. 뒤에서 이를 보는 동훈과 일행들.

S#50 ── 납골당 밖 (낮)

무리들이 걸어서 장례 버스 있는 곳까지 가는 상황. (* 무리 중에 유라는 없다)

제철   나 초등학교 삼 학년 때 할아버지 돌아가셨는데, 책가방 끌어안고
      학교 가야 된다고 엉엉 울었다. 시험 보는 날이었거든. 그땐 학교 안 가고,
      시험 못 보면 인생 끝나는 줄 알았으니까. 할아버지 돌아가신 것보단,
      학교 못 가고, 시험 못 봤다는 게… 세상 끝난 것 같더라. 그렇게 순진했어 내가.

상훈	멍청한 거지 그게.
제철	넌 할아버지 돌아가셨다고 학교 안 가서 신났었지?
기훈	오일장해야 된다고 우기다가 아버지한테 맞은 인간이야.
모두	(다 같이 웃고는, 지안에게) 죄송합니다… 죄송합니다….
상훈	(지안에게) 고마워요. 덕분에 제 인생에 진짜 기똥찬 순간 박아 넣었습니다.
동훈	(눈으로 잡는) 남의 장례식 가지고…
상훈	죄송합니다….
지안	아녜요. 저한테도 기똥찬 순간이었어요.
동훈	…
지안	진짜로.
모두	…
지안	꼭 갚을게요.
제철	뭘 갚아… 인생 그렇게 깔끔하게 사는 거 아녜요….

잠잠하게 걸어가는 무리들. 그때 멀리 있는 장례 버스 앞에서 한 명이 소리치고.

한 명	차 막혀요! 빨리빨리 갑시다!

뒤에서 따라오던 무리들 중에 한 명이 뛰자, 다 같이 뛰기 시작하고, 어느 순간 경쟁적으로 뛰는 사람들. 지안은 지지 않고 앞으로 치고 나가려 하고. 버스까지 뛰는 사람들. 그렇게 뛰어서 "일 등!" "이 등!" 하며 버스에 오르고.

S#51 ── 장례 버스 안 (낮)

출발하는 버스. 동훈은 정희와 나란히 앉은 지안을 편한 얼굴로 돌아보고. 그렇게 편한 얼굴로 가는 동훈. 그런 동훈 앞으로 검은 선글라스가 들어오고. 옆에 앉은 기훈이 내밀었고.

기훈	(슬쩍) 이따가 한 번만 쓰자.
동훈	(뭔 소린가 싶은데)
기훈	(본인도 선글라스 쓰며) 쓰고 사진 한 번만 찍어. 저 인간 소원이란다.

그 말에 상훈을 보면, 상훈이 선글라스 쓰고 설렌 표정으로 동훈을 보고. 동훈은 뭔 소린가 싶은데, 상훈이 계속 빙그레 동훈을 보고.

S#52 ― 회사 외경 (다음 날, 낮)

S#53 ― 사무실 (낮)

(동훈이 부장일 때 앉던 책상 위에) 박스가 하나 놓여 있고. '삼안이앤씨 박동훈 부장'이라고만 써 있고. 그 박스를 내려다보는 동훈! 그리고 그 옆에서 같이 보고 있는 송 과장, 김 대리, 형규. 아마도 송 과장이 동훈을 부른 듯.

송 과장 또 보내는 사람이 없어요. 감사실 부를까요?

동훈이 그냥 열어보는데 컴퓨터 본체고.

S#54 ― 도심 일각 (낮) ‒ 회상

광일이 쫓기며 골목을 돌던 와중에 눈에 띈 퀵서비스로 급히 들어가고. 책상에 본체를 놓고. '삼안이앤씨 박동훈 부장'이라고 급히 휘갈겨 쓰고. 지갑에서 오만 원권을 잡히는 대로 꺼내 테이블에 놓고. 직원(사장)은 너무 많은 액수에 좀 어벙한 얼굴인데.

광일 (나가며) 똑바로 배달 안 하면 죽는다!

그러고는 급히 나갔던 광일.

S#55 ― 사무실 (낮)

동훈이 컴퓨터 본체 옆에 있는 일수 가방을 꺼내고. 열어보면 유에스비가 수북하고. 거기에 끼어 있는 '영광대부' 명함 전단지 한 장. 누군지 알겠고.

동훈   이 새끼… 내가 아직도 부장인 줄 알고.

S#56 ── 도심 일각 (낮) – 회상

(본체와 일수 가방 없이) 재만 일당에게 쫓기던 광일. 쓸쓸하게 가는 광일의 뒷모습. 그런 광일의 어깨 위로…

지안   (E) 착했던 애예요. 그래서 나도 좋아했었고.

S#57 ── 경찰서 조사실 (다음 날, 낮)

준영과 변호사가 앉아 있고. 테이블엔 컴퓨터와 유에스비가 있고. 거기에서 나오는 준영의 목소리.

준영   (E) 천만 원이야. 선불로 줘야 될 것 같아서. 박동훈 뭐 하는지 계속 도청하고…. 누구 만나나… 누구한테 무슨 얘기하나… 감시도 하고… 연애도 하고… 열심히 하라고 선불로 주는 거야.

형사가 눈을 치켜 뜨며 준영을 보고. 준영은 죄책감보다는 떫은 얼굴.

S#58 ── 회사 회의실 (낮)

임원들(박 상무 포함)이 앉아 있는데, 윤 상무가 일어나 길길이 날뛰며 항변.

윤 상무   난 진짜 그 일은 몰랐다고! (동훈에게) 자네도 알잖아. 내가 이지안 걔
           얼마나 구박했어? 어?
동훈   …

윤 상무 내가 개랑 한편이면 걜 왜 구박해? 어? 일부러 아닌 척? 내가 연길 그렇게
잘한다고? 난 도준영이랑 개랑 무슨 일 꾸미는지도 몰랐고. 도준영이랑
자네 집사람이랑 그런 줄도 몰랐고. 하나도 몰랐다고 난!

동훈 …! (불편하고)

윤 상무 (문득) 맞어. 그때, 박 상무한테 갈 돈이 자네한테 갔을 때. 도준영이 그냥
박동훈 부장이 받은 걸로 하고 자르자고 했을 때. 그래. 좀 이상하긴 했어.
(다시 열변) 근데 그런 이유가 있는 줄은 진–짜 몰랐다고!

박 상무 날 자르려고 했다는 건 인정하는 거네.

윤 상무 … (제정신이 아니고) 응? 내가 뭐라 그랬는데?

S#59 — 사무실 (낮)

그 시각. 회사에 소문이 돌았는지 사무실이 술렁이는 분위기. 송 과장, 김 대리, 형규는 충
격에 멍한 얼굴인데, 채령이 과장되게 입을 쩍 벌리고 기겁하는 얼굴.

채령 대표님이랑… (동훈 방 가리키며) 상무님 사모님이랑…
그래서 상무님 자르려고…

그때 동훈이 들어오자 직원들은 얼른 표정 관리 들어가고. 동훈은 어떤 분위기인지 대충 알
겠고. 조용히 방으로. 송 과장은 자리에 앉아 울분을 꾹 참는 얼굴. 그러다 일어나 대표이사
실 쪽으로. 김 대리와 형규는 그런 송 과장을 보고.

S#60 — 대표이사실 (낮)

송 과장이 욕하며 '대표이사 도준영' 명패를 발로 차버리고, 김 대리와 형규가 뛰어 들어와
송 과장을 말리며 끌고 나가고.

동훈, 송 과장, 김 대리, 형규가 술을 마시는데 동훈은 침통하게 술잔만 기울이는 셋을 보
다가

동훈   심심하다. 말 좀 해라.

그래도 말이 없고. 그렇게 있다가,

김 대리 (대뜸) 멋지다 이지안. (뺨 어루만지며) 걔한테 싸대기 맞은 게 영광이야.
          발로 서랍 여는 거, 너무 섹시했어.

동훈이 피식 웃는데, 셋은 또 가만. 이내 술잔만 기울인다. 그러다가

송 과장 아, 의리 있는 기집애. 사내새끼 부끄러워지게 오지게 의리 있네.
형규   언제 지안 씨하고 자리 한번 마련해주세요.
송 과장 꼭요. 진짜 찐하게 한번 안아주고 싶네.
동훈   그러게 진작… (잘해주지)
송 과장 그래도 전 잘해줬습니다. 이 자식(김 대리)이 못되게 굴었지.
김 대리 (미안함에) 아… 미치겠다….

그때 동훈의 핸드폰에 문자 착신음. 보면, 지안의 문자.
[밥 좀 사주죠? / 술도.]

S#62 ── 동훈과 지안의 단골 술집 앞 (밤)

동훈이 와서 보면, 지안이 바 쪽에 서서 주인과 미소로 담소를 나누고 있고. 쑥스러운 듯
발로 바닥을 끄적이며 얘기하는 지안. 동훈은 그런 지안을 미소로 보다가 들어가고. 지안
이 동훈을 돌아보고.

S#63 — 동훈과 지안의 단골 술집 (밤)

동훈이 지안에게 맥주를 따라주는데

지안   오늘 회장님이 점심 사주셨어요.

동훈   출세했다. 뭐 사주셨는데?

지안   몰라요. 비싼 거 같은데, 맛은 없었어요.

동훈   비싼 것들이 다 그래.

지안   …저 부산으로 가요.

동훈   !

지안   회장님이 거기 있는 회사 소개시켜주셨어요. 재판 걸려 있는 것도 다 알고.
       편의 봐주시기로 했다고. 회장님 절친이 하는 회사래요. 숙소도 준대요.

동훈   …왜 그렇게 멀리 가?

지안   … (혼자 피식)

동훈   …

지안   생각만 해도 그지 같잖아요. 아저씨 볼까 싶어서 이 동네 배회하고 다니는 거.

동훈   …!

지안   죽었다 깨어나도 행복할 거라면서요? 나 없이도 행복한 사람 무슨 매력 있다고.

동훈   …!

지안   …딴사람으로 살아보고 싶어요. 날 아는 사람은 한 명도 없는 데로 가서.
       과거는 하나도 없는 사람처럼.

동훈   …!

동훈은 받아들여야 되는 상황. 그저 맥주만 마시며 딴 데만 보는데,

지안   우연히 만나면… 반갑게 아는 척할 수 있게 돼서 다행이에요. 도망 다니면서…
       이제 아저씨 우연히 만나면 피하겠구나…. 그게 제일 슬펐는데.

동훈   …

지안   고마워요. 다 털게 해줘서.

동훈   …

Episode 16

지안   고마워요. 나한테 잘해줘서.

동훈은 슬픔을 억누르려 괜히 미소로 맥주를 마시고는 불쑥인 척

동훈   너 나 살리려고 이 동네 왔었나 보다.

지안   (보는)

동훈   다 죽어가는 거 살려놓은 게 너야. (괜히 외면하며 맥주를 마시고)

지안   …난 아저씨 만나서, 처음으로 살아봤는데.

동훈   …!

동훈이 가만히 있다가 건배하자는 듯 잔을 들고,

동훈   이제 진짜 행복하자.

두 사람 건배하고. 마시고. 울음을 꾹 참아가며 미소로 버티는 동훈. 그렇게 말없이 앉아 있는 두 사람의 모습에서.

S#64 — 몽타주 (낮)

#회의실: 준영과 동훈을 비롯한 모든 임원들이 앉아 있고. 사회자, "도준영 대표의 재신임에 반대하시는 분은 손을 들어주십시오" 과반이 드는데, 동훈도 손을 들고 있고. 준영의 표정.
#대표이사실: 준영의 명패가 치워지고.
#윤 상무 방: 역시 명패가 치워지고. 실의에 빠져 짐을 챙겨 나오는 윤 상무.
#윤 상무 방에 박동운 상무 명패가 놓이고. 박 상무가 들어오고.

S#65 — 정희네 앞 (밤)

동훈, 상훈, 기훈, 제철, 진범, 권식, 지안이 나와 있는데, 정희(가방 없이)도 뒤늦게 따라 나와 문을 잠그고.

제철	왜 또 나와? 지안 씨 내일 아침 기차 타려면 일찍 일어나야 되는데.
정희	마지막으로 동네 한 바퀴! 이 동네는 밤이 이뻐.
상훈	대낮에도 이뻐. 대낮에 좀 돌아다녀봐.
정희	(지안의 팔짱을 끼고) 가자!
제철	잘 가요. 자주 놀러 와요. 서울 오면 꼭 들르고.
지안	(꾸벅 인사) 안녕히 가세요.

삼 형제와 정희, 지안은 같은 방향으로 가고. 제철과 진범, 권식은 멀어지는 그들을 보고 있고.

S#66 — 동네 일각 (밤)

#삼 형제와 정희, 지안이 걸어오는데, 갈림길이 나오고. 멈춰 서고.

상훈	잘 가요. 또 봐요.
지안	(진심으로 상훈에게 고개 숙여) 감사합니다.
상훈	(고개 숙여 진심으로) 저도 감사합니다.

보다가 동훈이 먼저 돌아서자 정희와 지안이 따라붙고. 상훈은 보다가 "잘 가요" 한 번 더. 지안이 돌아봤다가 가고. 상훈과 기훈은 이를 보다가 돌아서 가고.

#정희와 지안이 손잡고 밝은 얼굴로 오는데, 동훈은 무거운 얼굴. 또 다른 갈림길. 멈춰 서고. 헤어져야 하는 타이밍. 동훈과 지안은 서로 보기만 하다가

동훈	잘 가라.
지안	(가뿐한 미소) 한번 안아봐도 돼요?
동훈	!

동훈이 보다가 지안을 안아주고. 지안도 동훈을 안고. 정희는 떨어져 서서 괜히 딴 데 보고 있고. 그리고 동훈이 지안에게서 떨어지는데 살짝 울컥하는 얼굴이고.

Episode 16

동훈　가.

지안　…

동훈　가.

빠르게 제 갈 길 가는 동훈. 그렇게 가는 동훈을 보는 지안. 지안이 몇 발자국을 떼다가 미소 지으며 주먹을 쥐어 보이며.

지안　파이팅!

동훈　! (돌아보고. 보다가) 파이팅!

지안이 먼저 돌아서 정희와 가고. 동훈도 보다가 돌아서 가고. 지안은 정희와 다정하게 미소 지으며 가는데 반해, 동훈은 부러 덤덤한 척 누르며 가는 얼굴. 그저 꾸역꾸역 걸어가는 동훈. 그렇게 걷는 중에 진동으로 울리는 핸드폰.

동훈　(받고) 어. 집에 가는 중. …뭐 사 가?

S#67 ── 동훈집 서재 + 동네 일각 (밤)

윤희가 핸드폰을 들고 있고.

윤희　(!) …맥주. …안주는 집에 있는 거 먹자. …음. (전화를 끊고 표정)

#담담히 적당한 속도로 걸어가는 동훈의 모습에서 F.O.

S#68 ── 요순 집 외경 (다른 날, 낮)

파릇파릇한 봄 분위기. 시간이 좀 경과된 느낌.

S#69 — 요순 집 거실, 주방 (낮)

요순과 기훈이 베란다에서 화분갈이를 하는데, 동훈이 들어오고

동훈 저 왔어요.

요순 지석이 에미 공항에 태워다 주고 오는 길이냐?

동훈 네. (핸드폰과 차 키를 한쪽에 두고)

요순 언제 들어온대?

동훈 다다음주에요.

요순 뭐 그렇게 오래 있어….

동훈 간 김에 지석이 엄마 학교도 알아보려고요. (서서 리모컨으로 TV 채널만 이리저리

　　　　돌려보는. 뭘 보려고 하는 게 아니고 그냥 그러고 있는 느낌)

요순 뭔 눔의 공부를 또 한다고… 지석이 생각하면 에미가 들어가는 게 맞지만…

　　　　애 공부시킨다고 애 아빠 홀애비 만드는 게 잘하는 짓인지…

기훈 (눈치 없이 히죽) 형도 이리 들어와.

요순 (확 손이 올라가고) 말 같지도 않은. (동훈에게) 밥은?

동훈 … (리모컨 놓고 주방으로 가며) 제가 알아서 먹을게요.

요순 (서둘러 베란다에서 나와 주방으로 가고)

동훈 형은 어디 갔어요?

요순 (불에 냄비 올리며) 처가 잔치에 갔어. …은진 에미랑 다시 합칠 것 같애.

동훈 (표정. 반찬을 꺼내고)

⟨ Cut to ⟩

동훈과 기훈이 나란히 바닥에 앉아 TV를 보는데, 동훈의 표정이 별로다. 뭔가 쓸쓸하고 잠잠한.

기훈 (슬쩍) 걘 어떻게 지낸데?

동훈 … (TV만 보고)

기훈 잘 지낸대?

동훈 내가 어떻게 알어.

기훈 전화 안 와?

동훈 전화가 왜 와.

기훈이 TV를 보면서…

기훈 '아무도 모른다'라는 영화가 있어. 엄마가 애들 버리고 가서 애들만 사는
영환데, 오 분 보다가 꺼버렸어. 열두 살 먹은 큰놈이 웃으면서 어른들한테
돈 꾸러 다니는 거 보자마자 꺼버렸어. '나 이 영화 마음 아파서 못 본다.
나 TV 뿌시고 들어가서 걔들 빼내 와서 내가 키운다….' 근데 영화 한다는 놈이
이런 것도 못 보고 무슨 영활 한다고. 다음 날 봤어. …보길 잘했다 싶더라.
애들 나름… 자기 힘이 있더라. 나 혼자 지레 슬펐어.

동훈 …

기훈 (결론) 인간 다 자가 치유 능력 있어. 그러니까 너무 마음 아파하지 않아도 된다고.

그 말을 듣는 동훈은 무표정한 얼굴로 가만히 있고. 그렇게 있다가 괜히

동훈 …제목이 뭐라고?

기훈 …'아무도 모른다.'

S#70 — 마트 (다른 날, 낮)

동훈이 물품 뒷면을 꼼꼼히 읽고 카트에 넣고. 햇반, 즉석식품 등 간단한 장을 보고.

S#71 — 동훈 집 거실, 주방 (낮)

동훈은 혼자 밥을 먹은 듯, 간단한 설거지를 하고. 설거지를 끝내고, 내려지는 커피를 보다
가… 다 내려진 커피 잔을 들어서 천천히 입으로 가져가는데… 마시려다가 갑자기 훅 숨이
터지면서 울컥 눈물이 짧게. 그러는 바람에 커피를 좀 흘렸고. 잔이 흔들린 바람에 컵 주변
으로 흘린 커피를 티슈로 닦고. 다시 천천히 잔을 들어 마시려는데. 또 훅… 이번엔 더 크
게 숨이 터지고. 그래서 바닥에 많이 흘리고. 커피를 흘린 채로 좀 설움이 터진 듯 있다가…

'아… 왜 이러나…' 다시 마음을 누르고… 서둘러 바닥에 흘린 커피를 열심히 닦고. 커피 마시기를 포기하고 그냥 개수대에 쏟아버리고. 물을 틀어 커피를 개수대로 흘려 보내고. 커피 잔에도 수돗물을 채우다가… 또 확 울음이 터지고… '아… 왜 이러나…' 난감하고 당황한 것 같은 등짝. 급히 화장실로 들어가고… 물소리가 들리고… 간간이 터진 울음소리도 들리고… 코 푸는 소리도 들리고….

잠시 후… 세수를 한 듯 젖은 얼굴을 수건으로 닦고… 울음을 그친 듯 나오고… TV 앞으로 가서 TV를 켜고… 요란한 쇼 오락 채널들을 지나쳐 축구 채널에 맞추고… 그렇게 TV를 보며 가만히 서 있는데… 다시 울음이 터지고… 이젠 포기. 울음 참기를 포기하고 그냥 마음 놓고 운다…. 창가로 가 서서… (혹은 앉아서) 마음껏 울고, 울음이 완전히 잦아든 얼굴까지 가고…

동훈   (E) 그날 처음, 나를 끌어안고 울었다. / 한 번도 안아본 적 없는 나를. 끌어안고 울었다.

S#72 ── 요순 집 형제 방 (밤)

기훈과 유라가 헤어지는 과정이 전화 통화로 보이며, 사계절이 흐른다.

#한여름: 기훈이 민소매에 머리 질끈 묶고 땀에 번들거리는 얼굴로 열린 창문 앞에 서서 통화. 뒤에는 선풍기가 돌고.

기훈   (성질) 너 나한테 자꾸 영화 다시 할 생각 없냐, 다시 할 생각 없냐 그러는데, 너 내가 쪽팔린 거야. 뭐가 아냐 씨이. 나 재능 없고! 돌아갈 생각 없고! 그러니까 우린 그만 끝내고! 넌 그냥 그 판에 있는 놈이랑 만나고! 더워 죽겠는데 사람 성질나게 그만하라고오!

기훈이 핸드폰을 내팽개치며 방에서 확 나가고.

#가을: 가을 옷을 입고 있는 기훈이 책상에 앉아 통화.

기훈   (덤덤) 그만하자. 어. 죽여. 그냥 니 손에 죽고 말지, 더 이상은 아닌 것 같다.

          (울컥) 내가 진짜… 나 재능 있단 소리가… 이렇게 돌아버리게 괴로운

          소린 줄은 몰랐다…. 더 듣다간… 내가 진짜 죽을 거 같다. 그만하자. (사이, 꽥)

          그냥 솔직히 내가 청소하는 게 싫다고 말해! (답답해 방바닥에 머리를 박고)

#한겨울: 겨울옷을 입고 있는 기훈이 방바닥에 앉아서 통화.

기훈   (잠잠히) 그래… 괜히 정희 누나네 오고 그러지 말고…. 다 어색하잖냐…

          헤어졌는데… 울지 말고…. 왜 우냐… 나 같은 놈이랑 헤어져서 속 시원하지….

          잘 살아라… 그래….

기훈이 통화를 끝낸 듯 가만히 있고. 헤드폰을 쓴 채 가만히 노래를 듣다가 갑자기 고래고래 따라서 노래하는 기훈.

기훈   상처받은 밤 어떻게 달래나 워우워우 비가 내리네.

#요순이 거실에서 갠 빨래 들고 일어나다가 속이 터져서 꽥,

요순   눈이다! 눈! 저 고학력 비영신….

#창밖에 내리는 눈발… 가만히 있는 기훈의 등짝….

S#73 ── 거리 일각 (낮) – 이후부터 2019년 5월

5월의 파릇파릇한 거리를 다마스가 달리는데, 상훈이 운전하고 옆엔 기훈이. 다마스의 동선에 따라 광고 모델이 된 유라의 사진이 건물 옥상 전광판에 보이고, 버스 정류장에서도 보이고, 다시 건물 옥상 전광판에 보이고. 다마스가 신호에 걸려 서고, 기훈은 정면만 보는데, 상훈이 옥상 간판 속 유라를 올려보며

상훈   난 놈이야. 저런 톱스타도 차고…

기훈   가. (신호 바뀌었어)

출발하는 다마스.

S#74 — 동훈의 회사 사무실 (낮)

송 과장, 김 대리, 형규가 일하고 있는 사무실. 그때 회사 전화가 울리고,

김 대리   (전화를 받고) 네, 동훈구조사무실입니다. 아 네, 잠시만요.
          (한쪽을 향해) 대표님 연우구조사무실이요.

대표 자리에서 전화받는 동훈.

동훈   네, 아 예. 확인했습니다. 네, 근데 비상시 대피 시간을 고려해봤을 때,
          사천 명이 이십 분 안에 다 빠져나오려면 계단 통로가 하나 더 있어야 돼요.
          지금 설계로는 대피 시간 확보가 안 돼요….

그렇게 말하는 동안 한쪽에는 최근에 찍은 듯한 윤희와 지석의 사진이 보이고, 한쪽에는 블랙 슈트를 입고 선글라스 끼고 있는 삼 형제 사진도 보이고.

S#75 — 회사 근처 달리는 차 안 (낮)

송 과장이 운전하고 옆자리에 동훈, 뒷자리엔 김 대리와 형규.

송 과장   (삼안이앤씨 건물을 올려다보며) 추억의 건물입니다….
김 대리   일 년만 더 채우면 이십 년 근속으로 금 스무 돈 받는 건데. 아까비….
동훈   나와서 그보다 더 벌었어.
김 대리   뭬. 잘나셨습니다.

S#76 ── 어느 사무실 (낮)

책상에 앉아 컴퓨터로 서류 작성 중인 지안의 뒷모습. 좀 밝아진, 또래 여자들 같은 옷차림.
컴퓨터에서 인쇄를 누르고. 일어나 복사기 앞으로. 인쇄물을 상사에게 가져다주며

지안   (뒷모습에서) 삼사분기 지출 예산안이요.
상사   (상냥) 수고했어요.

S#77 ── 도심 거리 일각 (낮)

점심 먹은 후인 듯, 커피를 들고 가는 여자들. 그중 지안으로 보이는 사람 손에도 커피가 들
렸고. 가끔씩 빨대로 마시면서 가고. 갑자기 여자들이 허리를 숙여가며 자지러지게 웃고.
그 틈에서 자연스럽게 어울리는 지안.

S#78 ── 복지관 (낮)

복지관이나 구청에 있을 법한 수화 교실에서 수화를 가르치고 있는 지안의 뒷모습…. 삼십
명 정도 수강생들이 따라 하고, 지안이 몇몇 수화를 가르친 후 이번엔

지안   (수화 손동작) 귀신이 곡할 노릇. (방향을 틀어서 손을 보여주고. 이런 상황에 쓰이는 거다,
           뭔가를 찾는 듯 연기해 보이는) 어? 분명히 여기 있었는데. 어딨지? (수화 손동작)
           귀신이 곡할 노릇.

사람들이 손동작을 따라 하는데,

지안   표정도 같이 해줘요. (표정을 지어 보인 듯, 손동작)

일제히 놀랍거나 기이한 표정을 지으며 손동작하는 사람들.

S#79 —— 회사 근처 (낮)

해가 넘어가기 전 잠잠히 혼자 걸어가는 지안의 뒷모습. 그렇게 걸어가다가 한곳을 보고 멈춰 선다. 한 건물을 올려다본다. 삼안이앤씨. 지하철에서 내려 걸어가면 보였던 건물. 지안이 한참을 그렇게 보고 있다가 걸어가고.

S#80 —— 영화관 (밤)

기훈이 혼자 앉아 유라의 영화를 보는데,

[INS] 영화 속 유라 장면들.
#"어차피 지 처먹을 거 처먹을 거면서…"
#"내가 오늘부로 널 사랑하기로 했다 이 팀장 띠렐레놈아."
#열 받아 소리치는 팀장을 뒤로 하고 자리로 가며 "사랑하자… 사랑하자… 저 새끼를 사랑하자…."
#복사하면서도 "넵! 견뎌보겠습니다! 더 열렬히 사랑해보겠습니다! 빠샤!"
#"솟는다 솟는다. 사랑이 샘솟는다!"

그런 유쾌한 유라를 보는데 미소가 번지면서도 왠지 울컥하는 기훈.

S#81 —— 정희네 (밤)

상훈, 제철, 진범, 권식 등 조기축구회 사람들이 모여서 왁자하게 있는데, 기훈이 들어오고. "어디 갔다 이제 오냐…" 등등 서로 인사. 기훈은 그냥 바 쪽에 앉고. 정희가 그런 기훈을 보다가 슬쩍…

정희　　어제 밤에… 유라 왔었다.

기훈은 아무런 대꾸 없이 그냥 술만 마시고.

S#82 ── 요순 집 형제 방 (밤)

가만히 책상에 앉아 있는 기훈의 뒷모습. 책상에는 아무것도 없고. 그렇게 앉아 있다가 노트와 연필을 꺼낸다. 가만히 있다가… 제목처럼 크게 '노팅힐 말고 후계힐'이라고 쓰고. 그 아래에 '1신'이라 쓰고 또 가만히 있다가, '그랜드 캐년이 찾아왔다…' 그렇게 써 내려가는 기훈에서.

S#83 ── 넓은 커피숍 (낮)

주문하려고 계산대에 줄 서 있는 지안의 뒷모습. 그때 어디선가 동훈의 웃음소리! 순간 정지되는 지안의 뒤통수. 아무 소리가 없다. 가만. 귀가 쫑긋. 잠시 후 동훈의 웃음소리와 목소리가 다시 작게 들린다. 돌아서는 지안. 넓은 홀에서 동훈의 목소리를 찾아가는 지안의 뒷모습. 그렇게 찾는데… 한곳에 보이는 동훈의 앉아 있는 뒷모습. 분명해지는 동훈의 목소리. 동훈이 한 남자와 마주 앉아 담소 중이고. 남자는 '저 여자가 자꾸 왜 보나' 싶어 지안을 힐끗거리고. 동훈이 남자의 시선을 따라 뒤를 돌아보고. 너무 다른 얼굴이라 단박에 지안이라고 생각하지 못하고. 멍했다가 점점 환하게 밝아지는 동훈의 얼굴. 그리고 그제야 보이는 지안의 얼굴. 역시 환하게 웃고.

지안   …!
동훈   반갑다….

그렇게 오랫동안 환하게 서로를 쳐다보는 두 사람.

S#84 ── 거리 일각 (낮)

동훈은 지안이 사원증을 목에 걸고 있는 게 신기하고.

동훈 오다가다 봐도 몰라보겠다.

지안 … (피식)

동훈 일도 잘한대매?

지안 ?

동훈 회장님한테 들었어. 친구분이 너 일 잘한다고 그러신다고.

지안 (피식)

동훈 서울은 언제 왔어?

지안 3월에요. 본사로 올라왔어요. / 며칠 전에 삼안이앤씨 근처 갔었는데.

동훈 나 거기 나왔어. 사장이야 이제.

지안 오…

동훈 놀러 와. 송 과장, 김 대리, 형규 다 있어.

동훈은 미소로 지안을 보기만 하고. 지안은 쑥스러운 듯이 시선을 피했다가. 보기만 해도 좋은지 그렇게 보고 서 있는 두 사람. 그때,

여자 이지안 가자!

그쪽을 보면 세 명의 또래 여자들이 서 있고.

동훈 (손을 내밀고) 악수 한번 하자.

지안 (손을 내밀어 동훈의 손을 잡고)

동훈 (뿌듯해서 지안을 보며) 고맙다. (지안을 보고만 있는데)

지안 제가 밥 살게요. 아저씨 맛있는 거 한번 사주고 싶어요.

동훈 (피식 웃는데 눈물 날 것 같아 딴 데 봤다가)

지안 전화할게요.

동훈 그래.

지안은 동훈의 손을 놓고 무리 쪽으로 가고. 동훈을 돌아보며 무리들과 가고. 동훈도 지안을 보다가 돌아서 가는데… 그렇게 한참을 가다가 지안 쪽을 돌아보고… 다시 가는 동훈의 얼굴에

동훈　　(E) 지안. 편안함에 이르렀나?

무리들과 가다가 동훈 쪽을 돌아보는 지안. 그러다가 다시 밝게 가는 얼굴 위로

지안　　(E, 가뿐하고 차분한) 네. … (한 번 더) 네.

그렇게 밝게 가는 동훈과 지안의 모습.

-끝

배우 인터뷰

이지은

손끝이 시려오는 겨울이면 후계동 골목길과 지안의 시린 발목이 떠오르곤 한다.
드라마 종영 후 꽤 오랜 시간이 흘렀지만, 이지은 배우는 그때의 감정을
선연하게 떠올려 들려주었다. 담담하고 차분히 전하는 말들에는 깊은 고민의
흔적이 오롯이 묻어 있었다. 지안, 그리고 「나의 아저씨」에 대한 이지은 배우의
단상을 1인칭 시점으로 들어본다.

에디터 강현지

Moon

달이 또렷이 뜬 밤길을 걷는 날이면 숨마저 다른 것 같았다.
어려서부터 쨍하고 환한 햇빛보다는 제 몫만큼 발하는 달빛이 좋았다.
달에게서 느껴지는 묵묵함에 내 마음도 편안해졌다.
사람들이 해가 아닌 달에게
소원을 빌고 마음을 기대는 것도 아마 비슷한 이유 아닐까.

지안의 달도 이와 크게 다르지 않을 것 같았다.
제자리에서 고요히 빛을 내는 존재.
동훈은 그런 달을 닮은 사람이었다. 동경하는 인간상.
해처럼 온 세상을 비추진 않지만 묵묵히 주변을 비추는,
아는 사람만 알 수 있는 따뜻함을 가진,
지안의 인생에서 처음 마주한 달 같은 사람.

감히 가지려는 욕심 내지 않을 테니 그곳에 머물러주길,
계속 빛나주길.

다정한 위로

손숙 선생님은 언제나 단정하고, 침착하고, 고요하셨다.
진짜 할머니처럼 항상 따뜻하게 맞아주셔서
손녀 지안이 되어 선생님과 호흡을 맞추는 동안
단 한 번도 마음이 어려워질 일이 없었다.

할머니와 지안의 단칸방 신을 찍던 어느 날,
유독 움츠러들어 있던 내 마음을 읽으셨는지
선생님께서 두 손을 잡아주셨다.
그러고는 잘하고 있다고 다독이며 이렇게 말씀하셨다.

"지은아, 이런 경험은 배우 인생에 한 번 이상 오지 않을 확률이 높아.
네가 만들어내려고 애쓰지 않아도
지안이가 네 손을 잡고 이렇게 끌고 가주잖니,
그냥 너희 둘이 원래 알았던 사람인 것처럼 손을 잡고 걷고 있잖니.
나중에 정말 드문 경험으로 남을 지금 이 시간을 느껴봐."

지안에게 삶의 유일한 동력이었던 할머니가
선생님이라서 많이 행복했다.
감사한 말씀, 다정한 위로.
참 좋은 인연이다.

조금 특별한 달리기

누군가와 같이 달렸던 순간을 떠올려본다.
어디 가서 내 속 안 보여주고 척하며 살다가
깜빡이는 신호등을 눈앞에 두고 누군가와 냅다 뛸 때.
그럴 때면 나도 모르게 어린 웃음이 터져 나왔고,
숨겨둔 모습을 들킨 것처럼 머쓱하면서도 상대방과 한 걸음 가까워졌다.

안전진단3팀 동료들과 야근 후
지하철 막차를 타려고 달리는 장면을 찍을 때도 그랬다.
안전진단팀과 사담을 나눌 일이 거의 없을 때였는데
다 같이 몸을 쓰고 여러 번 뛰다 보니
"힘들다." "그쵸. 저도요." 같은 말들이 저절로 새어 나와서
분위기에 자연스럽게 어우러졌다.

달리기를 좋아하는 지안에게도
이날의 달리기는 조금 더 특별하지 않았을까 짐작해본다.
달릴 땐 내가 없어지는 것 같아서 좋다고 할 정도로
퍽퍽한 현실에 지쳤던 지안이 자기를 지워내지 않고도
사람들과 함께 달릴 수 있었으니까.

정희

"사랑하지 않으니까 치사하지"라는
한마디가 그토록 와닿았던 이유는
정희라면 이런 말할 자격이 있지 않나 싶어서였다.
사랑만 있으면 치사할 일이 없다는 걸 알고 있지만
모든 것이 꼭 뜻대로 흘러갈 수는 없음을 받아들이고,
상원을 사랑하고 미워도 하는 삶.
이것은 완벽한 성찰이 아닐까, 하고 생각했다.

기쁨뿐 아니라 삶의 쓸쓸함과 외로움에도 진솔할 줄 알고,
마음의 짐을 숨기거나 가드를 올리지 않으며
주변 사람들과 즐겁고 순수하게 어우러지는 사람.
저런 사람이 내 주변에 있다면 삶이 힘든 이유가 무엇이 있을까.
이해가 있는 인간, 그러면서도 젠체하지 않는 인간.
정희가 삶을 대하는 모든 태도가 좋았다.

대사 뒤에 흘러나오는 OST「백만 송이 장미」가사를 곱씹으며
인생에서 가장 긴 일기를 썼다.

미워하는 미워하는 미워하는 마음 없이
아낌없이 아낌없이 사랑을 주기만 할 때.

새벽, 기찻길

지안으로 살 때는 주변의 영향을 받지 않고 자기만의 데시벨로
나지막이 얘기하는 것이 숙제였다.
그랬던 지안이 처음으로 목소리 높여 얘기하는 장면이 있다.

"내 뒤통수 한 대만 때려줄래요?
보고 싶고 애타고 그런 거 뒤통수 한 대만 맞으면 끝날 일이라면서요.
…
그러니까 한 대만 갈겨달라고 내 뒤통수. 정신 번쩍 나게.
어떻게 이딴 인간을 좋아했나 머리 박고 죽고 싶게!"

선균 선배님이 내 찰나의 감정과 대사 하나까지 세심히 받아주시던
당시의 상황이 지금도 선명하다.
"집에 가, 왜 돌아다녀" 하며 당황한 듯 허공을 움직이던 손가락질,
선배님이 보여주신 그런 날것의 리액션 덕분에
나도 욱하는 감정들이 자연히 끌어져 나왔다.

뒤통수를 얻어맞으며 그간의 감정을 다 쏟아내고서는 '됐다' 싶었다.
새벽녘 해가 올라올 무렵이었다. 까맣던 하늘에는 살짝 푸른빛이 돌았다.
이 모든 게 실제 같았다.
차가운 새벽, 한 대 얻어맞고 돌아갈 때의 서러움과 안도감.
그때의 온도와 감정이 현실과 뒤엉켜 아직도 생생하다.

후계동

어린 시절 친구들이 유독 돈독해지는 이유는
모든 게 공감거리가 될 수 있기 때문이다.
등하굣길, 선생님, 짝꿍 등의 수많은 주제뿐 아니라
사소한 찰나마저 향유할 수 있으니까.

그런 의미에서 후계동이 나에겐 판타지 같았다.
이제는 각기 다른 일상을 사는 사람들이
매일같이 모여서 할 얘기가 있다는 게,
그런 존재가 심지어 축구단을 꾸릴 정도로 많다는 게
가장 따뜻하면서도 동화 같았다.

이런 사람들이 곁에 있다면
하루가 저물 때 모여서 시시콜콜한 오늘을 나누고,
"내일 또 만나자"는 기약을 할 수 있겠지.
저렇게 산다면 무서울 게 많이 없지 않을까?
외부에서 어떤 타격을 입고 돌아와도 회복할 아지트가 있으니까.

그래서 나도, 사람들도
"다시 태어나면 이 동네에서 태어나고 싶어요"라는
지안의 말에 고개를 끄덕이나 보다.

소리 내 우는 법을 잊은 널 위해

낙인처럼 따라다니던 과거를 듣고도
자신을 보호하던 동훈의 목소리를 이어폰 너머로 들으며,
지안은 길에 쪼그려 앉아 아이처럼 서럽게 울었다.
이렇게 소리 내어 울음을 터뜨린 게 얼마만이었을까.
울어본 적이 없으니 소리가 어떤 길로 나와야 하는지도 모르는 채
지안은 어색하고 낯선 울음을 한참 쏟아낸다.

제 나이를 삼만 살이라고 소개하고,
아저씨를 만나 처음으로 살아봤다고 느낄 만큼
삶이 고단했던 지안이 바랐던 것은
너무 애틋하지만은 않은 가족,
가끔은 어이없어서 웃음 나는 애증 어린 가족이 있는
그런 평범한 삶 아니었을까.

지안이 일상적인 감정을 더 이상 새삼스러워하지 않고
무덤덤하게 감각하며 살길 바랐다.
부디 편안함에 이르기를,
기쁠 때 웃고 슬플 때 울기를,
남들보다 늦은 만큼 나이가 좀 더 들어서도
철없이 살기를.

작가의 말

박해영

나의 아저씨, 이야기의 시작

전에 「나의 아저씨」 집필 계기를 묻는 한 인터뷰에서는 이렇게 말했습니다.
사실 어떤 계기 하나를 정확하게 짚어내기가 뭐하다고, 먼지처럼 희미하게 이리저리
움직이던 마음이 어느 순간이 되면 덩어리가 돼서 보이는데, 당시엔 '말없는 남자에 대한
연민' '세상을 할퀴고 싶은 여자' '단순한 즐거움에 빠져 사는 인물들' 이런 것들이
제 속에서 먼지처럼 떠돌고 있어서 이를 글로 써보고 싶었다고요.

그런데 사석에선 이런 말을 먼저 했던 것 같습니다. 「나의 아저씨」를 기획했던 2013년은
드라마 시장이 '설정의 시대'일 때였습니다. 당시 드라마 속 주인공 캐릭터는 다수가
파워풀함을 기본 공식으로 삼았고, 그 힘을 의사, 변호사, 형사, 판사와 같은 직종으로써
만들고 있었습니다. 후에는 이를 넘어서 초능력자, 시간을 거스르는 자, 다른 세상에서
온 자 등으로도 넘어가기도 했고요. 드라마와 영화를 보는 이유가 서사보다 인간의 결을
보고 싶어서, 정서를 느끼고 싶어서인 제게는 이런 흐름이 좀 팍팍하게 다가왔습니다.
저는 사람에게 감동하고 싶었습니다. 누군가가 어떤 영웅적인 일을 해서 감동하는 게
아니라, 인간이 인간의 면모를 보이기에 감동하는 얘기가 보고 싶었습니다.

전회 대본 집필을 다 마치고 어쩌다 한 장짜리 기획의도를 다시 보게 되었습니다.
기획의도에 그런 글이 있었습니다. <요란하지는 않지만, 인간의 근원에 깊게 뿌리 닿아
있는 사람들. 그런 맑은 사람들에게 감동하고 싶다. 원래 인간이란 '이런 물건'이었다는
듯, 우리가 잊고 있었던 '인간의 매력'을 보여주는…> 이 글을 다시 읽으며 '아, 제대로
목적지에 도착했구나' 하고 안도했습니다.

"할머니 돌아가시면 전화해"라는 박동훈의 대사를 쓰고 갑자기 왁 울음이 터졌습니다.
대본 쓰면서 슬픈 장면에서 홀쩍이는 것은 많은 작가에게 있는 일이겠으나,
그렇게 소리 내어 울었던 적은 처음이라 당황했습니다. 삼십 분을 울면서 거실을
서성이다가 다시 컴퓨터 앞에 앉았는데 그 대사를 보고 또 울음이 나서 일어났습니다.
의아한 경험이라 기억에 남습니다. 아마도 그렇게밖에 만날 수 없는 두 사람의 상황이
슬펐던 것 아닐까 싶습니다. 그리고 지안이 혼자서 치를 장례를 걱정하는 동훈의
마음 씀씀이도 아팠고요.

〈 … 〉

제겐 의미 있는 대사였지만 힘주지 않고 극에 스며들도록 썼던 대사들을 알아보시는
분이 계실 때 감사했습니다. 한번은 피디님이 본인의 어머님께서 보내신 문자를
제게 보여주신 적이 있습니다. 당일 방송을 보신 소감이었는데 아들아, 하는 말로
시작하는 메시지 말미에 그런 말씀이 있었습니다. 오늘 춘대가 "마음이 어디 논리대로
가나요"라고 했던 말이 좋았다고요. 사실 저는 무언가를 결정하는 데 있어서 이성적이고
논리적으로 행동하고 싶어 하지만, 찬찬히 들여다보면 이미 마음이 간 후에 뒤늦게
논리를 붙이려고 애쓰는 사람이라는 걸 알았습니다. 그걸 인정하고 나서는 논리적인
척하려고 애쓰는 마음이 많이 줄었습니다. 피디님의 어머님께서 그 마음을 알아주신 것
같아 참 좋았습니다.

〈 … 〉

지안이 후계동 사람들의 도움을 받아 할머니 장례를 치르며, 꼭 갚겠다고 말하는
장면이 있습니다. 그때 제철이 "인생 그렇게 깔끔하게 사는 거 아녜요"라고 하는데,
사실 그 대사는 제가 듣고 싶은 말이었던 것 같습니다. 살면서 받으면 꼭 갚아야 된다는
강박이 있었는데, 이 대사를 쓰며 저의 강박이 또 작동했던 거죠. 지안이 갚겠다고
말하는데, 문득 제철이란 인물이 그런 말을 하더군요(본인이 썼으면서 인물이 그런
말을 한다고, 제삼자처럼 말하는 게 이상하게 들릴 수 있지만 그럴 때가 있습니다. 내가
하는 말인지, 인물이 하는 말인지 알기 어려운 때요). 방송 후 제철의 그 말을 듣고
풀려나는 기분이었다는 어느 시청자의 댓글을 읽었어요. 감사했습니다.
저 같은 분들이 꽤 많았던 거죠.

작가들마다 이야기 짜는 방식이 다른데, 저는 주인공의 직업을 마지막에 정하는 편입니다. 직업을 먼저 정하면 그 직업 세계에 종사하는 사람들에 대한 선입견이 작용해서, 자칫 인물이 피상적으로 그려질 수 있기 때문이죠. 해서, 하고자 하는 얘기에 가장 적확한 인물(캐릭터)과 줄거리를 먼저 짜고, 나중에 그에 맞는 직업을 찾는 편입니다. 「나의 아저씨」를 쓸 때도 그랬습니다. 줄거리를 짤 땐 '대기업이다, 부장이다, 조직 내 라인이 있다'와 같은 대략적인 틀만 정하고 작업했습니다. 이야기가 다 짜였고, 캐릭터도 나왔을 때 이를 확 살려줄 만한 직업이 뭐가 있을까 고민했습니다.

박동훈이라는 캐릭터를 봤더니 말로 홀리는 직업이 아닐 것 같았고 실체가 없는 것을 얘기하지 못하며, 우직하고, 끼 부리지 않을 것 같았습니다. 이 캐릭터에 딱 들어맞는 직업이 뭐가 있을까, 하다가 아는 분이 삼풍백화점과 성수대교 붕괴 사고를 재조사하면서 건축구조기술사라는 직업이 있다는 걸 알았다고 하더군요. 언뜻 듣기에 박동훈이란 캐릭터에 맞을 것 같았습니다. 몇몇 건축구조기술사분을 만나 인터뷰해보니 그분들의 실제 성향이나 하는 일의 성격이 정확히 박동훈이라는 캐릭터와 일치했습니다.

직업을 확정 짓고 나니 다음 문제는 극이 완성될 때까지 자문해주실 분을 찾는 것이었습니다. 자문을 요청드리다 보면 자신의 직업 세계가 부정적으로 그려질까 봐 이를 꺼리시는 분들도 있습니다. 한편 작가 입장에서는 '좋게'만 그리겠다는 확답도 못 드립니다. '정확하게' 그리겠다는 확답도 못 드리고요. 그런데 건축구조기술사라는 직업은 부정확하게 그리면 큰일 나는 직업인 데다가 박동훈이 일하는 방식을 봤을 때 나쁘게 그릴 일이 없으니 자문해주시는 분께 죄송스러운 상황은 벌어지지 않겠다 싶었습니다. 다만, 상당히 귀찮게 할 수도 있겠다 싶었습니다.

아시겠지만 박동훈의 회사 사무실에서 쓰는 컴퓨터 프로그램이며 책상에 깔린 서류며 모든 것을 공수해와야 했으니까요. 건축구조기술사라는 직업은 드라마 제작팀도 처음 접하는 직업 세계였기 때문에 저희는 오륙 개월 장기간에 걸친 작업을 자문해주시는 분께 상당 부분 의지해야만 했습니다. 아, 이 드라마 잘 되려나 보다, 싶었던 이유에는 이런 상황에서도 적극적으로 도와주셨던 건축구조기술사 분들이 있었습니다. 그 추운 겨울날 야외 촬영장까지 오셔서 현장 감수를 해주시고, 시도 때도 없이 전화로 메일로 귀찮게 해도 항상 성심성의껏 응대해주시고 자문해주시는 분들의 마음 씀씀이에 감동하며 저 또한 마음 편히 일할 수 있었습니다. 진심으로 감사드립니다.

웬만하면 겪은 일, 본 일, 들은 일을 많이 가져오려고 합니다. 결국 안 쓰게 되는
이야기가 되더라도 메모를 많이 하는 편이에요. 작가가 그 세계를 모르거나, 그 인물을
모르면 피상적으로 그릴 수밖에 없기에 상투성을 벗어나기 힘듭니다. 상투성은 대번에
거짓부렁임을 드러내는 거죠. 그럼 결국 몰입이 안 되는 거고요. 그래서 등장인물의
직업이 정해지면 직업마다 자문을 구합니다. 거기에서 또 상당한 디테일이 챙겨집니다.
1화 극 중에서 상훈이 '축, 안전진단검사 통과'라는 현수막을 보고는 아파트가 부실해서
재건축하게 된 상황에 '축'이라는 단어를 쓴 것이 아이러니해 "어메이징 코리아다"라고
했던 것도 실제로는 건축구조기술사님이 하신 말씀입니다.
그렇게 드라마에 순간순간 실제를 입혀 은행에서 퇴직해 모텔에 수건 대던 지인의
지인은 후계동 삼인방 '권식'이 되었고, 자동차 회사에서 퇴직해 미꾸라지 수입업을
하시는 아는 분은 '진범'이 되었습니다. 지금은 고인이 된 남편이 이십여 년간 나가던
조기축구회는 후계동 조기축구회가 되었고요.
그리고 어느 동네나 정희네 같은 술집 있죠. 그런데 거긴 꼭 진상이 있습니다.
저 인간 때문에 내 반드시 이 동네 뜨고 말리라, 결심하게 하는 진상들이 도처에 있는데
드라마에선 그런 진상들만 솎아내는 겁니다.

인물을 아끼고 사랑하자

일단 전 인간은 다 재밌습니다. 그러니 두 명 보는 것보단, 이왕이면 열 명 보는 게
좋습니다. 남녀 주인공이 주지 못하는 정서를 다른 인물들이 줄 수도 있으니까요.
예를 들면, 이지안이 주는 정서와 최유라가 주는 정서는 다르잖아요. 그리고 인물이
한 번 등장했으면 극 중에서 자기 인생을 살아내야 한다고 생각합니다.
만약 소설이었으면 내가 이렇게 썼을까, 냉정하게 생각해보면 그러지 않았을 것
같더라고요. 드라마 대본은 영상화를 목적으로 하는 글이기에 이를 연기하는 배우가
분명히 있고, 그들 모두는 자기 세계가 있는 사람이기에 인간적인 대접을 해야 한다는
생각이 있었던 것 같습니다. 그리고 인물을 제대로 건사하지 못하면 쫑파티에서
그 배우 얼굴을 못 봅니다. 미안해서. 그리고 제가 시트콤을 오래 했는데, 시트콤에선
모든 인물이 돌아가며 주인공을 합니다. 아마도 그때의 습관도 있는 것 같습니다.
일 년 전부터는 모니터에 이런 말을 써서 붙여놓았습니다.
"잘 쓰려고 하면 영점 조준이 잘못된 것이다. 인물을 아끼고 사랑하자. 사랑이 다 한다."
써놓고 스스로 기특해했던 말입니다. 이 말을 되뇌면 이제 그렇게 지옥처럼 일하지
않을 것 같다는 느낌도 들었습니다.

글에 움직임이 더해지는 순간

사실 거의 모든 장면이 글보다 근사했습니다.

그럼에도 불구하고 제가 황홀하게 봤던 몇 장면을 떠올려봅니다.

참… 많이 좋았습니다.

⟨ *Ep.8* ⟩
요순의 생일잔치

이렇게 생생할 수 있을까.
정말 어느 집의 생일잔치에 와 있는 기분이었습니다.

Ep. 8

동훈 몽타주 신

<동훈은 엎드린 채로 가만있다가… "파이팅!" 한다. 마치 며칠 전 지안의 응원에 응하듯…>
정말 실재하는 어떤 한 인간이 무너져 내리는 걸 보는 것 같아서 마음이 아팠습니다.

엔딩

지안이 동훈을 몰아붙이는 장면. 다 안다고 생각했던 배우의 얼굴에서
처음 보는 얼굴을 발견할 때의 짜릿함. 감정의 결이 하나하나 다 살아 움직이는 것 같은
그 질감이 숨 막히도록 멋졌습니다.

Ep. 12

동네 사람들이 지안을 집까지 데려다주는 장면

느낌을 어떻게 표현해야 될지 몰라서 다분히 문학적인 지문을 썼는데,
영상으로 마주한 그 장면의 분위기가 너무나 완벽했습니다.

동훈이 기훈을 보다가 그냥 그 자리에 앉는다. 착잡하고 잠잠해지는 마음… 가만있는 동훈.
긴 한숨을 내쉬는데… 눈물이 터질 것 같은 상황이다…. 상훈은 동훈이 행여 울까 봐
기훈을 노려보게 된다….

Ep.14

동훈의 상무 승진 파티

축제 분위기다. 사람들이 바글바글 왁자하고, 요순과 애련, 정희는 주방에서 분주하게
음식 준비 중이다. 맞춰 온 편육 박스, 홍어무침 박스가 펼쳐져 있고, 요순은 가스레인지 위의
들통에서 커다란 삶은 문어를 꺼내 도마 위에 놓고 썬다. 애련은 육회를 무치고,
정희는 분주히 접시에 음식을 담고, 상훈, 기훈, 유라는 접시를 테이블로 나른다.
동훈은 사람들 틈에 앉아서 축하받으며 연신 건배하는데…

<Ep.15>
어린 지안, 기범, 광일의 서사가 담긴 신

어린 시절 지안과 기범이 얻어터진 몰골로 지쳐서 골목 끝에 앉아 있는데,
역시 얻어터진 광일이 와서 지안에게 과자를 건네고, 지안을 업고 올라가는 신은 대본에 없습니다.
15화 대본을 보신 감독님께서 그런 신이 있었으면 좋겠다고 말씀하셨는데, 충분히 이해했지만
쉽게 써지지 않았습니다. 그때 감독님께서 그 신은 대본 없이 가겠다고 해서 오케이 했고,
방송으로 그 장면을 보고는 '아, 이거였구나. 반드시 필요했던 신이었구나' 싶었습니다.
드라마란 장르가 이래서 매력적인 것 같습니다. 모자란 부분을 서로가 채워주니까요.

Ep.16
엔딩

동훈   (E) 지안. 편안함에 이르렀나?
무리들과 가다가 동훈 쪽을 돌아보는 지안. 그러다가 다시 밝게 가는 얼굴 위로

지안   (E, 가뿐하고 차분한) 네. ··· (한 번 더) 네.

드라마 작가로서 인정하는 게 있습니다. 드라마가 잘되고 못되고는 제 공에 있는 것이 아니라 글을 영상으로 만들어내는 분들에게 있다는 겁니다. 종이에 기역 니은 디귿으로 엮은 글을 이백 명의 배우와 스태프분들이 모여 살아 움직이는 영상으로 구현해내는 것은 전혀 다른 차원의 작업입니다. 그런데 「나의 아저씨」 팀은 단 한 명에게서도 어떤 어긋남이나 누수가 보이지 않았습니다. 우린 모두 이 드라마가 어디로 가야 하는지, 어떻게 만들어져야 하는지 아는 것 같았습니다. 그게 신기해서 제가 이렇게 말했던 적이 있습니다. 마치 우리는 전생에 이 일을 하기로 약속했던 사람들 같다고, 그래서 때가 되어 아무렇지 않게 모이고 멋지게 자기 몫을 다하고는 또 아무렇지 않게 헤어졌다고. 참으로 멋진 팀이었습니다.

나의 아저씨 2

초판 1쇄 발행 2022년 2월 22일
초판 2쇄 발행 2024년 12월 1일

지은이   박해영
펴낸이   최동혁
디자인   mykc
일러스트   오하이오(Ohio)

펴낸곳   (주)세계사컨텐츠그룹
주소   06168 서울시 강남구 테헤란로 507 WeWork빌딩 8층
이메일   plan@segyesa.co.kr
홈페이지   www.segyesa.co.kr
출판등록   1988년 12월 7일(제406-2004-003호)
인쇄   예림
제본   다인바인텍

ISBN   978-89-338-7177-5
             978-89-338-7175-1(세트)

Segyesa Contents Group